豆狸

御祓済

京極夏彦

西巷説百物語

京極夏彦

角川文庫
17870

目　録

口絵造形製作／荒井　良
口絵デザイン／館山一大

桂男《かつらおとこ》

◎桂男

月《つき》をながく見いり居《を》れば
桂《かつら》おとこのまねきて
命《いのち》ちゞむるよし
むかしよりいひつたふ

繪本百物語・桃山人夜話巻第五／第四十二

壱

月ぃ眺《なが》めとったらあきまへんでと帳屋《ちょうや》の林蔵《りんぞう》は言った。

何でやと問う。

その問い懸《か》けの抑揚《よくよう》がどうにも上方風でなく、急に拵《こしら》えたような不自然な尋ねようになってしまったから、剛右衛門《ごうえもん》は何だか気恥ずかしくなった。

上方での暮らしも今年で二十五年になる。上方訛《なま》りは身に染《し》みている。だから取り立ててそうしようと思わなくとも、ごく自然に口を突いて出る。独り言などみな上方風である。それなのに意識した途端、嘘臭《うそくさ》くなる。真似《まね》でもしているようになる。剛右衛門はそれが嫌だ。

何故月を見てはいけませんかなと、再度問うた。

照れ隠しに江戸の訛りに近づけようとしてみたのだが、却《かえ》って上方者が無理に江戸弁を使っているような具合になった。妙なものである。

持ってかれる謂《い》いまっせ、と林蔵は言った。

「持ってかれるて、何を」

「さあ何でっしゃろかな」

林蔵は困ったように笑う。

佳《よ》い男である。

容姿《みてくれ》のことではない。勿論《もちろん》、見た目もさっぱりと垢抜《あかぬ》けているし、顔つきも整っている。切れ長の吊眼《つりめ》はどこか高貴な様子だし、鼻筋もすっと通っていて、薄い唇は男のくせに朱《あか》く、色白の顔《かんばせ》に妙に映《は》えている。噂《うわさ》では言い寄って来る女は相当に多いらしい。それなのに、この優《やさ》男《おとこ》はどうにも女につれないという。羽振りが悪い訳でもなく男振りも好《よ》いのに女気を嫌う、身持ちが堅《かた》いからといって所帯を持っている訳でもない。嫁を娶《と》る気配もない。だから中には陰《かげ》間《ま》ではないかと悪口を謂う者もいるが、それはやっかみというものである。

勿論、剛右衛門にも男色《なんしょく》の気はない。

剛右衛門は林蔵の人を買っている。否《いや》、正直に言うならその商売《あきない》の手腕を買っている。

林蔵は天王寺《てんのうじ》で帳屋を営む男である。

帳屋というのは紙に帳面、筆一式、そうした書き物道具全般を扱う商いで、普通は店先に笹竹を立てて目印とする。ところが林蔵の店は竹の先に樒《しきみ》が括《くく》られている。店の看板には帳屋林蔵としか書かれていないけれども、巷《ちまた》では樒屋と呼ばれているらしい。

最初は、ただ帳面を仕入れていた。

樒屋の大福帳はげんが良いと、誰かに聞いたのだ。

誰だったろうか。それより、何を契機《きっかけ》にしてこのように親しくなったのだったか。

お月はんにはほれ、隈《くま》がありまっしゃろ、と林蔵は続けた。

「あれが、男だんねん」

「男て、あれ兎《うさぎ》と違いまんの」

「兎て」

餅搗《もちつ》いてるゆう話でっかと言い乍《なが》ら、林蔵は剛右衛門の隣まで歩を進め、手摺《てす》りに両の手を掛けた。

剛右衛門の奥屋敷に設《しつら》えられた物見台である。この界隈では一番高所にあり、一番見晴らしが良い。とはいうものの、街中であるし、絶景という訳には行かぬ。火の見櫓《やぐら》に上ったようなもので、見渡しても見通しても目に入る景色は街並みだけである。それでも天に近いことは間違いなく、月見星見には丁度良いということで、何とはなしに向月台《こうげつだい》と呼んでいる。

慈照《じしょうじ》寺の庭にある向月台とは何の関わりもない。

兎には見えまへんでと林蔵は言う。

「杵《きね》ェ持ってるんでっか」

「そう謂うやろ。まあ、何処《どこ》が頭で何が杵やら、儂《わし》にもよう判らんのやけども、そう言われて見れば長い耳があるようにも思えるやないか。兎の餅搗きや。童《わらじ》の時分に聞いたで」

「私《わたい》は蛙《かえる》やと教えられましたで。あれは蟇《ひき》が跳ねておるんやと——まあどれも擬《なぞら》えやね」

「そやなあ」

あんな所《とこ》にそないなもんが居る訳ないわ、と剛右衛門が言うと、旦那《だんな》はん月がどないな場所《とこ》か知ってはるみたいやでと言って林蔵は笑った。

「あんな所でどんな所でんねん」

「サテどないな所なんやろな。そもそも、あれは球《たま》なんやろね」

「まあどっから見ても円《まある》く見えますよって、球なんでっしゃろな」

「しっかし繁繁《しげしげ》と見とると不思議なもんやなあ、月ゆうのんは。あの模様かて、あれ、どないになってますのやろ。そもそもお月はんゆうのは、この地べたからどのくらい離れておるのやろね」

遠いことだけは確実《たしか》でっせと言って林蔵は剛右衛門の方に顔を向けた。

「遠いか」

「せやから旦那はん、そないに見詰めてはあかん言うてまっしゃろ。俗信《いいつたえ》ゆうたかて唐土《もろこし》渡りの筋金入りや、あんまりださくさしたらあきまへんがな」

「さよか」

剛右衛門は太陰から視軸《しじく》を離した。

凝視《みつめ》ているとこのまま魅入《みい》られてしまうような気もしたのである。眼が滲《にじ》むのか、光が暈《ぼや》けるのか、月輪《がちりん》が蠢《うごめ》いたようにも思えた。

錯覚《きのまよい》だろう。

あれは林《りん》さん、ぽっかり浮かんでおるのやろなァと、剛右衛門はまるで児童《こども》のようなことを問うた。

浮かんでまんなァ、と林蔵は答える。

「遠くに遠くに浮かんでますわ。いや、この大坂《おおざか》からもあないして見える、唐土《もろこし》からも韃靼《だったん》からも同じように見えるんやから、こら相当に遠いことになりまっせ。江戸大坂より離れてまっしゃろな。いや、長崎《ながさき》か蝦夷《えぞ》か、もっと離れてますわ。鳶《とんび》かて鷹《たか》かて月までは飛べまへん。大筒《おおづつ》ゥ撃《う》ったかて届きまへんで」

「そら届かんて」

剛右衛門は大いに笑った。

「お月はん撃ち落としたなんちゅう話は、法螺《ほら》にしても耳にせんわい。落とさんまでも弾が届くんやったら、孔《あな》のひとつも開いてますやろ」

まったくやねえと林蔵は答えた。

「そんだけ遠くてあの大きさでっせ、旦那はん。ありゃ、相当に巨《おお》けなものや。その巨けな月に、あの隈ァ、こうでかでかと映ってる訳ですわ。あれが兎だ蛙だゆうのやったら、そら大層《たいそう》にでかいもんでっせ。この国の端から端まであるような、そら大変な化け兎や」

そやろなあと剛右衛門はもう一度天を仰いだ。

勿論、本気で兎が居ると思ったことなどただの一度もないのである。ないのだけれど、別にそんなことを真面目に考えたこともなかったのだ。

別に兎には見えなかった。沁《し》みのようなものである。

蛙として見たところで、能《よ》く解らない。

「あの模様は――何なのやろね」

「せやから、あれはまあ、山の影か、谷の凹《へこ》みか、そんなようなもんでっせ。まあ、球の表面《おもて》の凸凹《でこぼこ》ですわ」

まあ、そうなのだろう。

でも。

「最前、男だとゆうたで」

「へえ。あの模様が男なんか、彼処《あそこ》に男が居《お》るゆうことなんか、其処《そこ》んとこは判らへんのやけども、あのな——旦那はん。お月はんには桂《かつら》の樹ィが生えとるんやそうですわ」

「桂って、あの桂かい」

「へえ。あの桂や。月桂樹《げっけいじゅ》やね。こら相当にでかい樹ィらしいですわ。五百丈《じょう》からあるそうでっせ」

五百丈の樹木など想像も出来ない。

「でも」

五百丈の兎よりは在りそうな話でっしゃろと林蔵は言う。

それは慥《たし》かにそうだろう。樹木は禽獣《きんじゅう》と違って枯れぬ限りは何処までも巨《おお》きく育つものである。神域にある御神木は巨きい。深山幽谷にはもっと巨大な樹もあるだろう。

「その樹の桂子《かつらみ》が何処ぞに降《ふ》ったゆう話まであるゆうことですわ。真実《ほんま》かどうかは知りまへんけどな。で、まあこれの手入れをしてるのが、桂男や」

「桂——男かいね」

「元は唐土《もろこし》の何とかゆう男で、仙術の修行した者《もん》やそうですわ。まあ、唐土やと、何でっしゃろか、この仙術ゆうのは、御法度《ごはっと》やそうですな」

「御法度って、禁じられとるゆうことか」

「へえ。勝手に学んだり修めたりしたらあかんものらしいですわ」

「せやかて仙人みたいなのは居《お》るやろ。粂《くめ》の仙人かて仙術使いやろし。ま、そんな阿呆《あほ》らしもんがあるかないかは別にして、唐天竺《からてんじく》なんぞは仙術の本場なんと違うか」

「そやね、まあ其奴《そいつ》はモグリやったん違《ちゃ》いますか。兎《と》に角《かく》、その男は罰せられて、月に飛ばされよって、桂の樹《き》ィ伐らされてるんやそうですわ」

そら奇《け》っ態《たい》な話やでと言って、剛右衛門は毛氈《もうせん》を敷いた縁台に腰を下ろした。

「けったいゆうより、難儀やなあ。五百丈の樹やろ。植木屋何百人呼んで来たかて終わらへんがな」

「まあ、そこは仙術使いやさかいね。巧《うま》いことしよるんやと思いますけどね。この桂男が、こう――さっきの旦那はんみたいにね、月をば凝《じっ》乎と見ておると、見られてるのに気付くんでっしゃろか。此方《こっち》向いて、招く謂いますねん」

「招く――か」

「へえ。手招きする。あの隈が、おいでおいでする」

するかい、と言った。

いや待て。

さっき――。

蠢いて見えた。ああいうことか。

「招かれると――」

どうなるのやろ、と問うた。

「死ぬんだす」

「死ぬ。それで持ってかれる言うたんか。いやはやそら物騒や。物騒やけど――お月はん見て死んだなんて話は、とんと聞かんで」

「直《す》ぐに死ぬのと違いますわ」

「どう死ぬる」

「月ゆうのは、言うてしまえばあっち側でっせ。此岸《しがん》に対しての彼岸やね。お陽《ひ》ィさんと違《ちご》うて、月の光は生き物《もん》に有《あ》り難《がた》いもんと違いますやろ。月は生きてはおりまへんで。黄泉《よみ》の国みたいなもんですわ。そっから招かれる訳やから、こら――命が縮むゆうことですわ」

「命が」

多分、と林蔵は言う。

「寿命を吸い取られますのんや。残り十年が八年、五年が二年と、目減りしてくんやろうと思いまっせ。ま、桂男の話は、こらハナシですわ。何かの喩《たと》えかお子に向けた創り話か、そんなもんなんでっしゃろが、この、寿命が縮むゆうのはホンマですわ」

「月ィ見ておると寿命が縮むゆうんか」

「そやなかったら、こんな愚にもつかんハナシわざわざ創ったりしまへんて。理屈は解りまへんが、古来《いにしえ》より月の満ち欠けが世の中のあれこれと通じておるのは慥《たし》かでっしゃろ。月を読むンは日ィ読むより大事でっせ。何か霊力があるんやろ思いますわ。生気《せいき》吸い取られるゆうんですかいな。そやからね、ええでっか旦那はん、月ィ見てええのんは、十五夜――お月見の時だけでっせ」

「月見はええのんか」

重陽《ちようよう》の節句ん時はええんですわ、と林蔵は答える。

「せやからわざわざお月見ィ謂うのと違いますか。こう、団子こさえて芒《すすき》ィ飾って、改まって観《み》る訳ですわ」

「なる程なあ」

旦那はんの寿命が縮んでもうたら私《わたい》が困りますのんやと、林蔵は眉《まゆ》を顰《ひそ》めて言う。

「困るか」

「困りますやろが」

「まあ困るかもしらんが――お前さんやったら何とでもなるやろ。まだ若いし、何より商才があるわ。それにお前《ま》はんの本業は帳屋やないか。今はこうして商売《あきない》指南みたいなことして貰《もろ》とるけども、あんたそれで喰《く》うとる訳やないのやろし。縦《よ》んば儂とこが転《こ》けたかて、そう損はない筈《はず》やで――」

何を言うてますのん――と言って林蔵は哀しそうな顔をした。

「私《わたい》はね、旦那はんのお人柄に惚《ほ》れて、こうしてお手伝いさして貰《もろ》てますのやで」

「人柄て何や」

「杵乃字屋《きのじや》剛右衛門は名前の通り剛の者や。傑物《けつぶつ》でっせ」

持ち上げるやないかと言うと、真実《ほんま》でんがなと林蔵は答えた。

「私《わたい》が力及ばず乍《なが》らお付き合いさして貰てるのは、旦那はんを見込んだからや。損得勘定やないです。銭目当てやったら、取り入って婿《むこ》にでも入りますわ」

「尤《もっと》もや。けどな林さん、儂はな、まあ自慢やないけど裸一貫から苦労して身代拵《しんだいこさ》えて――あんたの言う通り昇り詰めた男やで」

「承知してますわ。旦那はんを太閤《たいこう》はんに模《なぞら》える者《もん》も居りますで」

「いや――せやから昇り詰めてしもたんや。きっと、今が一番ええ時や。これ以上良くはならんで。昇り詰めたら落ちるだけやろ」

「何を弱気なこと言うてますの。旦那はん、杵乃字屋はこれからですやん。この商いは まだまだ大きゅうなりまっせと林蔵は言った。

「ま、お前さんの才覚は承知しとォる。そのお前さんが言うんやったらそうなんやろ。せやけどな、儂はもうそろそろ隠居したい思うとるのや。ま、やることはやったし、何の不足もないわ。儂は倖《しあわ》せや。もう思い残すことはない。後は余生を面白可笑《おか》しゅう暮らすだけやで」

林蔵は――苦笑した。

「また欲のないことを」

「欲なんぞないて。今更何を欲しがれ言いますのや。銭もたんとある、屋敷かてほれ、分不相応に立派や。蔵かて六つもある。家族も縁者も達者やし、幸い誰に憎まれとる訳でもない。商売かて繁盛しとる。自分の身体かてまだ丈夫や。倖せや」

「しあわせ――でんなあ。あやかりたい程や」

「せやろ。儂はな林さん、満ち足りとぉるんや」

「満ち足りてますか」

間違いなく満ち足りている。

「儂はここいらで見切るのが一番ええと、そう思うとります。人も商売も引き際が大事なんやと、そう教えてくれたのは林さん、あんたやで。月は満ちれば欠けるが道理。ならば欠ける前に引いたろと、こう思とる訳ですわ。満ちた処《ところ》で上がりにしたろ、ちゅうこっちゃ」

もう気苦労はしとないわと剛右衛門は言った。

「何もかも後に譲って残る余生を気楽に暮らす、それが儂の倖せの仕上げやで」

「お店《たな》はどないしますのん」

「そら案ずるまでもない。ほれ、いつぞやお前《ま》はんも言うとったやろ。うちの大番頭は使える男やと」

「へえ。旦那はんは奉公人に恵まれてます。ホンマにそう思いますわ。大番頭はんは元より下《しも》は下《じも》は丁稚《でっち》小僧に至るまで、みな真面目やし、誰もが旦那はんを慕《しと》うております。こんなお店は他に知りまへんで」

そう、それは真実《ほんとう》にそうなのだ。

自分は限りなく恵まれている。剛右衛門は心底そう思っている。

「誰を跡目《あとめ》に迎えようと、店の方は心配ない。今かて半ば奉公人に任せてるようなものや。みなきちんと働いてくれとるわ」

儂はもう、ただ見ておるだけでええのやわ——と剛右衛門が言うと、だからこそ——と、林蔵は継いだ。

「長生きして貰わなあかんのです。このお店は、旦那はんを要《かなめ》に保《も》ってるんでっせ。ええでっか、隠居すンのと西向くンでは大違いや。今旦那はんにもしものことがあったなら、どないしますっ。お店はバラバラや。奉公人から取引先から、みな路頭に迷ってまいますがな。私《わたい》かて困る。お嬢はんかて——」

「ああ」

お峰《みね》。

娘の顔が浮かんだ。

「お峰はんかて泣きますわ。嫁入姿見やはるまで、いや、お孫はん抱かはるまでは達者で居て貰わな——」

そう、そのことだ。

林蔵をわざわざこの向月台まで喚《よ》び出したのは、並んで月見がしたかったからでも、こんな与太《よた》話をしたかったからでもないのだ。

「ま、儂のことはええわ。それよりもどうやったんや林さん。その――例の尾張《おわり》の城島屋《きじまや》さんの方は」

娘の縁談である。

城島屋は尾張でも指折りの回船問屋だそうだ。

そこの次男坊が剛右衛門の一人娘であるお峰を見初めたのである。

何処で見初めたのかどんな想いを抱いたのか剛右衛門は知らない。勿論その次男坊がどのような者であるのかも知らない。ただ、不実な男ではないようで、斯斯然然《かくかくしかじか》に御座候《そうろう》と、剛右衛門宛てに文《ふみ》を送って来たのであった。

本人に会ってみるまで判らぬこととはいうものの、悪い話ではない。

文面から邪《よこしま》な意図は汲《く》み取れなかった。眇《すがめ》で読んでも深読みしても、実直な人柄が滲むような文言が連ねられているだけである。書いた者は善人なのだろう。それ以前に、先方は大店である。本当ならば、これは紛《まが》う方なき良縁だ。

但し。

剛右衛門の子はお峰一人である。城島屋にお峰を嫁がせる訳には行かぬのだ。婿を取り杵乃字屋の身代を継がせなくてはならぬ。それよりも先《ま》ず――手塩にかけた娘を手許《てもと》から離すのは嫌だった。

尾張はそれ程遠くはない。

遠くはないが、剛右衛門にしてみれば遠方である。

縁を纏《まと》める気になるならば、養子に来て貰うよりない。

とはいえ、先方の事情も詳《つまび》らかには判らない。

本人がどれ程真剣だろうと、親の想いお店《たな》の事情はまた別である。惣領《そうりょう》でないとはいうものの、それ程の身代であるのなら、簡単に倅《せがれ》を養子に出すとも思えない。

良い話ではあるのだが悶着《もんちゃく》を起こすのは嫌だった。

そこで——。

尾張に用があるという林蔵に、様子見旁《かたがた》使いを頼んだのであった。

恐縮してましたで、と林蔵は言った。

「息子が阿呆なことしましたゆうて丁寧に頭下げられましてん。大事なお嬢さん文ひとつでくれなんて、こら非礼にも程があるて、ご主人大汗かいてましたわ」

「親御さんはご存じなかったのやろか」

そやないんですわ、と林蔵は続ける。

「知っておったようですわ。けど——怒っとる思とったようですわ」

「怒っとるて、儂がか」

「へえ。どないして詫《わ》びよか、礼尽くそかて思案してたらしいですわ。私《わたい》かて、大坂から捻《ね》じ込みに来た思われたんでっせ」

わてそないに文句言いに見えまっか、と言って林蔵は笑った。

「捻じ込みて——こういう場合、普通は怒るもんなんやろか」

「怒ってもええかもしれまへんな」

そんなものだろうか。

「旦那はんはお倖せやから怒らんのやろね」

金持ち喧嘩《けんか》せず謂いますやろと林蔵は軽口を叩《たた》く。

「せやけど彼方《あちら》さんは平身低頭、必死ですわ。それもその筈、城島屋の大旦那ァ、倅の想いを遂げさせてやりたいと、こう思とる訳ですわ」

「すると何や」

親もその気ということか。

「その気ゆうより大乗り気ですわ。まあ、親でっから子ォは可愛い。その次男坊ゆうのも真面目な男らしいんですわ。で――それ以前に杵乃字屋はんと親戚《しんせき》になるゆうことは、先方にとっても御《おん》の字なんですわ。こら商売《あきない》的には大当たりですわ」

そう――なのか。

「大当たりか」

林蔵が言うのなら間違いないのだろう。いや、これが色色な意味で良縁だということは、素人にでも判るだろう。

「先方は近いうち、出来るだけ早《はよ》うに旦那はんに直接お目通りしてお願いをば致したいと、そう仰《おお》せンなったりましたけど――な」

「けど、何や」

林蔵は何処か含みのある間《ま》を持たせて黙った。

「反対——なんか」

林蔵は横を向く。

反対はしまへんでと言う。

「そら何とも含みのある言いようやな」

何ぞ裏があるンかいと問うと、裏なんかあらしまへんと林蔵は言った。

「商売指南役としては、賛成するよりありまへんわ。この話ィ流すンは阿呆ですやろ。せやけどね」

こらお身内のことですやろ——林蔵はそう言った。

「身内のことてどういう意味や」

「そうやないですか。こら元より商売の話やないんでっせ。この話はお嬢はんの縁談なんでっせ。縁組みの話ですやろ。婿を取るンは杵乃字屋やのうて、お峰はんやないでっか。この話はお嬢はんの、お峰はんの縁談なんでっせ旦那はん。私《わたい》はね、銭勘定の話やったらなんぼでも相談に乗りまっせ。指南料頂戴《ちょうだい》してまっからな。儲《もう》かる損する、稼ぐ遣う、そうゆう話には口出しますわい。でも口出してええのんはそれだけや。仲人口《なこうどぐち》なら渡世違い、お身内のお話やったら余計に筋違いや。こら、私なんぞが立ち入れん話ですやん」

「そ——やな。そやけど林さん、こらただの知り合いとして尋《き》くのやが、どうなんや、その」

「いや、旦那はん、そら私《わたい》には」

判りまへんわと林蔵は言った。

「えろうあっさり言うな」

へえ、と林蔵は答えた。

「先《ま》ず大事なンはお峰はんの気持ちでっしゃろ。それからお店の方方の気持ちィゆうのもありますわ。幾ら儲かるからて、そこ酌《く》まいで話進められんのと違いますか」

生意気語ってしもうた、と林蔵は畏《かしこ》まった。

「ま、私《わたい》の方は旦那はん次第や。旦那はんの指図があれば
いつでも仲ァ継がさして貰います――。

「よう、お考えになって――」

そう言って、
林蔵は深深と頭を下げた。

弐

剛右衛門は考えている。

勿論、縁談を進めるべきか否か、という問題に就いてである。

迷うまでもないことなのだが。

何を迷うのか。何故決められぬのか。

今までこんなことはなかった。剛右衛門は即断即決を身上として来た男なのである。

部屋を見渡す。

迚《とて》も広い。青青とした畳。藺草《いぐさ》の香り。

欄間《らんま》は群雲《むらくも》に三日月の透かし彫り。

襖《ふすま》絵は松に鶴。

重心を傾ける。

肘《ひじ》の下には脇息《きょうそく》がある。臀《しり》の下には上等な誂《あつら》えの座布団がある。唐草《からくさ》の細工彫りの銀煙管《ギセル》を銜《くわ》える。

申し分ない。

いや――有《あ》り難《がた》いことである。二十五年前、喰うや喰わずで大坂に流れ着いた時、こんな身分になれるとは思うてもいなかった。だから剛右衛門はこの、今の状況に感謝している。

雨露《あめつゆ》を凌《しの》げて――。

三度の飯《まま》が喰えればそれで充分だと思うていた。

だから剛右衛門は――満ち足りている。

――その所為《せい》やろか。

剛右衛門はそんな風に思った。

満ち足りているから欲が出ない。欲がなければ商売は出来まい。もうこれでいいと思ってしまえば終《しま》いである。上を見ずに梯子《はしご》を上《のぼ》る者はいない。領土を広げたいと思わぬならば、武将も戦《いくさ》をせぬだろう。

――儲かりたいと思わぬから。

儲け話に気が動かぬか。

焼きが回ったということだ。

矢張《やは》り隠居するが得策かもしれぬと、剛右衛門は思う。大番頭の儀助《ぎすけ》なら、こんなことで迷うようなぬるい商いはするまい。

――いや待て。

城島屋の次男を婿に取るとなれば――身代はその者に譲ることになるのだ。

なる程、剛右衛門はその辺りのことを失念していたようである。

一服つけようと煙草盆に手を伸ばした時、明かり障子の向こうから旦那様――と呼ぶ声が聞こえた。

儀助の声である。

入《はい》り、と言うとするりと障子が開き、正座した儀助が辞儀をしていた。

丁度良いわ、相談があったんやと剛右衛門は言った。

「相談――でっか」

「ああ、まあ入り。お前の方こそ神妙やないかい。話があるんやったら先にし」

「へえ」

儀助は畏《かしこ》まったままするすると部屋に入って来た。普段とは様子が違う。何や何かあったんかいと問う。

「旦那さん。申し上げ難《にく》いことォ申し上げて宜《よろ》しゅうございますやろか」

「申し上げ難いて、箴言《しんげん》垂れるゆうことか」

「そないな大層なものと違います。その、少しばかり心細《ぼそ》リンなったものでっから、差し出がましいことと思うたんでっけども――旦那さんのお気持ちィお聞きしておきたいと、こう思いまして」

林蔵はんのことですわ、と儀助は言った。

「林さんがどないした」

「へえ。旦那さん、林蔵はんを――」

信用されてまんな、と儀助は小声で尋いた。

「そら信用しとるわ。お前かてそうやろ。それとも何か儀助、あの林さんに怪しとこあるゆうのんか」

儀助は下を向いた。

「何や何や。ええか、あの男のお蔭《かげ》で、うちとこがどれだけ良うなったか、そら誰よりもお前が判っておることやろ」

良うして貰《もろ》てます、と儀助は答えた。

「手前も旦那さんの許《もと》で十年、一端《いっぱし》の商人《あきんど》気取ってましたけど、何のまだまだでした。林蔵はんに教えられることは多い。目から鱗《うろこ》が取れる謂いますけど、まさにそれですわ――」

そうだろう。

林蔵に指南役を頼んだその経緯《いきさつ》は忘れた。

どうしても思い出せない。いつの間にか親しくなっていて、気付いたら彼此《あれこれ》相談し始めており、済《な》し崩《くず》しに教えを乞うようになっていたという感じである。

とはいえ、別にその時分商売が巧《うま》く運んでいなかった訳ではない。杵乃字屋はずっと繁盛していたし、運気は隆盛で、左前になるような気配があった訳でもない。

でも、どういう具合だろう。

これでいいのだろうか――と、剛右衛門はふと思ってしまったのだった。

林蔵の指摘は常に的確だった。

帳簿を微に入り細を穿《うが》って執拗《しつよう》に改め、用途額面を洗い出す。幾度も幾度も勘定し直し、実際の銭の出入りを念入りに確認する。そうすることで使途不明な金子《きんす》をなくす。倹約出来るところは徹底して削る。そうしたことを、上から下まで徹底する。

それだけで――売り上げの額面は変わらないというのに――実入りが二割から増した。

剛右衛門は、長年入《い》りを増やすことばかりに腐心《ふしん》していたから、出を削るという発想は新鮮だった。

「何や、お前――真逆《まさか》、帳場の仕切りに文句つけられたん根に持って、臍《へそ》ォ曲げてンのと違《ちゃ》うやろな」

滅相もありまへん、と儀助は即座に答えた。

「林蔵はんに見て貰うまではこれでええ思てました。せやけど、とんでもない勘違いでおました。杜撰《ずさん》やった。そら、身に染みました」

「杜撰てことないわ。儂かてあれでええ思てたわ。お前が決めたことやない、お前は儂が決めた通りに為《し》てたんやから、気に病むことはないやろ」

「へえ」

「況《まし》て逆恨みなど」

「そら違《ちゃ》います。そないな心得違いはしてまへん。素《す》ゥで感謝しとります」

儀助は畳に手を突いた。

「手前だけやない。奉公人一同感謝してますよって」

それはそうだろう。

林蔵はそうして捻出《ねんしゅつ》した余剰の儲けを、奉公人に還元するように言ったのだ。

放っておいたら消えてた銭や――。

最初からなかったもんと思えば損した気にはなりまへんやろと、林蔵は剛右衛門に言った。

どういうつもりなのか判らなかったが、剛右衛門は林蔵の言う通り、奉公人一同に余剰金を分配した。

これが――効いた。

士気が上がった。

そして。

「せやったら何か。こないだ奉公人に仰山《ぎょうさん》暇ァ出したんが気に入らんのんか。そういえばあの時、お前、随分反対しよったしな。蒸し返すか――」

林蔵は、分配した余剰金の遣い道に目配りをせよと剛右衛門に助言した。

大半の者は手当てを貰って遣《や》る気を出し、いっそう仕事に精進するようになった。

しかし――注意して見るなら、慥《たし》かに不届き者も交じっているように思えて来た。

剛右衛門は、拠《よ》ん所ない事情があるような者を除き、すぐに金を遣い果たしてしまった者どもの動向に注意するよう儀助に伝えた。博奕《ばくち》に注《つ》ぎ込む。女に入れ揚げる。要するに貰った金子を泡銭《あぶくぜに》と考えている者、ということである。

案の定――。

そうした連中は、働き振りが宜しくない。素行も悪い。

三月《みつき》ばかり様子を見て、働きの悪い者には注意を促した。

それでも素行が改まらない者は解雇せよと林蔵は言った。

剛右衛門はその助言を呑《の》み、都合二十六人に暇を出した。

あれも今は正しかった思うてますと、儀助は言った。

「あの時は要らん情け心出して余計な口利いてしもたんですけど——でも連中が首切られたンは——あれ、仕方ありまへん。自業自得や。ま、中には長く勤めた者《もん》も居りましたよって、穏便に済ませられるもんやったらそうした方がええかと思ただけで、正直、あの連中が更生するとは思えまへんでした」

「せやけど、お前は辞めさせずに済まされへんか言うておったやないか。頭数が減れば仕事も滞ると言うておったで」

「あないに首ィ切ってしもたら下の者が怖がる思たんですわ。でも逆やった。残った者は怖がるどころかほっとした。結果、風通しが良うなった思います。繰り上がりで昇格した者も居りますし、持ち場も変わり、適材を適所に置くことも出来ましたよって、働き易うなったことは間違いおまへん。頭数は減りましたけども、その分手取りも多なったし、奉公人一同、よりいっそう奮起しておりますよって、手ェが足りんという声もなく」

「そらそやろ」

無駄を省《はぶ》いただけだ。

「膿《うみ》ィ出しただけや。放っておいたら膿《う》んだとっから腐るんや。せやから文句を言われる筋合いはないで」

儀助はもう一度畳に手を突き、頭を下げた。

「文句など――ございません」

「せやったら何やちゅうねん。あれ以降、林さんの持って来る商談《はなし》はどれもこれも大当たりやないか。大繁盛の福の神やろ。怪しいとこなんぞ何もないわい。何が不服や。あの男に払《はろ》うとるのは月月僅《わず》かな額面やど。お前の給金よりずっと安いわ」

承知しております、と儀助は頭を下げたまま言った。

剛右衛門は多少うんざりし始めている。

「そらな、あの男かて商売人や。仲ァ取り持った先方からもなんぼか貰《もろ》とるかもしれんわ。せやけども、そらあの男の才覚やろ。うちとこが損する話やない。付き合《お》うて得はあれども損はない。何処を疑えちゅうねん」

「へい」

「へェやないわ。それとも何か儀助。儂があの林蔵ばかり重用して――お前を蔑《ないがし》ろにしとぉると、そう思とるんやないやろな。そら、大けな考え違いやど」

男の悋気《りんき》は洒落《しゃれ》本の種にもならんでと剛右衛門は刺刺《とげとげ》しく言った。

「どうなんや。そなんか」

「違《ちゃ》います。そやないんです」

「なら何ね。ぐずぐず言うてないで、ちゃきちゃき喋《しゃべ》ったらええやろ。そないに儂の機嫌損ねるような話なんかい」

林蔵はんは頭のええ人ですわ、と儀助は言った。

「商才もある。手前は教わることばかりや。旦那さんの仰せの通り、お店《たな》にとったら福の神かもしれまへん。ただ」

「ただ何や」

「あの人は旦那さんのことを」

どないに思ってはるんやろ――と儀助は独白するように言った。

「どうって」

人柄に惚れた――と言っていたか。

真偽の程は兎《と》も角《かく》、いずれ自分でひけらかす話ではない。剛右衛門は黙した。

理屈やのうて気持ちの問題なんですわと儀助は続けた。

「手前ども奉公人一同は、旦那さんを心より敬《うやも》うてますし、また頼りにも思うとります。こら真実《ほんとう》や。でも」

「林さんが儂ンこと嫌《きろ》うてる――とでも言うか」

「そ、そうは思いまへん。思いまへんが、そこはそれ、奉公人と林蔵はんは違いまっせ。手前どもにとって、旦那さんは主《あるじ》ですわ。なくてはならぬ、掛け替えのないお人です。旦那さんは謂わば杵乃字屋ゆう扇の要《かなめ》や。でも」

林蔵もそんなことを言っていた。

「でも林蔵はんにとっては違いますやろ。あの人にとって、旦那さんは大勢居はるお客の一人ですわ」

「そら——仕方ないわ」

——なる程。

何もかも林蔵の言う通りだ——と、剛右衛門は思った。

儀助のこの苦言は、全て剛右衛門への忠誠心、尊敬の念から出ているものなのだろう。高だか一介の帳屋風情が、己の大事な主と対等に口を利く状況は我慢ならぬ——ということか。

「まあ、お前がそうやって儂ンこと立てて、心配してくれる気持ちは嬉《うれ》しいわ」

剛右衛門がそう言うと、儀助は眉間《みけん》に皺《しわ》を寄せ、何とも奇妙な顔になった。

「せやけどな儀助、それも心得違いゆうものやで。儂かて、今でこそこうして主人面《づら》しておるけど、元は流れ者や。別に偉いことなんかあらへんがな。お前等《ら》と一緒やで。林さんかて同じやろ」

そうやないんです、と儀助は言う。

「いや、旦那さんのお言葉は一言一句正しい思います。何もかも仰せの通りですわ。ただ、手前はその」

旦那さんが利用されてるような気ィがしてならんのです、と儀助は結んだ。

「利用て、林さんにか」

「へえ。あの人は切れ者だす。彼此《あれこれ》と良くしてもくれてますわ。でも、手前ども奉公人と違《ちご》うて、あの人は旦那さんに義理ィ立てる謂われもないやないですか。何とゆうてもあれ程の策士でっさかい、その」

「儂ィ騙《だま》してどないするゆうのや」

「騙すゆうのと違うんですわ。何とゆうたらええのんか、その——」

「大概にせえ儀助。あのな、林さんは昨夜、お前のことを大層褒めてはったで。あんなええ奉公人は居らんゆうてな。いや、儂もそう思うとるんやで。有《あ》り難《がた》いこっちゃと答えたわ。それがどうや。オノレの方はオノレ褒めたった林さんを悪党呼ばわりしとる訳やど」

「へえ」

儀助は額の汗を拭《ふ》く。

それから顔を上げ、城島屋の件——どないお考えですと、ぼそぼそと言った。

「それや」

剛右衛門はそのことを考えていたのだ。

「儂の相談ごとゆうのはそれなんや。儀助よ、お前どう思う。儂はな——」

迷っているとは言えぬ。

「お前を信用しとるさかい、こないして尋くのやで」

「反対——ですわ」

「反対なんか」

即答である。剛右衛門は少し意外に思った。

「何でや。商売大きゅうする好機やないか。その理由を聞かせ」

「そら商売は大きゅうなるかもしれまへん。せやけど旦那さん、城島屋はんの息子さんを婿に取るんでっせ。こら、お店乗っ取られることになるのと違いますか」

「乗っ取りやて」

「林蔵さんは何も言わはりませんでしたか」

「何をや」

「噂だす。尾張の城島屋は――あの手この手で競争相手の店ェ乗っ取ったり、時に潰《つぶ》して商売広げて来た悪辣《あくらつ》な店やゆう」

「そんな話は聞かんわ」

林蔵は何も言っていなかった。

あの林蔵に限って、そんな大事なことを聞き逃す訳がない。ならば――それは何かの間違いか、意図的に流された中傷だろう。

「悪質な嘘や。真実《ほんま》なら林さんが知らん訳ないわ」

そうなんですわと儀助は言った。

「そうて、何や」

「林蔵さんが知らん訳はないんです。そんな大事な話、あれだけ耳聡《みみざと》いお人の耳に入らん訳がない。違いまっか」

「真実やったらな。せやから嘘や言うてるのや」

「嘘と言い切れますやろか」

「噂やろ。あんな、儀助。うちかて悪い噂はあるで。この杵乃字屋はな、別にあくどいことは何も為《し》ておらんがな。でも商売が巧《うま》く運べば悪口は出る。真っ当に商いしとっても、蹴落《けお》とされる者《もん》は出るわい。競争やからな。競争に妬《ねた》み嫉《そね》みは付きもんや。商人《あきんど》は悪口が出てなんぼやないかい。気にしてられるか」

「待ってください旦那さん。そら嘘かもしれんし、火のないとこに立った煙かもしらん。でも噂があることは事実でっせ。そンなら林蔵さんの耳に入らぬ訳がない。自分の耳に入っておって、旦那さんのお耳には入れんゆうのは納得行きませんわ。悪い噂があって、それがただの噂やったら、余計に説明しとかなあきまへんやろ。他の筋から旦那さんの耳に届かんとも限りまへんのやで」

そうか。いや。

「余計な心配懸けさせとうなかったのかもしれんやろ」

敢《あ》えて黙っていたのかもしれぬ。

「根も葉もない噂やったら、届いた時に違《ちゃ》うと言えば済むことや。そんな」

——いや。

林蔵は昨夜、城島屋との縁談にはあまり乗り気ではないという様子を見せたのだ。

あれは。

「お前、その噂、誰から聞いた」

「最初は献残屋《けんざんや》の柳　次《りゅうじ》ですわ」

「献残屋て」

献残屋とは、大名家から払い下げて貰った献上品を売り捌《さば》く渡世のことである。

柳次というのは、慥《たし》か六道屋《ろくどうや》とかいう屋号の献残屋で、暫《しばら》く前に鉢やら絵皿やらを売り込みに来たのだ。品が良かったため買い取り、以降も出入りしているようである。

「あれは江戸者と違うんか。古道具屋風情が何でそないなこと知ってるんや」

「あの柳次は普通の献残屋と違います。諸国を渡ってますのんや。大坂の前は尾張に居ったんですわ」

——そんな。

「そんな者《もん》の戯言《たわごと》真に受けとんのかお前」

「た、ただ真に受けたのと違います。手前も調べたんですわ。そら林蔵さんには及びまへんけども、大事な時程慎重になれゆうんは林蔵さんに教わったことで」

噂は慥かにありましたで——と言って、儀助は顔を向ける。

「三軒盗《と》って三軒潰したゆう噂でしたわ。勿論、尾張まで出向いて確かめる訳には行きまへんよって、あくまで聞いた話、噂だす。手前も丸呑《まるの》みで信用はしておりまへん。せやけど、大坂に居て聞こえる話でっせ。尾張まで行かれてあの林蔵さんが聞き逃す筈はない。なら旦那さんもご存じで、その上でご考慮されてるんかと」

「知っとっても知らいでも同じこっちゃ」

「でも旦那さん、知ってて黙ったままゆうのは、何か魂胆があるとしか——手前には思えんのです。城島屋が林蔵さんに、うちとこより多くの銭ィ出しとったらどないなります。林蔵さんは商売でやっとるんでっせ。悪人でなくとも商売人や。あの林蔵さんが先方の図面に乗っかったなら、こっちは勝ち目がおまへん」

盗られまっせ、と儀助は言った。

店ェ盗るか——。

「上等やないか」

それが真実であったとして。

「盗る気ィなら、逆に盗ったろ、そうは思わんか」

「思いまへん」

儀助は再び即答した。

「手前は——そういう商いは出来《でけ》まへん。旦那さんかてそうでっしゃろ。この杵乃字屋は」

眠たいこと言うてるんやないで、と剛右衛門はきつい口調で言った。

「林さんが言わなんだなら言わなんだだけの理由があるのやろ。巷《ちまた》の噂ァ小耳に挟んだくらいでそないに弱気ンなってどないするんや。腰が引けてるやないか。儂はな、汚い商売せえとはゆうてないわ。強気にならんと負ける、ゆうてるのんじゃ。儀助、見損のうたで」

へえと言って儀助は平身低頭した。

「儂はな、お前にこの店譲ったろと思とったんや。お前は真面目やし、目筋もええわい。跡目には申し分ないと思とった。林さんかて太鼓判押してくれたわ。それがどうや。他所《よそ》から婿取るいう話になった途端にその為体《ていたらく》やないかい。揚げ句に林さんまで疑いおって。他人に盗られとないんやったら、それなりにせえ」

「つまり、この話進めるおつもりなんでっか」

——いや。

迷っていたのだ。

林蔵も強く勧めた訳ではない。

でも。

「も」

勿論や、と答えた。

「またとない美味《おい》しい話や。その益体《やくたい》もない噂が、ただの噂やったら——こら千載一遇の好機やろ。真実《ほんま》やっても、負けなええこっちゃないか。勝てばええのや勝てば」

「旦那さん——」

そないな旦那さんの顔初めて見ましたわと儀助は言った。

「顔がどないした」

いいえ、と言って儀助は唇を噛《か》んだ。

「不服かい」

「へえ。いや、しかし旦那さん」

「何やいな。まだ言いたいことがあるか」

「お嬢様の」

お峰様のお気持ちはお確かめになられはりましたかと儀助は問うた。

「お峰の気持ちやと」

「お峰様は何と」

「まだ」

何も言っていない。

決めたのは今である。

まだこの話はしてないわと答えた。

「商いにならん話やったら、お峰がどう思おうと端《はな》からナシや。そこ見定めてからでないと話すだけ無駄やないか。こないな話、あらへんがな。気持ちゆうたかて、お峰にしてもそないな顔も知らん男、好きも嫌いもないやろしな」

「旦那さん、旦那さんの仰せんなることはご尤もや、思います。商売は——戦《いくさ》みたいなもんなんでっしゃろ。相手が呑みにかかって来たら、呑み返す。そのくらいの気持ちは手前にもありますわ。でも——」

先《ま》ず呑まれんのはお峰様やと儀助は言った。

「何やて」

「先方がゆうてるのは商売の話やない。先方はお峰様との縁談を持ち掛けて来とるんだす。商売の話はその後のこと――やないんですか。先ずお峰様のお気持ちを」

生意気な口を利く。

しかし。

林蔵も同じようなことを言っていた。

「後も先もあるかい。こら――一緒の話や」

「でも旦那さん」

「煩瑣《うるさ》いわ。お峰は儂の娘や。商売の話やないのやったら、番頭につべこべ言われる覚えはないわ」

去《い》ね、と剛右衛門は怒鳴《しん》った。

だだっ広い座敷は閑寂となった。

参

縁に出て天を見上げると、月が出ていた。

満月まではまだ四五日かかるだろう。

兎だか、蛙だか。

――男か。

「男には見えンわ」

剛右衛門は独り言《ご》ちた。

見ては――いけないのだったか。

眼を逸《そ》らすのと同時に、薄暗くなった廊下の奥に人影が現れた。

「旦那さん」

「儀助か。何の用や。もう店閉めたんか。こないだみたいな話やったら御免やで――」

三日。剛右衛門はずっと考えている。先夜の儀助との問答で一度は話を進める気にもなったものの、頭を冷やしてみれば所詮《しょせん》売り言葉に買い言葉。根元の処では何も解決していない。また蒸し返されても整理がつかぬ。

お峰とは顔も合わせていない。

「へい実は旦那さん、旦那さんに会《お》うて戴《いただ》きたいゆう人がみえてまして」

「儂に会いたいと」

これは剛右衛門様——とさらに奥から声がした。

「お前は——柳次はんか」

「六道屋でございやす。ご贔屓《ひいき》戴いておりやす」

「おい儀助、お前」

オットそうじゃあねェんですよ剛右衛門様と言って柳次は儀助を追い越し、すたすたと廊下を進んで、慇懃《いんぎんぶ》無礼《れい》に会釈をした。

「城島屋の件は大番頭さんから聞いてやすぜ。何てェんですか、この、こっちじゃ——い、い、いてこましたろ、てェんですかい。いや上方の言葉は難しくっていけねェね。あたしは元は紀州《きしゅう》の生まれで、江戸で育って都に落ちた。落ちて以降は東へ西へ、流れ流れて暮らしてるてェろくでなしなもんで、言葉ァ一向に定まらねェが、上方言葉だけは身に染みねェんです」

儂も紀州の出やと剛右衛門は言った。

「そんなことより、何の用や。城島屋の噂話やったら儀助から聞いた。そのことやったらもうええわ」

「そのこと——なんでやすけどね、もうえぇってェ話じゃねェんですよ剛右衛門様。イヤ大番頭さんの様子だと、旦那ァこの縁談進めるお腹積もりのようで」

「儀助。お前、外の者《もん》に何をぺらぺらと」

まあお静まりになってと柳次は若気《にやけ》て言った。

「剛右衛門様ァ、城島屋とやり合うおつもりなんでやしょ。そうなら聞かない手はねェと思いやすがね」

「やり合うて何やねん。こら――縁談やで」

またまた、と柳次はいっそう若気た。

「あたしの話ィお聞きになったといまさっき仰ったじゃねェですか」

「だからもうええと言うとるんや」

「良かァねエや。城島屋ァ悪《わる》ですぜ。あそこの次男坊――藤右衛門《とうえもん》てんですがね、ありゃ同じ手口で、三島《みしま》のお店《たな》ひとつ潰してるんだ」

「どんな手口だ」

柳次は思わせ振りに笑った。

「なる程な。だがな柳次はん。お前《ま》はんみたいな何処の馬の骨か判らんような男の話ィ丸っと信用する程、儂は甘《あも》うないで」

「高が古道具屋――とお言いなさるかい。高が帳屋は信用しても献残屋は信用出来ねェてえことですか」

儀助を焚《た》き付けていたのは此奴《こいつ》か――。

「あんた、榁屋の林蔵に――何ぞ遺恨でもあるんか」

「遺恨はねェが——まあ、その昔、痛《いて》ェ目に遭《あ》わされたこたァありやすぜ。だけど怨《うら》んじゃいねェ。お互《たげ》ェ様でやすからね。あたしも彼奴《あいつ》も同じ穴のお狸様よ。化かし化かされる仲——って奴でしてね」

蛇《じゃ》の道はへびですぜ旦那、と柳次は言った。

「あたしァ林の字と違って、此方《こちら》さんからお銭《あし》をふんだくろうたァ思ってやせんからね。鐚《びた》一文、くれたぁ申しやせん」

「そりゃ殊勝なこっちゃな。せやけど、それやったら余計に信用出来んで」

無料《ただ》程高価《たか》いものはない。

「ご心配《しんぺえ》なく。金蔓《かねづる》ァ別にありやす」

柳次は横目で背後を示した。

畏まった儀助の横に、どうやらもうひとつ人影があるようだった。

「——誰や」

「へえ。生き証人でさ。城島屋に潰された松野屋《まつのや》のお嬢さん——要するに籐右衛門に引っ掛けられた娘さんですよ」

「何やて」

「あたしゃね、彼方様《あちら》から城島屋への意趣返しの相談を受けてますんで」

俯《うつむ》いた黒い影は、俯いたまま覇気《はき》のない動きで儀助に一歩だけ近付いた。箱行燈《はこあんどう》の心許ない光に当たる。靄靄《もやもや》として、まるで、月の隈のようだった。

「林蔵がどう言ってるかは知りやせんが、あたしの方にはこれこの通り、証人が居るんで」

「オノレが言うとるだけやろ。偽者《にせもん》かもしれん」

月の隈ならただの模様だ。

「お疑《うたげ》えなら明るい所で篤《とく》とご検分くだせえ。どうです旦那、座敷ィ上げちゃあ戴けやせんかね。ま、あたしを信じるも林蔵を信じるも旦那次第《しでぇ》だ。どっちを取るも自由ですがね——話ィ聞いてから決めたって遅かァねェと思いやすがねェ」

剛右衛門は夜天を見上げた。

命を吸い取る円い明かりが、耿耿《こうこう》と照っていた。

広過ぎる座敷。

剛右衛門は上等の座布団に腰を下ろし、脇息に肘をかけた。行燈に火を入れた後、左後方の隅に儀助が畏まった。

——お前は。

彼方《あちら》側に座るべきではないかと剛右衛門は思う。

剛右衛門の真正面に女が座った。御高祖頭巾《おこそずきん》を被っている。女の後ろには柳次が控えた。

室内の光量《あかり》が安定した頃、女は頭巾を取った。

二十五六か。

頸《くび》の辺りはもっと若い。

すっと面《おもて》を上げる。

剛右衛門は息を呑んだ。

──この顔は。

いや。見たことがある筈がない。見たことがあるような気がしただけだ。人の顔など誰もそう大きく違っているものではない。面差《おもざ》しが似ていて背恰好《せかっこう》が同じぐらいで、服装や髪の結い方が近ければ、誰でも同じように見えるものだろう。

さとえと申します、と女は言った。

「さ──とえ」

──それは。

誰だっただろう。

いや、考えるだけ無駄だ。

この娘とは初対面だ。

松野屋の一人娘の里江《さとえ》様ですと柳次は言った。

「松野──屋なあ」

ご存じですかいと柳次が問う。

似たような名前のお店は山程あるだろう。

知らぬ、と答えた。

「此方と同じ船問屋《ふなどいや》で──いや、今はもうねェ。城島屋になっちまいましたがね。主立った古株の奉公人は放逐され、元の主は首吊《つ》って死んで、一家は離散──」

おっと済まねえと柳次は言葉を止めた。

「お母はんは――」

里江が継いだ。

「心労が祟《たた》って床に伏し、お父《と》っつあんより先に亡くなりました。お父っつあんはその後を追ったんです」

「そら――」

難儀やったなと言った。里江は頭《こうべ》を垂れた。

「その後暫《しばら》くは、大番頭だった者が私ども親子の面倒を見てくれていたのですが」

「待ちなはれ。あんた、一人娘なんやろ。ご両親が亡《の》うなってしもたら、独りやないんか。私ども親子て」

ややがいたのです、と里江は答えた。

「赤子やと。そら、その」

籐右衛門の子ですよ、と柳次は言った。

「その――子ォは」

取られました、と里江は答えた。

「誰に。その、籐右衛門にか」

その親にですよ、と柳次は言う。

「親て、城島屋ゆうことか」

「籐右衛門はこの里江様と離縁してやすからね。次の的を射るのにも、瘤《こぶ》付きじゃあ、まあ何かと拙《まず》いでしょうや。里江様の産んだ坊ちゃんは、城島屋の主の妾《めかけ》の子ってェことになってるようですぜ。つまり——表向きは籐右衛門の腹違《はらちげ》ェの弟ってことで」

「わ、解らん」

どないな仕組みなんやと剛右衛門は問うた。

「解らねェですか」

柳次は念を押すように尋き返す。

「解るものか」

「本当に解りやせんかい。同じ手口ですぜ」

「同じて、何がどう同じやゆうんや」

「おや。お忘れですかい旦那。それじゃあご説明致しやしょう。先《ま》ずは——文《ふみ》が来る。恋文ですぜ。一人娘に寄せる熱い思いを認《したた》めた、真面目そうな文が届く」

——ああ。そうか。

「調べりゃ先方は大店で、しかも大層腰が低いや。倅《せがれ》が失礼をば致しやした、ご無礼お詫び致しやす——けれども倅も一途《いちず》故、想いを遂げさせてやりてェ親心と」

同じでやしょう、と柳次は言った。

「松野屋さんも迷ったようで。松野屋さんも此方《こちら》様同様一人娘で、跡取りは居なかった。でもね、それなら養子に出しても構わねェと、まあこう言う。そこで——一度会ってみた」

実直そうに見えるのです、と里江が言う。

「迚《とて》も善い人に見えます。立ち居振る舞いも、何もかも、そう見えます。でも――」

「二枚目てェ訳じゃあねェ。これで女蕩《たら》しの銀流しってンなら用心の一つもするとこだが、どうも晩稲《おくて》の坊坊《ぼんぼん》に見えやがる。親の方も礼儀正しく、羽振りも良さそうでね、まあ印象は悪くねェ。いや、商売のことだけ考えたなら――こら良縁でしょうや。ねえ旦那」

剛右衛門は答えず、横目で儀助を見た。

儀助は畳の目を数えるように下を向いていた。

柳次は続けた。

「縁談は纏まった。籐右衛門は粛《しゆく》粛《しゆく》と婿に入って、まあ松野屋の主も、半《なか》ば跡目を譲るようなつもりでいた訳でさね。城島屋と業務提携《えんぐみ》することで、商いの幅ァぐんと広がった。こら良いことずくめでさァね。また城島屋ァ、美味《おい》しい話をどんどん持って来るンでさ。後ろ盾《だて》があると安心したか、或いは婿の実家に負けじと踏ん張ったのか、松野屋も背伸びして少ォし無理な商売を始めた。無理ったたって、博奕《ばくち》じゃあねェですからね、儲ける算段はあったんだ。ところがね――ここでどんでん返しだ」

そこで、里江は袖《そで》を捲《まく》って左腕を見せた。

その腕に。

――兎だ。

いや、蛙かと、剛右衛門はそう思った。

痣《あざ》である。

それは、まるで月の隈のような痣——否、傷だった。

「籐右衛門は、商売は上手だし外面《そとづら》も良い、傍目《はため》から見れば、申し分のない亭主でございました。でも、それは上辺だけのこと。女夫《みょうと》の間では——」

「そりゃ酷《ひで》ェ亭主だったようですぜ」

「ひ——酷いとは」

「無理難題を吹っ掛ける、ことあらば難癖を付けて詰《なじ》る、怒鳴る、殴る蹴《け》るは朝飯前、優しい言葉ァ吐いたのは祝言の日だけだったそうでね」

「お、親御さんは何も言わへんかったのか」

「まあ——中中意見はし難《にく》いでしょうぜ。何せ夫婦のことだ。しかも、婿ァ大事な城島屋の縁続きですからね」

「と、とはいえやな——」

顔は殴りません、と里江は言った。

「見える所には傷は作らないのでございます。お見せすることは出来ませんが——背中には」

「焼け火箸《ひばし》当てられたそうでね」

「そないなこと——」

「やれ口の利《き》き方が悪い、それ目付きが悪い態度が悪いと折檻《せっかん》だ。反抗すれば余計に怒る。泣きゃあ泣いたでまた怒る。告げ口なんかしようものなら——」

解った、解ったと剛右衛門は止めた。

「それは、そういう、その」

否。それは多分。

「計略なんで。それが――仕掛けなんですよ」

「わ、わざとやった言うんか」

「嫌われるために」

「き、嫌われてどないすんねん。婿やど。追い出されるだけやないか」

「追い出されたんで。幾ら隠したって、親御さんが一つ屋根の下に住んでるンですぜ。こら暴露《ばれ》やす。まあ、非道な婿殿に対して、松野屋さんも重ね重ね意見したようですし、話し合いもされたそうですけどね。聞きやしねェ。諭《さと》そうが叱ろうが益々《ますます》悪くなる一方で、まあそうなりゃ娘が可愛いやね。親許の城島屋にも話してみたものの一向に埒《らち》が明かずに――結局は離縁てェことに相成った。でもね」

「そうか」

「そう」

献残屋は何故か惨《むご》たらしい目つきになった。

「夫婦の縁が切れるなら、商いの方も縁切りだと――まあ先方はこう言って来た訳でさァ。ところがその段階で松野屋は、城島屋なしじゃあ身動きが取れねェ状態になってたんで。いつの間にかそういう、雁字《がんじ》搦《がら》めの商い振りになるような運びンなってた訳でしてね」

もう、ひと月と保《も》ちませんでしたと里江は言った。

「悪い噂ァ足が速《はえ》ェや。折角の良縁、松野屋の方から縁切りしたたァ、世間様は考えやせんからね。事情を説明するにも身内の恥だ。里江様のことを思えば——軽軽しくは口に出来ねェでしょう」

言い訳も出来やしねえと柳次は言った。

「あの城島屋が倅に離縁させてまで見切りィつけた相手となれば、評判ガタ落ちァ間違いなしだ。どうもあそこはいけねえらしいて話にならァね。そうなりゃ新しい借財は出来ねェし、貸してた金はすぐ返せとなる。ご新規の取引は止《や》めだ。積み込む筈の荷も引き上げだ。でも、そうなったところで、船の方はどうにも出来ねェでしょう」

それはそうだろう。

そんな恐ろしい状況は考えてみたこともないし、考えたくもない。

「港に船だけぽっかり浮かんでて、荷は空っぽで、客も居ねェんですぜ。それでも僅かに残った荷主の僅かっぱかりの荷のためだけに、無理して船ェ出すよりねェ。こらあ大損になる。出さなきゃ出さねェで荷主船主からァ詐欺呼ばわりだ。あっという間に左前だあね。で——再度《ふたたび》城島屋のご登場で」

「商売を引き取ろう、という申し出でした。切れたとはいえ縁は縁、倅の方にも非はあったろうと、御為《おため》ごかしの親切な物言いでございましたが——」

里江はいっそうに俯向《うつむ》いた。

「それで――乗っ取られたか」

剛右衛門は呟《つぶや》いた。

「そう。それで乗っ取ったんですよ剛右衛門の旦那」

柳次は反復する。

「婿に入って、女房苛めて、苛めて苛めて、それでお店《たな》ァ乗っ取ったんですよ、剛右衛門の旦那」

里江は項垂《うなだ》れている。

泣いているのか。憤っているのか。

「それから先は、前に言った通りでさ。松野屋の主一家は追い出され、主の息が掛かった者も暇ァ出されて、半年後には暖簾《のれん》も看板も城島屋に掛け替えだ。持ち船も借り船も取引先も奉公人も何もかも、全部盗られた」

子供も、親の命もとられてしまいました――。

里江はそう言った。

そして、

「怨めしい」

と言った。

「とうえもんがうらめしい」

里江は剛右衛門を上目遣いに見据えた。

「私に我慢が出来ていたならば、私一人が堪《こら》え切れていたならば――こんなことにはならなんだ。母も死なず、父も死なずに済んでいた。あの子だって――籐右衛門は憎かったけれど、子に罪はないと慈《いつく》しんでおったものを、無理矢理に奪って、私は何もかも失のうてしまった。怨んでも怨み切れず悔やんでも悔やみ切れず、このままでは死ぬに死なれず」

――さとえ。

誰だ、この女。

この女は誰だっただろう。

さとえというなのふこうなおんなを。

「ここまで言って」

まだ思い出されませぬかと柳次は言った。

「お、思い出せぬとは――何をや」

「イヤですね旦那」

柳次は少し間を空けて不敵に笑った。

「此方《こちら》さんが狙われてるてェことを、でやすよ。そこんとこォお忘れになっちゃ、どうもねェや。別にお涙頂戴の不幸話しに来た訳じゃあねェ。まったく同じ手口じゃアねェですか。こちらの里江様は――お嬢様の先の姿でござんすよ」

旦那さん――と儀助が言った。

「こ、この者の話が、ほ、ほんまやったら」

「本当なら何や儀助。言うてみ」

「で、ですから――」

「考え直せ、言うんか」

剛右衛門は儀助に顔を向けた。

儀助は僅かに面を上げて、怖《お》ず怖《お》ずと剛右衛門を見返した。

「旦那さん」

「阿呆やなお前。見損《みそこ》のうたわ」

剛右衛門は顔を逸《そ》らす。

「阿呆――でっか」

「いま話ィ聞いておったのやろが。この献残屋のゆうことが真実《ほんま》なんやったら、敵の策は既に知れとる――ゆうこっちゃないかい。手口が判っとって何を畏《おそ》れることがあんねん」

「いや、旦那さん――」

まだ何ぞ文句があるンかい、と剛右衛門は怒鳴った。

ここ数年、否、十数年、声を荒《あら》らげたことなどないように思う。

「儀助、お前は誰や。何者や。杵乃字屋の大番頭と違うんか。大番頭ゆうたら奉公人の天辺《てっぺん》やないかい。なら防ぐ策ゥ考え。言うたやろ。呑みに掛かって来たら呑み返せばええのんや。呑み返す手立てェ算段すんのがオノレの役目と違《ちゃ》うんかい」

「せ、せやけど旦那さん、お峰様が」

お峰様の一生の話でっせと儀助は言う。

そら身内の話やと剛右衛門は更に強く怒鳴った。

「林蔵かてそう言うたわ。お前と同じこと言うて引いたわな。あの男の方が弁えとるやないかい。身の程を知っておるわ。あの帳屋、慥《たし》かに嘘ォゆうとるのかもしらん。儂こと騙しておるのかもしらん。しらんけど、それやったらそれでええわ。この杵乃字屋剛右衛門誑《かつ》ごうゆうのやから、そら見上げた根性やで。それに引き換えお前はどうじゃ」

儀助は何も答えず、哀しげな目付きで剛右衛門を見続けている。

「オットそこまでだ。旦那、その口振りじゃ、信じて戴けたってェこってしょうな」

柳次が躙《にじ》って前に出た。

「そやないで献残屋」

「違《ちげ》ェやすかい」

「オノレなんぞ信用するか、言うとおるのや。そこの娘かて成り済ましィかもしれへんや。まあ、話聞いた以上は林蔵かて怪しく思えるわな。ま、あんたかて言うておったやろが。オノレ等《ら》ァ同じ穴の狸や」

天秤《てんびん》掛けさして貰うわ、と剛右衛門は言った。

「ま、それならそれであたしゃ一向に構いやせんぜ。要は旦那ァ――城島屋と一戦交える気だきゃアある――ッてエこってしょうに」

旦那さん、と儀助が言う。言い切る前に当たり前やと剛右衛門は言った。

――ほんとうに。

それでいいのか。これが自分の真情なのか。

何か考えるべきことはないのか。大事なことを忘れてはいないか。どこかで間違えてはいないか。儂は――。

「林蔵の言う通りなら何も憂えるこたないわ。この柳次の言う通りやったら闘うまでや。そやろ。ええか儀助、この柳次はな、相手が悪《わる》やさかい止《や》めや、言うとるんと違うんやで。悪やさかい潰したってくれと、こう言うとるのんや。そやろ」

へえい、と柳次は低い声で答えた。

「ええ話やゆう林蔵は何や煮え切らん。反対に、あかん話やゆうて来た柳次はやってくれと言うわ。こらどういうことか解るか儀助」

普通は逆やと剛右衛門は言った。

そんなこと思ってもいないのに、口から理屈が流れ出る。

「林蔵が儂ィ騙そ思とるんやったら、こら諸手《もろて》を挙げて勧める筈や。そやろ。実はあくどい縁談の相手紹介して旨《うま》い汁啜《すす》ろう企《たくら》んどるのやったら、あの口の上手《うま》い男や。なんぼでも言いようがあるやろ。そして、この柳次が儂ィ騙そ思とるんやったら――そらつまり城島屋ァ悪《わる》やないゆうこっちゃ。せやったら、今の話は嘘八百ゆうこっちゃな。ほなら、此奴《こいつ》ァ止《や》めろて言う筈や。縁談壊すために嘘並べ立てたゆうこっちゃろ。でもこの男は勧めよるんやで。こら、思惑は別にして、どっちゃもほんまのこと言うとる――ゆうことやろ」

そうだ。そうなんだ。

「旦那さん、そらそうかもしれんが、そらつまり」

「もうええわ儀助」

剛右衛門は立ち上がった。

「柳次。それから――」

さとえ。

「あんたさんの願いは、城島屋にひと泡噴《ふ》かせることなんやな。ま、あんたの思い通りになるかどうか、そら何とも約束出来んで。これぱっかりは判らんこっちゃ。勝負ゆうんは蓋《ふた》ァ開けてみるまでは――」

剛右衛門は障子を開けて――。

月を仰いだ。

肆

また月ィ見ておらるるなァと林蔵は言った。

慥《たし》かに剛右衛門は月を見ていた。

向月台に上るなら自然に見上げる。そうした習慣になっている。

「命が縮むンやったかな」

「縮みまっせ」

「どのくらい縮んだかな」

「さてねえ」

林蔵は横に並んで、街並みを見下ろした。

「上方ァ豊かや」

林蔵は感心したようにそう言った。

「私《わたい》はね、旦那はん。一昔前、少しばっかり江戸に居《お》ったことがあるんですわ。あの江戸ゆうとこはせせこましい土地でっせ。地震《じふる》いは起きる雷さんは落ちる、おまけに火事は多い。家ェ建てても建てても潰れるか焼けるかしよる」

「火事は江戸の華とかゆうのやろ」

強がりですわ――と林蔵は言う。

「江戸の街は安普請でっせ。どうせ壊れることが判っとるし、類焼防ぐためもあるよって、わざと壊れ易い平屋ァおっ建てるんや。襤褸《ぼろ》でっせ。水路で仕切るンも火の手収めるためや。濠《ほり》やら川やらあるよって、水気が多い。それで水捌《は》けも悪いと来た。江戸者は粋《いき》やゆうけど、貧乏臭いだけや。それがどうや――」

上方は潤《うるお》うとる――と、林蔵は続ける。

「足許ォ見てみなはれ。家並みが立派や。江戸は武家屋敷が多いけども、構えが大層なんは偉いお方のお屋敷だけですわ。後はカスでっせ。ま――」

林蔵は天を見上げた。

「上ェ見とる分には江戸も大坂も変わりまへんけどな」

「そら――変わらんやろ。こないだお前さんも言うとったやないか。唐天竺かて浮いとる月は同じなんやろ」

「同じやろね。けど――旦那はん、いつやったか言うておられたやないですか。上ェ見ずに梯子上る阿呆は居らんとか」

「言うたかな」

「先日は、儂は倖せやとも言うてた」

倖せやでと剛右衛門は答える。

「今もでっか」

「何言うのや林さん。この前会《お》うてからまだ十日と経ってへんやないか。儂とこは何も変わってへんわ」

「何も変わってまへんか」

林蔵は低い声でそう問うた。

「変わってへんで」

「けど旦那はん――」

上ばかり見てはるやないですか――と林蔵は言った。

「梯子上る気ィになったんでっか」

「ん」

――そうか。

そうかもしれぬ。儀助があんなでは、当分隠居は無理である。

「林さん、一つ尋ねたいことがあるんやがな」

あんた儂ィ謀《たば》っとるか、と剛右衛門は尋いた。

「私《わたい》が旦那はんを謀りまっか」

「城島屋の悪い噂ゆうのを聞いたで」

「ああ、そのことでっか」

「そのことてどう言うこっちゃ。矢《や》っ張《ぱ》りお前《ま》はん知っておったのやな」

知ってましたでと林蔵は何の衒《てら》いもなく答えた。

「さよか。せやったらお前さん、城島屋と組んでこの杵乃字屋ァ盗る気ィやったかな」

「阿呆なこと言うたらあかんわ」

林蔵はゆるりと手摺りに乗り掛かり、また下界を見下ろした。

「榁屋林蔵は旦那はんの味方やで。銭貫《もろ》とるやないですか。私《わたい》は慥《たし》かに口先で世ォ渡る半端者やけどもね、客ゥ裏切るような下衆《げす》と違いますわ」

「なら何で黙っておってん」

関係ないことでっしゃろがと林蔵は言った。

「関係ないことあるか」

「いや、関係ないわ。私《わたい》は商いに手ェ貸すのが仕事やさかい、この度のことも商売筋やと割り切ってますねん。実際のところ城島屋は仰《おお》せの通り一筋縄ではいかん相手や。せやけど遣られっ放しで済ますことはせんわ。この林蔵が咬《か》む以上――」

勝算がある、ゆうことかと問うと、ありますわと林蔵は答えた。

「相手にとって不足はないわ。ええですか旦那はん。普通の取引先ィ呑んで掛かるような商いすンのは、こら奨《すす》められまへんわ。せやけど仕掛けられたら仕掛け返すんが常套《じょうとう》や。城島屋は必ず仕掛けて来る相手や。つまり打つ手次第で呑める相手や、ゆうことですわ」

それを含みでええ話やと申し上げたまで――。

林蔵はそう言って剛右衛門に向き直った。

「城島屋ァ呑めれば、この杵乃字屋の身代は五倍に膨れまっせ。旦那はんと私が組めば、こら難《むずか》し話と違いますわ。せやから――何も言わんかっただけです。仮令《たとい》相手がカスやろとワルやろと、儲け話に変わりはない。商売だけ切り取るンなら、そんなことは関係ないんや」

こらええ話なんでっせ、と林蔵は言った。

剛右衛門も――同じように考えたのだ。

「違いまっか旦那はん」

「違わんやろな。だが、その割りにこないだのお前さんは、煮え切らん様子やったがな」

「生煮えなんは商い以外の話ですやん。なあ旦那さん。屑でも悪党でも、喰ったろ思えばええ餌になるんや。せやけど、婿に取る亭主にするゆうのは、これ別物ですやろ。カス摑《つか》まされるんはお嬢はんや」

お確かめンなりましたかと林蔵は問うた。

「確かめるて――何を」

「勿論お嬢はんのお気持ちだすがな。旦那はん、そのご様子やと、あの城島屋籐右衛門の遣り口ィ――お知りンなられたんですわなあ」

「そや」

「酷《むご》い話ですやろ。で――お嬢はんは何と」

話していない。何も伝えてはいない。それ以前に言葉を交わしていない。ここ数日は顔も合わせていない。そう言った。

「話されて——まへんか」

林蔵は何故か哀しそうな顔をして、暫く黙った。

それから顔を天に向けた。

「何故——お話しにならんかったんです」

「何故やろ。どうも娘の顔を見るンが——」

辛《つら》かった。

どうしてだろう。

「縁談が進んどるゆうことはご存じなんでっしゃろ」

「そら知っておるやろ。下の者は兎《と》も角《かく》、奥ゥ出入りしとる者は皆知っとおることや」

「大番頭はんは何か言うてまへんでしたか」

あれは駄目や——と剛右衛門は吐き捨てるように言った。

「あんたァ褒めてくれたし、儂かて頼りにしておったんやけども、今回ばかりは、もう腰が引けてしもて——」

お嬢様の——。

お嬢様の気持ちを——。

「寝言みたいなことばかり吐《ぬ》かしよる。商売のことが頭に入ってへんのや」

「それやったら」

何が入ってるんやろと林蔵は言う。

「頭やのうて、胸ン中に一物あるンと違いますか」

「さあ、ただの臆病者《おくびようもの》や思うで。城島屋ン手口を彼此《あれこれ》聞いて、びびってしもたんと違うか。商売《あきない》ゆうのは時に非情なものやさかいな。無常な心持ちンなってまうこともあるけども、それでも情け捨てたくなる程の勢いゆうのはあるやろ。その勢いに呑まれたら負けや。あれは呑まれてもうたんやな」

慥《たし》かに城島屋の手口は褒められたものではない。悪辣《あくらつ》である。人倫に悖《もと》る、商道に外れた行いであるかもしれぬ。だが、人生の濤《なみ》は、偶《たまさ》か人を鬼にする。鬼になるよりない大波に乗った時は、鬼とならねば溺《おぼ》れてしまうものである。

剛右衛門はそう思う。

否、ずっとそう思って来た。

儂は負けんでと剛右衛門は言った。

「つまり——旦那はん、城島屋との縁談進めるおつもりなんでっか」

「そのつもりや」

約束や、仲継いで貰《ま》おかと剛右衛門は自らに言い聞かせるようにそう言った。

「林さん。儂はな、お前はんを信用すんのは止《よ》したわ。止したけども、お前はんと商売はしたいわい。何企んでおるのかは知らんけど、城島屋と儂と、どっちゃに商才があるかどっちゃに付くのが得なんか、そらお前やったら判ることやろ。お前が付いた方が勝つ——儂はそう思うとる。だから、好きに動いてくれてええで」

そこまで肚《はら》を括《くく》られたんでっか、と林蔵は言った。

「ええんですね。お嬢はんの気持ち、大番頭はんの気持ち確かめいで――進めたって」

「諄《くど》いがな」

「どうなっても知りまへんで」

林蔵は下を向き、三白眼になった。

「凄《すご》むやないか。そら何か、情け心ォ出しておんのんか、林さん。気にせいでええで。儂は平気や」

「そら――」

旦那はんは平気でっしゃろな――と言って、林蔵はくるりと背を向けた。

林蔵の頭の上に月が輝いていた。

「ほんまにええんですな」

「念押すやないか。ええ言うたらええわ」

「さよか」

林蔵は低い声でそう言った後、急に口調を変えた。

「ま――今のお話のご様子から察するに、旦那はん、大方あの六道屋の浮かれ話でも聞かれたんでっしゃろな」

「聞いたで。詳しゅう聞いた。城島屋に喰いものにされたゆう女にも、会《お》うたで」

「はあ」

林蔵はゆるりと振り向く。

「旦那はん。そら、松野屋の里江はんと違いますか」

「さとえ——」

そう。

そんな名やったと剛右衛門は答えた。

「さよか。お会いになった。里江はんに」

「会うたわ」

「里江はんゆうたら」

い、い、い、い、
もう死んでますわ——と、林蔵は静かに言った。

「死んだやて。阿呆吐《ぬ》かせ。いつ死んだ。会《お》うたのは昨夜やで。今日になって首でも縊《くく》ったゆうんかい」

「いいや」

里江はん死んだんはもうずっと先《せん》のことでっせ。

「先て」

「あの人は可哀想なお方や。まあ、ご本人からお聞きになったならご承知やろけど、亭主に酷《むご》い目ェに遭わされましてなあ。襤褸《ぼろ》襤褸《ぼろ》ンなって、自分の生まれ育った家追い出されてしもてなあ。おまけに、お子まで取られてしまいましてん」

「き、聞いたで」

「お母はんは病死、お父はんは首ィ吊って軒に下がってなあ。里江はん、苦しゅうて哀しゅうて、喉《のど》ォ突いて自害されたんや」

「う、嘘や。そやったら昨夜の――」

あれは。

「あんな旦那はん。六道屋の柳次ゆうのは、ただの献残屋と違いますのや。あら口寄せや」

「口寄せて――何や」

「市子《いちこ》みたいなもんでっせ。あの男は、古い物、曰《いわ》くのある物ォ扱うンが生業《なりわい》やけど、扱うンはそれだけやないのですわ。古い魂《みたま》、曰くのある霊《みたま》も扱う。あら輪廻《りんね》し損ねた死人《しびと》が迷う、六道の辻の物売りなんですわ。せやから六道屋ゆいまんねん」

「そんな話――」

ほんまでっせと林蔵は言う。

「あの男は、二ツ名を浮かれ亡者《もうじゃ》の柳次――ゆいましてね、死人《しびと》をうかうかと現世《げんせ》に誘い出しちゃあ、踊らせるンが得意の業《わざ》なんや」

戯《たわ》けたこと語るなと剛右衛門は怒鳴った。

「じょ、冗談が過ぎるわ林さん。儂はこの眼で見たんやで。この耳で聞いたわ。あの女はちゃあんと居たわ。幽霊《ゆうれい》やない。夢でも幻でもない。下の、儂の座敷に座らして、言葉交わしたんやから」

あの女が死んでいるなら――。

「儂の目ェは節穴やと言うんか」

「節穴やね」

「何やと――」

「旦那はん。何度も尋きまっけどな、その女、名前は何やった。どんな顔やった」

「な、名前は」

さとえ。まつのやのさとえ。

まつのやのむすめ、さとえ。

「松野屋の里江――」

「そら死んでますやろ」

「え」

「死んでますやろが旦那」

「な、何を」

「そら二十二年前に旦那はんが苛め殺した女の名前と違いますのんか」

それは。

「この店が杵乃字屋になる前の屋号は松野屋とゆうたのと違いますの。そこの一人娘は里江ゆうたのと違いますのんか。奉公して三年で大番頭にまで昇り詰め、その娘娶《めと》ったんは旦那はんと違いますのかい。添った後苛めて苛めて、元の主ごと此処から追い出したんは、旦那はんと違うんかい」

「さ——さとえ」

「そやったら、その里江はんは疾《と》うの昔に死んでるやないかい。旦那はんがお峰はん奪い返したその翌日に」

喉ォ突いて死んでるやないかい。

忘れてしもたんかッと林蔵は言った。

さ、里江。

あ、あの顔は。

あの顔は里江の顔だ。

「鬼ンなる勢いゆうのは、慥《たし》かにありますわな、旦那はん。紀州から流れて来た崩れ馬喰《ばくろう》だったあんたァ、松野屋はんに拾われて、一から商いを仕込まれて、初めて己の商才に気付いたんでっしゃろ。その才覚買われてとんとん拍子に出世して、婿に入った。跡取りと決まった途端に、あんたァ、そらあ働いた。働いて働いて——」

鬼になる勢いを呼び込んだ。

「あんたァ商売が面白《おもろ》うて面白うて堪《たま》らなくなっとったんですやろ。そうなると——邪魔なんは主や。人がええだけで商売回してたような前の主は、あんたの商売には邪魔やった。放《ほ》っといたって跡目は譲られるいうのに、あんたには待つことが出来ひんかったんや」

そう。

あんなぼんくらは。

要らん。腰が引けとった。寝言みたいなことばかり吐《ぬ》かしよる。商売のことが頭に入ってへんのや、あの――。

――松野屋善助《ぜんすけ》ゆう男は。

「そこで――あんたは追い出したんや。里江はん苛めて苛めてイビリ出したんや。ほんまやったら出て行くのはあんたや。でも、もう松野屋はあんたなしで回らんようになっとった。そうでんな」

「そ、そや。奉公人かてどっちゃ取るかゆうたら迷いなく儂や。決まっておるやろが。あの腰抜けと儂と、どっちゃに商才があるか、どっちゃに付くのが得なんか、そないなことは阿呆でも判るこっちゃ――」

――乗っ取ったのは儂やった。

「せ、せやけど、あの、あの女――」

「女房ごと主ィ追い出して後釜《あとがま》に坐《すわ》り、他のお店と縁組みして商売大きゅうして、それで飽き足らずにその店まで乗っ取って――あんた遣りたい放題やったんでっしゃろ。でも、お子には恵まれなんだ。せやから里江はんから、お峰はん奪い取ったんやろ。何もかもなくした里江はんは、喉ォ突いて死んだんでっしゃろ。違いまんのか」

後腐れなくてええわ、そう思ったのでっしゃろ。

里江はん――。

「死んでるやないですか」

林蔵が、何故かぬうと大きくなったように見えた。

「あんたが殺したんやで」

何を忘れてるんやあんた。

何もかも忘れて、それで終《しま》いか。

満ち足りておるゆうのんか。それで。

それでええのんか。

「あんた一人倖センなって、そらまあええわ。それも己の才覚やさかいな。せやけど剛右衛門はん、忘れてしまってええことと――」

悪いことがおまっせ、と林蔵は言った。

剛右衛門はがくりと膝《ひざ》を落とした。

見上げると、林蔵の肩越しに真ん円《まる》の月が浮かんでいた。

「こ、この度のことは、り、林蔵、この」

城島屋なんて店は尾張にはないで、と林蔵は言った。

「な、ないて」

「城島屋ァ、あるとしたらあの」

林蔵はす、と右手を挙げ、背後の月を指差した。

「黄泉の国と違いますか」

「ど、どういうこっちゃ」

「忘れたんでっか。城島屋ゆうたら、あんたが十年前に潰した泉州《せんしゅう》の船問屋《ふなどいや》やないですか」

「つ――」

潰した。

「あんたに喰われて一家離散や。もう誰も彼も縁者は皆死んでしもたわ。そこが扱っとった船だけは、まだあんたのとこにあるけどな」

儂が潰した店や。

「ええか。あんた、その亡者の店と縁続きになりたいゆうて、わっしに仲継げと、ついさっきその口で、瞭然《はっきり》と言うたんでっせ」

継いだるわい、と林蔵は言った。

「あの世の亡者と繋《つな》ぎとったる。約束やさかいな。存分に亡者と張り合ったらええがな。亡者喰うたれや」

「ま、待て」

待ってくれと剛右衛門は手を翳《かざ》す。

指の隙間に月輪《がちりん》が覗《のぞ》く。

「あんたが選んだことでっせ。わっしは何度も何度も確かめたやろ。それでええのんか、何ぞ忘れてはおらんかと。この道は――あんた自身が選んだ道や」

林蔵の指は月を差している。

死が支配する、静寂な球体《たま》を指し示している。

「ええか。あんたが昔を思い出す機会は幾度となくあった筈やで。城島屋ゆう名前でも、松野屋ゆう名でも思い出せたやろ。城島屋の手口かてあんたの為《し》たことやで。乗っ取ったの潰したの、ほんの少しでも思う処《ところ》があるのやったら、なんぼでも思い出せたやろ。せやけど、あんた何ひとつ思い出さんかったんや。里江はんに会《お》うたかて、顔見たかて思い出さなんだやろ」

——里江。

「能《よ》く聞きなはれ剛右衛門はん。誰も償えとは言うてない。今更何をしたかてどもならん。死んだ者は還《かえ》らんし、過ぎた昔は戻らんわい。償うことなんぞ金輪際《こんりんざい》出来ンで。ただ、ただ思い出せ。

「あんたに泣かされた者、潰された者、そして死んで行った者どもがな、自分等《ら》を忘れいでくれと、そう言うてるだけなんや。お前の今の倖せは、俺達の屍《しかばね》の上にあるんやと、オノレのふかふかの座布団の下にはオノレに負けて泣き乍《なが》ら死んで行った者の骸《むくろ》が山とあるんやと、それを忘れんでくれと——」

亡者どもがそう言って泣いとるだけや——と、林蔵は謡《うた》うように言った。

「あんたが思い出してさえいれば——この縁談は断った筈やろ。いや、昔のこと悔いて断るゆうんやないで。あんたの大事な、大事な筈の娘さんが、あんたが里江はんにしたのと同じ仕打ちを受けるかもしれんのやで。自分がどれだけのこと為《し》たのか解っておれば——それは避けるで。結局、あんたはお峰はんのことも眼中になかったゆうことやろ。あんたは、杵乃字屋剛右衛門は、自分のことしか頭にない、そういうこっちゃ」

「わ、儂は」

「あんたはこっちの道を選んだんや」

月光が。幽《かそ》けき死んだ光の月光が。

——眩《まぶ》しい。

「剛右衛門はん。あんたの目ェは、ほんまに節穴やってんで。あのな、あんたの前に現れた里江はん、あれは」

お峰はんやで——。

お峰。

「ほ、ほんまか」

あれが。

「う、嘘や。い、幾ら何でも実の娘見て——」

あんな間近に見たというのに。

「わ、判らん訳が」

「判らんかったんやて。あんたは」

「ほ、ほんまなんか。あ、あれは」

里江だったんやないのんか。

いや、あの顔は。

「さ、里江やった」

「そら似ておるわ。親娘やもの。似ていて当然やないか。来る日も来る日も、それこそ二十何年もお峰はんの顔を見て暮らしとって――や。あんたただの一度も里江はんのこと――思い出したことはなかったんか」

そんなら、そら見てなかったのと一緒やで。

「あんたは一緒に暮らしとる娘の顔すら見んで生きて来たんや。あんたお峰はんのこと何も知らんやろ。お峰はんはな、まだ幼い時分に、死んだ母親の真実を知ってしもたんや。父親に乱暴され追い出され、喉突いて死んだてな」

「お、お峰が――」

知っていたというのか。

「それだけやない。儀助はんかてそうやで。あの人はあんたが潰した泉州の城島屋の、ただひとり生き残った――次男坊やで」

「な、何やて――」

それじゃあ。

「こ、こら全部、彼奴《あいつ》の、い、意趣返しの仕組みか」

違《ちゃ》うわい――と林蔵は厳しい声で言った。

「勘違いしたらあかんで。やられたらやり返す、喰われたら喰い返す、世の中あんたみたいな人ばかりと思たら大間違いや」

「で、でもあれは、身分を――」

素性を隠していたやないか。

「当たり前やろが。そうと知って、あんた雇うか。いや、儀助はんの方はあんたがそれを承知で雇うてくれたのかもしらんと——何処かでそう思うてはおったようやけどな。そら買い被りやったな。あんたは何も判っておらなんだゆうことや。そやろ」

そんな度量はなかったようやなと林蔵は言った。

「あんたの眼鏡《めがね》は曇《くも》っとるで。商売以外のことは見えんのか。儀助はんはあんたのこと爪の先程も怨んでなかったわい。寧《むし》ろ尊敬しとったわ。親の店が潰れたんは時の運、延《ひ》いては運を呼び込む才覚がなかったからやと、殊勝に考えとった。昔のこと綺麗《きれい》さっぱり水に流して滅私奉《めっしぼう》公《こう》しとったんや。あれは見上げた男やで。でもな、それでも我慢出来ひんかったんや」

「我慢——て」

「商売のことでも私怨のことでもない。お峰はんのことや」

「お峰が——何で関係ある」

「大有りやて。儀助はんはな、お峰はんの煩悶《はんもん》すンのを見てられへんようになったんや」

「な、何でや」

「あんた、一つ屋根の下に暮らしておって判らんかったんか。あの二人は好き合《お》うておるのやで。

「お、お峰と儀助が——」

そうだったのか。それで儀助は。

「せやから節穴やゆうとんねん。あんた、ええ婿とええ娘持って、ほんまに、ほんまに倖せやってんど。それがどや。一度でも儀助はんと肚《はら》ァ割って話しとったら、お峰はんの気持ち汲んどったら、こんなことにはならなんだのやで」

「こんな——こと」

林蔵はもう一度月を指差した。

剛右衛門はその指の先を見上げた。

「月ゆうのはな、剛右衛門はん。兎でも蛙でもありまへんで。あれは見る者によって見え方が変わる——鏡や」

「かがみ——」

「己《じぶん》の姿を映す鏡や。あんた、周りを見ずに己《おのれ》の姿ばかり見ておった。あんたの目ェにはあんたしか映っておらんかった。せやから目が曇る。曇って世間が何も見えておらん」

「お、おのれの姿——」

「そやろ。お峰はんはあんたのこと案じておった。儀助はんかて同じや。最後の最後で、あんたは人としての道選んでくれるやろと、そう信じておったんやで。あんたが縁談断ってくれたら、もう何も言うまい、母親のことも何もかもなかったことにして今まで通りにしよ、お父はん隠居させて、儀助はんと所帯持って、末長く倖せに暮らそうと——お峰はんはそう思っていたのや。なのにあんた、口も利かず相談もせず、慮《おもんぱか》ることもせず、顧みることもせなんだんや。今の、今のオノレの顔ばかり鏡に映して、そればっかり見続けておったんや」

「わ――儂は」

「桂男はあんたや」

「儂が――」

映っておったのかい。

「桂男やったら罰を受けて貰おか。刈っても刈っても刈り切らん、大樹の枝でも伐って貰おかいな。あのな、儀助はんとお峰はん」

二人は大坂を出たで、と林蔵は言った。

「出たて――」

「駆け落ちや。当たり前やな。亡者と縁組みさせるような親の許には――居られへんやろ」

「お峰――」

剛右衛門は立ち上がり、向月台の縁を摑んで下界を見渡した。

街が。家並みが。家が家が。

「お、おみねッ」

「漸《よう》く下ァ見よったな。でも、もう遅いで」

「お、遅いんか」

「遅いやろな。昨晩の六道亡者の浮かれ踊りで、二人はあんたに見切りィつけたんや。あんたは大事な娘と、信頼でける商売の右腕ェ失《うしの》うたんや」

「お、お峰。儀助――」

あんたが選んだ道なんやで、と林蔵は言った。

「道筋はつけたったやろ。ナニ、あんた満ち足りておるのやろ。蔵も六つもあるのやろし。屋敷かて無駄に広いのやろし。申し分ない倖せなんやろ。別に命取ろうとは言わんわい。金も取らんわ。でもな、あんたはもう亡者やで。これから銭の亡者にでもなって、いっそうあくどい商売するくらいしか――道はないで」

剛右衛門はゆっくりと月を見上げた。

滲んだ月輪《がちりん》が、蠢いている。桂男が招いている。

あの桂男は――。

儂やったんか。

「これで終《しま》いの金比羅《こんぴら》さんや」

林蔵はそう言うと踵《きびす》を返し、軽く振り返って、

「せやから月ばかり見てたらあかんて言うたやないか」

と、結んだ。

後

あの業突張《ごうつくば》りどないなったのん、とお龍《りょう》が問うた。

どうもならんわと林蔵は答えた。

「あのままや」

「それで——ええの」

ええて何やと林蔵が問うと、怨み辛《つら》み晴れてないやないの、とお龍は言った。

「怨み晴らすてどないすんのんじゃ。そんなもん、甚振《いたぶ》ったかて殺したかて晴れるもんと違《ちゃ》うやろ」

「そらそうや思うけど、店潰したるとか」

仕返し仕事と違うんやで、と林蔵は言う。

「一文字狸《いちもんじたぬき》への依頼は、あくまで剛右衛門の性根を見極めることやってんで。剛右衛門懲《こ》らしめやなんて依頼は受けてないわ。それやったらもっと簡単やないか」

殺してしまうのは簡単なことだ。財産を奪ったり、名誉を奪ったり、信用を奪ったりするのも難しいことではない。

林蔵に回されるのは、そういう仕事ではないのだ。

ややこし仕事やで、と林蔵はぼやく。

「ま、靄船《もやぶね》乗せて、高い高い処へお連れしたったわ。それでええやろ」

「どうええの」

「あの男はな、もう生涯、倖せやなと思うこたァないんやで。銭稼ごうが蔵建てようが、美味《うま》いもん喰おうが女抱こうが、彼奴《あいつ》は死ぬまで倖せな気持ちにはなれんやろ。一生満ち足りずに暮らすんやで」

何よりも重い刑罰だろう。

怖いねえ靄船は、とお龍は言う。

「生き乍《なが》ら亡者の船に乗せはるんやもの」

好きで乗せる訳やないわい、と林蔵は言った。

林蔵は、ただの帳屋ではない。二ツ名を靄船の林蔵という、小悪党である。

靄船というのは、比叡《ひえい》七不思議の一つ、死人が操る亡者船のことである。琵琶湖《びわこ》に浮かぶその船は、靄に紛《まぎ》れ霞《かすみ》に乗って、いつの間にか比叡の山に上るのだと伝えられる。

口先三寸口八丁の嘘船に乗せ、気付かぬうちに相手を彼岸に連れて行く——その林蔵の遣り口を、比叡の不思議に擬えた訳である。

林蔵は、絵草紙版元の一文字屋仁蔵《にぞう》からこうした狂言仕事を請け負っている。

浮かれ亡者こと献残屋の柳次も矢張《やは》り一文字屋の身内の一人である。柳次は、死人を恰《あたか》も生きているように見せかける死人芝居を得意としている。既にこの世にない者を、あの手この手で眩《くら》ませて眼前に顕現せしめるという、質《たち》の悪い小悪党である。

この度も、死人を呼び返して貰った。

「でもなお龍。あんな酷《ひど》い縁談、普通は断ると思うやろ。この度はわっしの最後の出番はなしや、六道の浮かれ亡者で幕やろと、そう思てたんやけどな。まあ——」

業が深かったのか。

矢張《やは》り目が曇っていたのだろう。

「娘さんは——哀しかったやろね」

「そやな」

「お母はんに化けはったんやろ」

矢《や》っ張《ぱ》りうちが代わったったら良かったやろか、とお龍は言った。

お龍は、化ける。小娘から老婆まで、どんな女にも見事に化ける。柳次と組んでの幽霊《ゆうれん》芝居はお手の物である。

「なあに。ええんや」

あの娘は——。

母親の幽霊役を自ら買って出たのだ。

母子なのだから当然似ている。柳次も化けさせ易かっただろう。

否、似ているという以前に、騙すのは実の父親なのである。目の前で顔を晒《さら》せば気が付くだろうと、お峰はそう思ったのだろうと、林蔵は睨《にら》んでいる。

勿論、剛右衛門が気が付けば狂言は崩れてしまう。

それでも幕は引けただろう。

でも。

目の前で見ても判らなかったのだ。

目を曇らせるにも程がある。

何も見えていなかったのだ。

「ま、そういう訳で、目出度《めでた》し目出度しゅう訳には行かんかったけどな。これで終《しま》いや」

終いやねえ、とお龍は言う。

「駆け落ちした二人はどうしてはるの」

「何をごじゃごじゃ尋くねんな。そないなことわいが知る訳ないやろが。あんな、わいの仕事は引導渡したら終いなんやで」

林蔵はそう言うと立ち上がり、店先に笹竹を立てる。

「何や、もうここに店出すんは終いなんやないの」

「気に入ったよってな、も少し此処に居るわ。次の仕込みまではまだ間があるやろ」

大坂は性に合う。

ふうん、とお龍は生返事をした。

「それよりあの二人――何処に行かはったのやろ」

それは林蔵も知らない。

知っても仕様のないことである。

「気にするやないか。ま、六道の手引きやから、奇っ態《けたい》なとこかもしれんな。でも心配はあらへん。あの儀助ゆうのは、中中どうして確乎《しつか》り者やで。十年奉公して結構小金ェ貯めとったんや。当面の暮らしには困らん」

その虎ノ子全部取ってしもたんやないのと言って、お龍はけたけたと笑った。

「取るかい。取ったゆうなら、そら元締やろが。わいもお前も請負仕事やろが。寝惚《ねぼ》けるんやないで」

「そう言わはるけど、あの剛右衛門からは取ってたやないの。指南料とか言うて」

「そら仕方がないやろが。六道かて皿やら鉢やら売りつけてたやろが。あの実入りは別勘定やで。ま、もう少し取ったっても良かった思うけどな」

幾価《いくらもろ》貰うてたんやろねえと言って、お龍は土間に跳び降り、ほなら親方に報《しら》せて来るわ、と言った。

お龍が軒を抜けようとしたその時。

ざあと雨が落ちて来た。

いややわと引き返す。

「濡《ぬ》れてしまうわ。今日は降らん筈やのに」

お月はんは澄んではったやん——とお龍は言う。
心の月には確乎《しっか》り暈《かさ》が掛かっとったわい。
林蔵はそう呟《つぶや》いて、苦笑いをした。

遺言幽霊《ゆいごんゆうれい》　水乞幽霊《みずこいゆうれい》

◎遺言幽霊　水乞幽霊

遺言《ゆいごん》を得《え》いはず
または飢渇《きかつ》して死《し》せし者《もの》は
迷《まよ》ひ出《いで》て水《みづ》を乞《こひ》
物悲《ものかな》しげに泣《なき》さけぶ事ぞ
あさましき

繪本百物語・桃山人夜話巻第三／第廿六

壱

とろとろと瞼《まぶた》が蕩《とろ》けていて、如何《どう》しても開かない。

眠いのか。

眠いのではない。起きられないのだ。

太鼓のような音が頭の芯《しん》の方からどくんどくんと響いて来る。音ではない。振動か。

振動というより、これは痛みなのか。

——頭痛か。

不安なような、心許《こころもと》ないような、それでいて安心したような、背徳《うしろめた》いような、誇らしいような。

感情《きもち》が一向に纏《まと》まらぬ。

纏まらぬというより分離出来ない。何もかも渾沌《こんとん》としていて、喜怒哀楽が綯《な》い交《ま》ぜになっていて、もう如何でもいいというような投《な》げ遣《や》りな、でもそれでもいいというような安寧《あんねい》な、不思議な気分だ。

でも、この頭痛《あたまやみ》は厭《いや》だ。

厭だ厭だ、不快だ、痛い、そうした想いが――想いというよりも苦痛が――渾沌から先《ま》ず分離して、漸《ようや》く左の瞼が半分だけ開いた。

霞《かすみ》がかかったように暈《ぼ》やけている。

緑色、赤色、金色。

白。

――飾りだ。

祭壇か。滲《にじ》んでいる。

能《よ》く解らないが飾りだ。

それなら自分は死んだのか。

自分――という認識《おもい》が芽生えて、貫蔵《かんぞう》はやっと貫蔵になった。その途端に、渾沌とした想いは漠然《ばくぜん》としたまま、恐怖へと姿を変えて、凝《こご》り固まった。

――わしは。

いったいどうしてしまったのだ。首《あたま》を上げようとしたのだが、頸《くび》も肩も、まるで鉛《なまり》でも詰まっているかのように重鈍で、ぴくりとも動かない。腕も上がらない。指先まで痺《しび》れている。

まるで腕がないかのようだ。

ぴりぴりとした触覚が甦《よみがえ》る。

喉《のど》に力を入れる。

――う。

声も出ないか。
痛みが大きくなる。
どくん、どくん。これは。
――血の巡る音。
生きている。俺は生きている、、、、、。
うう、ともおお、ともつかぬ、唸《うな》り声が出た。
「あれ」
女の声。
大事《おおごと》やぁとその声は続いた。
「わ、若旦那《わかだん》さんが息を吹き返さはった」
どたどたと跫《あしおと》がする。
襖《ふすま》が開く音がする。
目が。
目が開いた。
――仏壇だ。
仏間に寝かされている。
旦那さん旦那さん、と声がした。
首を反対側に回すと、見知らぬ男二人と女がいた。

「ああ、ほんまや。こら――」

「こら目出度《めでた》い、いやはや、これで小津屋《おづや》も安泰や」

「大枚叩《たいまいはた》いた甲斐《かい》があったで。六道《ろくどう》の先生のご祈禱《きとう》が効いたのや。ええこっちゃ、今年はええ年になるで」

「う――」

まだ巧《うま》く喋《しゃべ》れない。

口が渇いているのか、舌が痺れているのか。頭が瞭然《はっきり》していない所為《せい》か。

「あ。ほら、お龍《りょう》、何をぼやぼやしておんねんな。水や水。いや、湯冷まし持て来い。それから、重湯も用意せえ。旦那さん、わてや、お判りでっか」

男が覗《のぞ》き込む。

覚えがない。

「お――」

お前誰や、と漸《よう》く言った。

掠《かす》れていて己の声とは思えなかった。

「誰て――文作《ぶんさく》でんがな。何を冗談言うて――」

そこで、文作と名乗った小柄な男は言葉を詰まらせた。あまり若くはないようだ。それから横に座っているもう一人に顔を向け、弱弱《よわよわ》しい声で問うた。

「林《りん》さん、こら――」

「番頭はん、考えとうはないけども——もしかすると旦那はん、お忘れになってしもたのと違いますかな」

へえ、と小男は気の抜けた声を発した。

「忘れてしもたって」

「六道の先生が言うてたやないですか。頭ァ強く打ってはるし、これだけ長《なご》う患《わずら》わはってるんやし、呼び返すことは出来ても、目ェ醒《さ》められた後で、物忘れやら、何や具合悪いとこが出るやもしれんて。そこは——」

覚悟してくれて言われてましたやろと男は言った。

そう言った男はまだ若い。妙に透《す》かした面《つら》である。

そら参ったなあと小男——文作は言った。

「だ、旦那さん、ほんまでっか。その——冗談ですやろ。いや、真逆《まさか》、何もかもお忘れになってしもたのと違いますやろな。忘れて——しもたんでっか」

「いや」

忘れてなどいない。そんなことはない。

体を起こそうとすると背筋に激痛が走った。

痛《つ》うと言うと文作は慌《あわ》てて手を差し延べて来た。

「む、無理されたらあかん」

「む、無理やない」

起こしてくれと言った。

背筋が張っていて、腰も痛い。

二度咽《む》せた。咽せる度、頭が割れるように痛んだ。顳顬《こめかみ》を強く押さえ、それからゆっくりと見渡した。

瞬《まばた》きすると涙が出た。

その涙が眼に沁《し》みて、余計に涙目になった。

「わ、わしの家や。忘れる訳あらへん」

「それやったら」

「わしは――」

わしやと言った。

「旦那さん、此処《ここ》は小津屋でっせ」

「知っとる。生まれ育った、永《なご》う住み暮らした家を忘れるかい。わしは業突張《ごうつくば》りの因業爺《いんごうじじい》、小津屋貫兵衛《かんべえ》の次男、貫蔵や。それで、お前は誰やと訊《き》いておるんや」

小男は泣きそうな顔をした。

「番頭の文作ですがな」

「あ、阿呆なこと言うな。番頭は喜助《きすけ》や」

文作は、横に座っている男に顔を向けた。

「こら――どないなことになってまんのやろ」

「いや、無理もおまへんて。旦那はん、わっしは林蔵《りんぞう》いいます。表向きは帳屋《ちょうや》なんぞやっておりますけど、今は縁あってこちらの商売《あきない》を手伝わせて貰《もろ》とります」

「今は――」

今とは。

「縁あって――とは。いつからや」

「三月《みつき》前からでおます」

「三月。覚えないな。三月前て」

今は。

――いつや。

「旦那はんがわっしを知らんのは無理もおまへん。わっしも――旦那はんのお声を耳にすんのは初めてや」

「そ、そやろ。わしも知らん」

「林蔵さんは、倒れとった旦那さんを助けて、此処に運んでくれたお方だす。縁ゆうのはそのことで」

「倒れた。わしがか」

堂島《どうじま》で――と林蔵は言った。

「相当疲れてはったのと違いますか。まだお若いのに、あないな面倒ごと抱えて、お店《たな》の方も大変やいうのに」

「大変て。それに面倒ごとて何や」

何のことを言っているのだ。

文作と林蔵は顔を見合わせた。

「旦那さん、何処《どこ》まで覚えてはります」

「何処て──」

待て。あれは。それより。

「お、親父《おやじ》はどないした。わしは」

──親父と。

「先代の大旦那は」

亡くなったやないですか、と文作は言った。

「死んだァ。親父がか。何ィ阿呆吐《ぬ》かしとんねん。わしは、そや。昨日──」

出て行け。

貴様の顔など。

儂《わし》の目の黒いうちは。

「──き、昨日も親父と喧嘩《けんか》したわ」

「昨日でっか」

「昨日や。そや」

怒鳴り声が確《しっか》り耳に残っている。

「そ、それで追い出されたんや。勘当されたんや。思い出したわ」

「勘当——でっか」

「そや。豪《えら》い剣幕やったわ、あの糞親父《くそおやじ》。何が気に喰《く》わんのか知らんけど、血ィの繋《つな》がった息子に語る言葉やないであれは。あの鬼みたいな顔ォ忘れる訳ないやろ。あら鬼や。あんな丈夫なもんが、そ、そう簡単に死ぬるかい」

そやけど、と言って文作は黙った。

「旦那はん」

林蔵は短く言って、顔を仏壇に向けた。

扉は開いていた。

貫蔵は畳に両手を突き、身を乗り出した。

節節が痛む。相当長い間、同じ姿勢でいたのだろう。

仏壇を覗き込む。

真新しい位牌《いはい》が並んでいる。

「ご位牌、見えまっか」

「位牌て」

大旦那さんのご位牌だすがなと文作が言う。

「隣は、兄様の貫助《かんすけ》さんのご位牌やないでっか。お忘れでっか」

「兄貴は」

死んだ。

それは確かだ。兄は死んでいる。

だが、親父は。

「親父は死んでないわ」

「こら困りましたな。一緒に送らして貰《もろ》たやないですか」

文作が泣き声を出した。

「一緒て、その一緒が解らん。あんた、文作さんゆうたか。わしはあんたを知らん。番頭やいうが、番頭は」

「喜助さんは大旦那の跡を追わはったやないですかと文作は言った。

「喜助も死んだいうんか」

「へえ。去年の秋に」

「若旦那さん」

多分——最初にいた娘が盆に何やら載せて戻った。

——この。

この娘は見覚えがある。

いや、あるような気がする。

「もう、お起きンなられてもええのやろか」

「いやな、それがお龍、どうも旦那さんはここ一年のことを覚えておられんようなんや」

「そんな――」

娘は形良い眉《まゆ》を顰《ひそ》めた。

何だ。何だというのだ。

「どうなってる。わしは、わしは」

いったい何日寝ていたというのだ。

「三月《みつき》です。旦那さんは、三月の間、目ェが醒めんと生死の境を彷徨《さまよ》われておられたんだす」

「三月だと――」

慥《たし》かに先程、助けたのは三月前だと林蔵は言っていた。しかし貫蔵は三月前に堂島に行った憶《おぼ》えがない。それ以前に行き倒れた覚えもない。

貫蔵は改めて部屋を見回した。

「ま、待て。そやったらわしは、ここに三月寝ておったゆうんか。その三月の間に、親父は死んでしもたゆうんか。そら」

信じられない。

それは違《ちゃ》いまっせ、と林蔵が言った。

「違うんか」

「へえ。慥かに、旦那はんがお倒れになったんは三月前やし、わっしが此処《こちら》にお運びしてこの仏間にお寝かせしたのも三月前や。せやけど、前の旦那さんがお亡くなりになったのは、もっと前のことでっせ」

「もっと前やて」

「へえ。大旦那さんが亡くなったのは、手前がこの小津屋さんにお世話になって一月目《ひとつきめ》、去年の長月《ながつき》のことで」

――去年の。

「そ、そんな阿呆な。去年の長月いうたら、まだ兄貴も生きておったがな。兄貴が殺されたんは、去年の時雨月《しぐれづき》やないかい。それこそわしが送ったわ。いや、兄貴が死んだ所為《せい》で、わしは親父と喧嘩してん。わしに」

跡目など継がせるものか。

小津屋の身代はお前なんぞに渡さん。

この――。

――痴《し》れ者が、か。

「兄貴が居らんようになって、それで跡目で揉めたんやないか。わしには継がせん、何処へでも去《い》んでしまえ吐《ぬ》かしくさったんや、あの鬼めは」

「貫助様がお亡くなりになったのは――一昨年《おととし》のことですえ」

お龍が言った。

「何やと」

「その時、妾《うち》はもうご奉公さして貰《もろ》てましたさかい。貫蔵様が勘当されはったのは――去年の春のことです」

「きょ、去年やて」

嘘だ。あれは。

昨日だ。

否、昨日の――ことのような、だけか。

「あ、そうか。そやな。今となってはお龍はん、此処《ここ》に居る者《もん》の中でお前さんが一番の古株やもんな。せやったら、旦那はん、旦那はんは去年の春以降のことをお忘れになっておる――ゆうことでっしゃろか」

「ま、待て。い、今は」

「へい。まだ――松の内でっせ」

林蔵は立ち上がり、庭に面した襖 障 子《ふすましようじ》を開けた。

裏手の軒に、注連飾《しめかざ》りが見えた。

弐

童《こども》の時分から、兄は厭《いや》な奴だった。

否――兄は良い子だった。貫助のことを厭《いと》うていたのは、思うに弟の貫蔵だけである。

貫助は我《わ》が儘《まま》も言わぬ。駄駄《だだ》を捏《こ》ねることもない。

乱暴も働かぬし悪戯《いたずら》もしない。修身修養も怠《おこた》らず手伝いも能《よ》くした。

褒められることは多かったが、叱られることはなかった。貰う小言といえば、元気がないとか覇気がないとか、温順《おとな》し過ぎるとか、童のくせに奥床《おくゆか》しいとか、精精《せいぜい》そうしたものである。

そんなことはない。

真実《ほんとう》のことを知っているのは貫蔵だけだ。

貫助は、大人の顔色を窺《うかが》い、場を読んで取り繕《つくろ》うのが上手な子供だった――というだけだ。

何をしていても、どんなにはしゃいでいても、親が来た途端に兄は掌《てのひら》を返すように親が好む顔をする。親の前では親が喜ぶことをして見せる。

悪いことではないのかもしれない。しかし、そうした意味では不器用な、ただの子供だった貫蔵の目から観れば、器用に顔を使い分ける貫助は、堪《たま》らなく厭な存在だったのだ。

叱られるのも責められるのも専《もっぱ》ら貫蔵だった。

同じことを為《し》ているのに、である。

同じ子供なのに、である。

泣いても。

貫助の姿は哀れに映る。同情を誘う。

貫蔵の方は女女《めめ》しい煩瑣《うるさ》いと叱られる。

欲しい物があったとしても、貫助には我慢しておるのかと優しい声が掛けられ、貫蔵は物欲しそうな顔をするなと怒鳴られた。

同じ顔だと貫蔵は思う。

貫助は何も言わずとも買って貰《もら》える。

貫蔵は強請《ねだ》ることすら出来ない。

一度——。

兄を責めたことがある。十歳くらいの頃だ。

なんであんちゃんはそうなんや。

狡《ずる》いわ。嘘吐《つ》きやん。

酷《ひど》いやないか。

泣く——と思った。気弱で、従順で、苛《いじ》められても直《す》ぐに泣く、実際そういう子供ではあったのだ。貫助は。

でも兄はこう言った。

――お前が阿呆なだけや。

要領が悪いのは阿呆や、損するだけやと、そういうようなことを言った。

そのまま、大人になった。

貫助は、目上の顔色を窺い乍《なが》ら、要領の良い大人に育った。

貫蔵は――。

駄目になった。

やさぐれた訳ではない。

子供の頃についた差は長じるにつれ開く一方で、同じような子供だった二人は、まるで違う大人になった。

要領良く振る舞おうとすると、手を抜くな調子に乗るなと詰《なじ》られた。

堅実に生きようとすればうすのろ役立たずと罵《ののし》られた。

同じだったのに。

何も変わらないのに。

自分は何も悪くないのに。

僻《ひが》み根性だけが大きく育って、貫蔵はひね曲がった駄目な大人になった。

誰よりも、己がそう思う。

駄目だった。何をやっても裏目に出た。

兄を見返そうと気張れば、気張っただけ失敗した。

どうでもいいと遣る気をなくせば、本当に何も出来なくなった。

ただの一度も褒められることなく、情をかけられることもなく、やがて貫蔵は、何もかもが嫌いな、駄目な大人になったのだ。

一番嫌いなのは——。

——兄貴だ。

次に嫌いなのは親父だった。

父の貫兵衛は守銭奴《しゆせんど》である。

否——商人は多かれ少なかれ皆守銭奴のうちなのだろう。それはいい。

父は。

殴るか怒鳴るか。

それだけだ。

父から学んだことはただ一つ、貧乏は負け、ということだけである。

そして。

負けるくらいなら死ね——。

小津屋貫兵衛とはそういう男である。冷徹なのではない。強欲なのだ。名誉も情愛も人徳も何もかも、欲の前に霞《かす》んでしまっているだけだ。

その証《あか》しに、父は吝嗇家《しわんぼう》ではない。

欲しいものは買う。使いたい時は使う。浪費《むだづかい》はせぬが倹約もしない。吝嗇《けちけち》と貯め込む性質《たち》ではないのだ。

ただ、欲に忠実なのである。

使ったら使った以上に稼ぐ。

儲《もう》けるのは使うためである。

金さえ稼げば何でも出来る。富を攫《つか》めぬ者は即ち何も出来ぬ者、つまりは負けた者、なのである。

負けるなら死ね。

死んでしまえと何度言われたことか。

――でも。

貫蔵は、己に商才がないとは思っていない。

様子見と機嫌取りばかりの兄よりも、自分はずっと商売《あきない》に向いていると思うている。僻み曲がってはいたけれど、学びもしたし、努力もしたのだ。

成果がなかった訳ではない。繁盛させたとは言わぬ。だが、商売でお店《たな》に損をさせたことは一度もない。僅《わず》かでも利は生んでいる。

しかし――。

父に言わせれば、そんな細かい利益はあって当然、儲けのうちには入らない――のだそうである。

貫蔵が思うに、己が目に見える結果を出せなかったのは父の所為なのだ。誰でもない、その父の所為なのだ。

そもそも。

堅実にやろうとすれば度胸がないと謗《そし》られ、博奕《ばくち》に出れば配慮に欠けると窘《たしな》められた。どうしても思うようにはさせて貰《もら》えなかった。

何が気に喰わぬのか解らぬが、兎《と》に角《かく》駄目だと言われた。父は、貫蔵のやることが一から十まで気に入らなかっただけだ。そうとしか思えない。

思うように遣らせて貰っていたなら必ず巧く行っていた筈《はず》だと、貫蔵は思う。でも父は許してはくれなかった。巧く行くか行かないかは、どうも関係ないのだ。父にとっては、父とは異なる意志で行動すること自体が即ち、背信に他ならなかったのだ。だから。

父の遣り方に意見などしようものなら、頭ごなしに怒鳴られて、殴られた。

貫蔵は、毛程も信用されていなかった。貫兵衛という男は、実の子である貫蔵を一切認めなかったのだ。認めようとする兆《きざ》しさえなかったのだ。

それ以前に、親子の情愛というものを、貫蔵は感じたことがなかった。

貫蔵は怨嗟《えんさ》にも似た、根深く捩《ね》じ曲がった感情《おもい》しか、父に対しては抱けない。

一方で貫助は全く違っていた。

貫助は、何も言われなかった。

当然である。

貫助は何もしなかったのだから。

兄はただ諾諾《だくだく》と、父の言うがままに、まるで浄瑠璃《じょうるり》の人形のように動いて——動かされていただけである。右を向けと言われれば右を向き、座れと言われれば座る。笑えと言われれば可笑《おか》しくなくても笑い、泣けと言われれば悲しくなくとも涙を溢《こぼ》す。

言いなりである。

それで何が悪い、と貫助は思っていたに違いない。

実際悪いことなどない。

何も考えず、何を志《こころざ》すこともなく、木偶《でく》の坊のように従順に、犬のように忠実に——それでも、言われたことだけはそつなく熟《こな》すのだから——。

責めようがない。

考えぬのだから。

否、まるで考えていない訳でもないのである。兄の考えなしは悉《ことごと》く算盤《そろばん》ずくなのである。何しろ、誰が見ても無謀な、間違いなく失敗する策であっても、父の令《いいつけ》であれば貫助は喜んで行うのだ。しくじると承知でする。

当然、失敗する。

だが、貫助の失敗は父の失敗なのである。だから縦《よ》しんば商売に大きな穴を開けるようなことがあっても、兄は一切叱られなかった。

己の命じた通りのことをしているのだから、父も叱りようがないのだ。

それなのに。

そうした時、貫助は叱られてもいないのに謝った。

詫《わ》びるくらいならしなければいいのだ。詫びるような結果になることは、最初から知れている。知れていると思う。ならば、それは違うと進言するのが本来あるべき形ではないのか。

茶番だ。

吐き気がする程の茶番だ。

貫蔵は、兄と、そして父が大嫌いである。

母は居ない。

離縁されて里に戻されたのだと、長じた後に知った。里が何処なのかは知らないから、生きているのかどうかも知らない。知っても詮方《せんかた》ないから、尋ねる気もしない。

貫蔵は、大嫌いなものと一緒に、大嫌いなものに育てられたのだ。

小津屋の身代は大きい。

跡目は貫助が継ぐ。惣領《そうりよう》であるから、これは当然である。つまり貫蔵は要らない。要らないなら捨ててくれればいいのにと、貫蔵は生まれてからの二十数年、ずっと思い続けてきた。

兄が逝《い》った時は――。

だから、悲しくも辛《つら》くもなかった。嬉《うれ》しかったとは言わぬ。どんなに嫌いでも、血を分けた兄弟である。でも涙は出なかった。

だらしなく口を開け、餌を貰い損ねた狆《ちん》の如き間抜けな面《つら》を晒《さら》して事切れている兄の死骸《しがい》を観て——。

一寸《ちょっと》怖くなっただけである。

兄は邪魔で、目障りで、居るだけでうんざりするような男だった。そして、それもすぐに忘れた。

だが居なければどうでもない男だった、という訳で、つまりは、居れば嫌でも、居なければどうでもない、男だった、ということだ。

でも、父は荒れた。荒れて、葬儀もまともには出せなかった。法要は四日遅れで貫蔵が執り行った。父は臥《ふ》せってしまったのだ。

貫蔵の記憶《おぼえ》では去年の霜月《しもつき》のことだ。

しかし、それは——。

一昨年のことでございます、と文作が言った。

「酷《むご》い話やったそうですなあ」

むごい——。

「何がや。親父がか」

貫助様のお最期のことでございますと、文作はやや怪訝《けげん》そうな表情になって接いだ。

「ああ」

——兄貴の死に様。

慥《たし》かに酷い話なのだろう。

「聞くところに拠《よ》れば、何や、押し込みに入られはったとか――手前はその頃、まだ奈良の方におりましたよって詳しゅうは知らんのでっけど」

「三千両盗まれたのでしたな」

林蔵が続けた。

「わっしは天王寺《てんのうじ》やけどね、小津屋はんの騒ぎはその日のうちに届きましたで」

千両箱三つと茶碗《ちゃわん》が一つ――。

「大金や。そして、何より跡取りのお命取られた。こら、先代はんも遣り切れんかったのでっしゃろなあ」

親父は――。

遣り切れなかったのだ。

銭なんぞどうでもええ。盗《と》られたら、盗られた以上に稼げばええ――。

貫兵衛はそう言っていた。

銭で買えるもんやったらなんぼでも出すわい、買い戻せ、貫助ェ買い戻せや――。

取り乱していた。あの男にも、取《と》り敢《あ》えず銭金より大事なものがあったのだ。

息子の命――。

――否。

い、い、貫助の命だ。

貫蔵の命ではない。貫助の命だ。

貫蔵は、死ねと言われていたのだから。役立たずは死ねと、負けるなら死んでしまえと、幾度も幾度も言われていたのだから。

もし死んでいたのが貫蔵だったなら、親父は痛くも痒《かゆ》くもなかったのだろう。

大旦那様はそれはお心を傷めていらっしゃいましたとお龍が涙声で言った。

「親父は兄貴が大事やったんや」

――兄貴だけが大事やったんや。

貫蔵は言う。

本当にそうなのだから。

「わしが身代わりに死ねば良かったと、そう思とったんやろ。あの鬼め」

「何を仰《おっしゃ》いますのん」

お龍は眼を見開く。

京雛《きょうびな》のような顔である。

「若旦那さん――昔に戻ってしまわれはったようや」

「昔て何や。わしは今も昔も変わりないわ。それとも何か、その――」

貫蔵が思い出せぬその間に。

「何か――あった言うんか」

何か変わっているのか。

文作は顔を歪《ゆが》ませた。

「若旦那――いや、今は旦那さんや。本当に何も覚えてはらへんのでっか」

「知らん言うとるやろ。あのな、わしはこれでも傷心の親父を慮《おもんぱか》って、誠心誠意尽くしたつもりやで。兄貴の葬礼《そうれん》出して、屁垂《へた》れとる親父の代わりにこの店切り盛りしたのやないか。それが何や。余計なことしくさってからにと、わしは怒鳴られてんど」

オノレなんぞに店ェ任せたつもりはないわい。

貫助の喪も明けんうちから商売なんぞすな。

オノレには肉親の情いうものがないのんか。

貫助が死んで、喜んどんのと違《ちゃ》うやろな。

こら貫蔵、オノレには――。

絶対に儂《わし》の身代は譲らへんど。

鐚銭《びたせん》一枚くれたらへんわ。

――何なんや。

「親父はな、わしが嫌いなんや。厭うておるんや。せやなかったら実の子ォにあないな悪態吐《つ》けるもんかい。兄貴を送ったのはわしやで。葬式かて恙《つつが》のう――」

――否。

あの時。

樒《しきみ》の葉を。

それは違います若旦那、とお龍が言った。

「何が違うか。あのな、わしはこの店ェ追い出されたんやど。兄貴が死んでから年の瀬年明けの三月《みつき》、この小津屋切り回したのはわしやで。それを、やれ勝手なことすな切り盛りの仕方が悪いゆうて難癖つけくさって、それで散散《さんざ》罵《ののし》られて、わしは勘当されたんやど」

勘当やで、と貫蔵は繰り返す。

「勘当ゆうたら親子の縁切るゆうこっちゃ」

「それは済んだことでっせ、旦那さん」

「済んでない――」

違うのか。

「先代は、若旦那さんに罵言《ばげん》吐いたこと、勘当されたことォ深く悔いられて、頭下げはったやないですか」

「親父が」

頭を下げただと。

「嘘や」

「嘘やおまへんで。だって――いや、そやったか」

お可哀想《かわいそう》に肝心な処が抜けてもうたんやなあ、と文作は言った。

「肝心て」

「へえ。そやな、お龍」

「はあ。去年の春、若旦那さんが出て行かれた後、店の者《もん》が大旦那さんに――」

意見しはったんですとお龍は言った。

「親父に意見やて」

そんなことをしたら。

「誰や、そんな阿呆なことしたんは」

みんなです、とお龍は答えた。

「みんなて」

「店の者《もん》全員が――お暇《ひま》出されるの覚悟で申し上げたんです。前の番頭さんが代表で大旦那さんに進言を」

「喜助がか。ほたら」

「ええ。善う言うてくれたと」

「何やて」

「善う言うてくれた、誰かが言うてくれへんかったら儂は道ィ踏み外すとこやったと」

「あの親父がか」

信じられない。

殴られ詰られ、叩《たた》き出されたのは――貫蔵の中では昨日のことだ。

「それで親父、わしに詫びた、言うのんか」

「へえ。大旦那さん、土下座して、戻ってくれ言うて」

「土下座やと。何処で――」

わしは――。

あの後、何処に行った。親父に追い出されて――。

廓《くるわ》でっせ、と文作が言う。

「旦那さん、この店出されて和泉楼《いずみろう》に行かはったんでっしゃろ。手前の聞いた話では、先代は廓の軒先で地べたに額擦《こす》り付けて詫びられたんやそうでっせ。儂が間違《まちご》うとった、許してくれ戻ってくれ言わはって」

あの。あの業突張りの鬼が。

そんな――。

信じられんと言うと、でもなあ、と言って三人は顔を見合わせた。

それから文作は仏壇の位牌に目を向けた。

「手前が此方《こちら》に寄せて貰《もろ》た時は、お二人とも仲違《なかたが》いされたことがあるような間柄とは――お見受けでけんかったですけども」

そうだ。

この、年齢《とし》の皆目判らぬ小男は、何故に此処に座っているのだ。

手前は若旦那に拾うて貰《もろ》たんですと文作は言った。

「わしが、あんたを。何処で拾た。あんたいったい何者なんや」

「手前は行き倒れでっせ。店の前で行き倒れとるのを旦那さんが救うてくれて、行き場がないゆうたら、人手が足らんよって、この店ェ手伝いやと――」

「人手が足らんやと」

そんな訳はない。

小津屋には五十人からの奉公人がいる。縦《よし》んば手が足りなくなったとしても、素性の知れぬ行き倒れを雇うような真似《まね》をする訳がない。しかも――。

「あんた、最前に自分は番頭やァ、言うたったな。そんな道理の通らぬ話があるかい。あんたの話ィ丸ごと信じたとして、や。あんたは、たった半年やそこらで番頭になった――言うことになるで。そら得心行かんわ。喜助の下にも親父の機嫌取りはようけ居たったわ。二番番頭三番番頭、奉公人は足りておったんやで。あの鬼の貫兵衛が、牛蒡《ごぼう》抜きであんた番頭にしたちゅうなら、そらあんた、余程の傑物ゆうことになるで」

そうは見えない。

どちらかと言えば冴《さ》えない、むさ苦しい爺である。

「手前を取り立ててくださったんは、旦那さんや」

「だから親父は」

「せやから違いますねん。旦那言うたらあなた様やて」

「わしが」

「へえ。手前にとって小津屋の主は貫蔵様、あなた様やで。わてにしてみれば、この店は最初からあなたのものやったです。いや、此処はあなたの店でっせ」

「なんやて」

この——店が。

貫蔵は改めて見回す。以前と何も変わっていない。

「親父——跡目譲った言うんか。この——」

——わしに。

そんなことがあるか。

でもそうなんですと、お龍が続けた。

「大旦那さんは——若旦那さんを迎えに行かはって、その場で店譲ると言わはったんやと仰ってました。それでお二人でお戻りになって、すぐに奉公人一同お集めンなって、そして聞かされたんです。今日からはこの貫蔵がこの店の主や、て」

「い、隠居した言うんか——」

するとと。

和泉楼で親父は——。

——待て。

慥《たし》かに貫蔵は昨日——否、一年前——この家を叩き出されて馴染《なじ》みの遊廓《くるわ》に向かった。座敷に上がり、女を侍《はべ》らせ、そして浴びる程酒を呑《の》んで、それから——。

それから。

それからどうした。

それから先が判らない。

そこに親父がやって来たというのか。そして、この店を譲ってくれたと。

あの、人を人とも思わぬ親父がか。

死ねと詰《なじ》った、大嫌いな息子にか。

「わしが——この店の主やと、そう言うんか」

文作とお龍は首肯《うなず》いた。

「みな、喜びましたのや。それまでやって、若旦那さんがこの店ェ切り回していやはったんやし、文句の出よう筈もありまへん。大旦那も、これまでずっと辛《つろ》う当たっとったんは、一日も早《はよ》う一人前の商人《あきんど》に育って貰《もろ》て暖簾《のれん》分けするつもりやったからやと、そう仰ってましたで」

「暖簾——分けか」

「まあ、こら後から聞いたことなんやけども、お亡くなりになった貫助様ァ、あまり商売に向いたお方と違《ちご》うたようですな。まあ、それでも惣領やし、店嗣《つ》がさんゆう訳にはいかん。一方で貫蔵様」

先代はあなた様の才覚を買っておられたんやで、と文作は言った。

「親父がか。そら——信じられん」

「ほんまですわ。まあ、どれだけ商才がある言うても貫助さん差し置いてあなた様に跡目譲る訳には行きまへんやろ。それに貫助さんは、こう言っちゃ何やけども一人じゃ到底この店やって行かれへん。あなた様は、独り立ちの出来る方やと」

——そんな。

ほんまです、とお龍が言った。

「ただ、行き過ぎやった、と仰せでした。厳しくすればする程に遣る気ィ見せよるから、ついつい遣り過ぎてしもた、と。ですから、まあ、あないな酷《むご》いことがあって上の若旦那さんがお亡くなりになって——それで、それは悲しいことなんやけども、これで良かったんやと」

「良かったやと。あの親父が、わしに跡目譲って良かったと言うたんか。死ねの去《い》ねのと散散《さんざ》ぱら悪口垂れくさって、どの口で」

——違うのか。

自分が間違っていたのか。そうなのか。

それでは。

「お、親父とわしは——」

「へえ。慥《たし》かに去年の勘当騒ぎの時はお二人ともそら凄《すご》い剣幕で、一同どないしょうかと思うたんです。貫助様が亡くなってから、お店の中もずんと暗い感じやったし、もうお終《しま》いやと思うたりしました。お二人連れ立って戻られた時は、そら心強う思いましたわ。これで小津屋も安泰やと——」

——わしが、主に。

小津屋の主人になったのか。

「実際、それから暫《しば》くは、奉公人一同遣る気も出て、商いの方もまた盛り返して、妾《うち》なんかにはよう解らんのですけど、良うなられたようです。でも——」

「でも何や」

凡《すべ》ての元凶はあの押し込みやったんです――と、ずっと黙っていた林蔵が言った。

「押し込みて――」

「貫助様を殺した憎《にっく》き押し込みですわ」

「ま、待てや。まあ兄貴ィ死んだのは事実やし、金も盗られたわ。しかし、その、そのお陰《かげ》でわしが」

「へい」

林蔵は暗い顔をした。

「そうなんやけども、結局その盗《ぬす》っ人《と》の所為で、旦那はんは大変な苦労を背負ってしもたんですわ」

「苦労。わし――がか」

どういうことだ。

「お陰でこの小津屋は潰《つぶ》れかけた――そうでんな、番頭はん」

文作は下を向き、そうだす、と言った。

「相当拙《まず》かったのとちゃいますやろか。奉公人も皆おらんようになって――まあ、そんな案配やったから、手前みたいな馬の骨も雇うて戴《いただ》けたんやけども」

また――。

解らなくなった。

「おい、その――何でそうなるんや。慥《たし》か盗まれたのは三千両やったな」

三千両と茶碗が一つで、と林蔵が言う。

「そうや。そっちの、奥座敷に置いてあった桐箱《きりばこ》と、千両箱や。ま、三千両ゆうたら大層な額やけども、せやけども、その、この小津屋の身代はそれっぽっちの銭で揺るぐようなものやないやろが。蔵ン中にはまだなんぼでも唸《うな》る程金があるわい。それ以前に信用はあるやろ。小津屋といえば大店《おおだな》やで。取引先かて、別に盗っ人にやられたから付き合い止《や》めるなんてことはないやろが。何で店潰すような話になんねんな」

茶碗だす、と林蔵が言った。

「茶碗て、あの桐箱の中身かい」

「へえ」

「あれが――何や」

「それもお忘れでっか」

何も――覚えていない。

「あの茶碗、預かりものやったんですわ」

「預かり物て」

「さるお大名の持ち物やったんですわ。それも、ご先祖が太閤《たいこう》はんから下賜されたゆう由緒正しい茶碗やったそうでしてな。その家宝の茶碗を担保にして、そのお大名は三千両の借財を申し入れて来はった。座敷に置かれておったんはその大名家にお貸しする三千両やった」

「そ——そうやったんか」

そうだっただろうか。いや——。

「まあ、旦那さんも仰せの通り金はなんぼでもあったんですわ。せやから、まあ大事《おおごと》はあったけれども、約束通りに三千両は貸付けたんですわいな。金を出したんは当時の番頭の喜助さんや。まあ、泥棒が来ようと何が来ようと、そらこっちの都合であって、先方には関係ありまへんわな。約束したことでっさかい、このままでは先方も困るやろと、こら親切心ですわ」

「いや、そんな大金出したんやったら——」

——否。

そうした経緯《いきさつ》であるのなら、貫蔵は蚊帳《かや》の外である。

貫蔵は親父が臥せってから半ば仕方なしに店を取り仕切ったのだが、それまでの証文や帳面を具《つぶさ》に検分した訳ではない。

「十月《とつき》の約束やったそうですわ。で、年が明けて旦那がこの店ェ嗣がれて、まあ、お龍が言うた通り家裡《いえうち》も商売《あきない》もええ具合になって、それから暫《しばら》くして——」

大名から使者が来たんやそうで、と林蔵が接いだ。

「約束通りに金返す、ゆうて」

「それで——」

「でも、戻す担保の茶碗が——ない」

——それは。

「お、おい。そんなもの、盗まれたんやから盗まれたと言うてる筈やろ。言うて――なかったんかい」

「ええ」

「な、何でや」

そらご存じでっしゃろと文作は言った。

「先代は貫助様が亡くなられて、気鬱《きぶさぎ》になられて、迚《とて》もそれどころではなかったんや、言うてはりました。そう――だったんでっしゃろ」

「ああ」

「盗まれてすぐなら兎《と》も角《かく》、半年も経ってしもてから、すんまへん盗られてもうてあらしまへんは通りまへんて。誤魔化《ごまか》すことも出来《でけ》ん。これぱっかりは代わりの物《ぶつ》もありまへんやろ。返済期日過ぎてる訳でもなし、寧《むし》ろ早いんでっせ。先様は――そらお怒りになられたようで」

「そ、そんな」

――そんな阿呆な。

「わ、わしは、わしはどないした」

わしが対処したのやろ、と貫蔵は問うた。それなら大丈夫の筈だ。まるで覚えていないけれども、それなら必ず――。

「大揉《も》めに揉めて、拗《こじ》れて、ほいで、一月《ひとつき》ばかりの間に店はみるみる」

「ま、待てや。そらおかしいで」

自分は——何をしていた。

「あっという間に左前になって」

「それで奉公人も辞めたいうのか。大名と喧嘩して何で商売が駄目になんねん」

「悪評が立ったんですわ。ま、商売敵《がたき》いうのは、こういう機会を虎視眈眈《こしたんたん》と狙ってますわ」

商売には勢いゆうのがあります、と林蔵が言う。

「押し込みが入る、跡取りが殺される、主人が気鬱になる、勘当騒ぎがある——気運ゆうのがあるとするなら、こら気運は大乱れですやろ。お店の中も外も、ガタガタやったんやと思いますで」

それは慥《たし》かにその通りである。

小津屋の屋台骨は腐っていた。この店はそもそも傾き始めていたのだ。親父の遣り方は強引で、必ずしも賢いものではなかったのである。

「それで——貫蔵様がお戻りになって、新しい主になられて、まあその傾きも、お龍の言うた通り徐徐に持ち直し始めてたようですわ。それでも、すぐに盤石《ばんじゃく》ゆう訳には行きまへんわ。そら苦労なさったんでっしゃろ」

覚えていない。

そんなことは何ひとつ覚えていない。

「そこに——その騒ぎや。こら、恰好《かっこう》の餌食《えじき》でっせ。まあ折角持ち直したもんが、あっという間に」

「奉公人も次次に去《い》んでしもうて」

「待て、待てや。ほんまにわしは」

――何もしなかったのか。

迷ったか。迷ったのか。それとも。

「手前が旦那さんに助けられた時、奉公人は十二人しか居らんかったのです」

そんなに――減っていたのか。

「へえ。まあ喜助さんが踏ん張っておられたけども、後はもう、腰が引けてすぐにでも辞めたい言うてて」

「商いの方も相当追い込まれてたようですな」

「大名家の使者も毎日押しかけて」

「それで先代は」

首吊《つ》らはった――。

「な、何やて」

「喜助さんも、日を置かずに後追いなはった」

「そして――今度は旦那さんがお倒れになったんや」

「そんな最中にか」

「へえ。先代の葬儀をきちんと済ませ、喜助さんも送らはって、それで、旦那さん先方と話をきっちりつける言わはって、その矢先のことで」

「どう――いうことだ」

自分は、いったい何を考えていたのだ。

否、もしや己は。

親父を――。

これは、貫蔵自身の仕組んだことなのか。

それとも――。

そうでないなら。

「若旦那さん何日経っても目ェがお醒めにならんし、その間に、もう奉公人は上から下まで全部辞めてしもて」

今はこれだけですと、お龍は言った。

こら祟《たた》りや、禍《わざわ》いですわ――と林蔵が続けた。

参

これはご祈禱で戻るものではございませぬぞとその男は言った。言葉が違う。近在の者ではないらしい。

貫蔵はいまだ混乱している。

文作達の言い分を鵜《う》呑《の》みにするならば、貫蔵には凡《およ》そ一年に少し足りぬ程の記憶《おぼえ》がない。

その間に貫蔵は父と和解し、店を嗣いで小津屋の主人となったのだという。

しかし――そう説明してくれた文作のことを、貫蔵は思い出せない。否、覚えていない。どうやら行き倒れたらしい貫蔵を助けてくれたという林蔵という男もまるで知らない顔である。

お龍という女中の顔だけは微《かす》かに憶えているような気がするが、それも定かではない。

親父は死に、店は存亡の危機だという。

――それもこれも。

あの日に端を発しているのだという。

湯冷ましを飲み、重湯を啜《すす》って、やや落ち着きはしたものの、相変わらず頭の芯は痛《や》んでいたし、節節も痛かった。

目の前には得体の知れぬ男が座っている。

男は六道斎《ろくどうさい》と名乗った。

どうも、生死の境を行き来していた貫蔵を呼び戻したのはこの男であるらしい。

先生でもあかんのやろか、と文作が言った。

「あかん――ですな。まあ、林蔵さんからも聞いておられることと思うが、この六道斎が致しまするは、魂《たま》呼《よ》ばい死《し》人《びと》返《がえ》し。我が法力で叶《かな》うのは、六道の辻《つじ》で行き先に迷うておる者をばこの世に呼び返すことにございます。消えかけた命を引き戻すことは出来ましょうが――残念乍《なが》ら忘れた昔を思い出させることは叶いませぬ」

「すると、旦那さんはずっとこのままでっか」

それはございますまい、と六道斎は言う。

「一度覚えたものごと見聞きしたものごとは、頭《こうべ》の中より消えてなくなるものではありませぬぞ。生を享《う》けてより死を賜《たま》わるまで、ずっと残る。死して後、六道のいずれかの道に踏み込むまでは、確《しっか》りと残っておるものにございます。ただ――」

古き記憶《おもいで》は徐徐に不確かになりましょう、と六道斎は言った。

「童の時分のことなどは、やがて思い出せなくなることも――ございましょうな」

「はあ、手前なんぞはこの年齢《とし》でっからな、そらもう昔のことなどは、とんと」

「しかし、ある日突然、鮮明に思い出す――そういうことはございますまいか」

ああ、と文作は小さな目を見開く。

「そういえば、この間小《ち》さい時分に聞いた童謡《わらべうた》を突然思い出しましたな。すっかり忘れておったんやが、どういう訳か一字一句思い出しましたわ」

「そうでしょう。忘れるというのはなくしてしまうことではない。宜《よろ》しいですか、例えば家の中の物が盗まれてしまう——これは、なくなってしまう訳ですから、探したって出ては来ないでしょう。しかし、何処に仕舞ったのか判らなくなっているだけならば、探せばやがて出て参りましょう」

「それやったら、やがて思い出されると」

「いつか、必ず」

「いつでっか」

それは身共《みども》にも判らぬことと六道斎は言った。

「家財が少なければ探し物も易《やす》いことでしょうが、多ければ探すのにも時が要りましょう。片付いておれば探す筋道もつけ易いでしょうが、散らかっておれば見つけ難《にく》い。旦那様の頭の中は、只今《ただいま》相当に散らかっておられるのです」

その通りだろう。

散らかっている。

どこから手を付けて良いのか。

何か契機《きっかけ》があれば宜しいのでしょうが、と六道斎は腕を組み、眉を顰《ひそ》めて言った。

「きっかけとは」

「文作さん、あなたがその童謡を思い出されたのは偶然でございますかな」

「いや――」

文作はひと頻《しき》り首を捻《ひね》った後、やがてそうや南天《なんてん》やね、と言った。

「瞭然《はっきり》せんのやけども、正月の飾り物の南天を目にしたんですわ。ほたら突然――はて、何でやろ、南天なんぞ珍しもんと違うし、歌の文句にも南天なんぞ出て来《こ》んのやけども」

何処かで繋がっておったのでしょう、と六道斎は言った。

「童の頃、南天を見乍《なが》ら歌われておったとか、歌を覚えられたその時に南天が近くにあったとか――まあ幾つかの条件が整った故のことなのでしょうな。いずれ、そうしたことでございましょう。ですから、旦那様も何か」

何か――。

六道斎は貫蔵の顔を覗き込んだ。

「些細《ささい》なことでもいい、何か鍵《かぎ》がある筈」

「鍵――てか」

「旦那様は、何もかも総《すべ》てを忘れてしまわれた訳ではない。そこが、先《ま》ず一本目の鍵でございましょう」

勘当された場面までは覚えている。

親父に謝罪された覚えは全くない。

ならば――。

もうひとつ、と六道斎は人差指《ひとさしゆび》を立てた。

「お倒れになったその時のことも、何かの鍵にはなりましょうな」

「いや」

それはまるで判らない。完全に欠落している。

「林蔵さんのお話ですと、旦那様は堂島の米会所《こめかいしょ》の前の広小路で、突然、こう、棒を倒すように仰向《あおむ》けに倒れられたのだそうです。その際、運悪く後頭《うしろあたま》を停《と》めてあった大八《だいはち》の持ち手にぶつけられた」

貫蔵は後頭に触ってみた。

傷はない。ただ、痛いような気がした。

「それで——そのまま」

六道斎は首肯《うなず》いた。

「そのまま、気を失われた。あの辺りは人通りが多いですしな、早飛脚《はやびきゃく》なども頻繁《ひんぱん》に行き来しておりましょう。大坂《おおざか》のお方は忙しいですからな、地べたに落ちておるものなんぞには見向きも致しません。丁度後ろにいた林蔵さんが駈け寄って介抱してくれたから良かったですが、下手をすれば蹴殺《けころ》されておりましたでしょうな」

「わしはそないな」

間抜けと違う、と言いかけて貫蔵は言葉を止めた。

間抜けだったのだろう。

「ま、昏倒《こんとう》されて、旦那様はそのまま戸板に乗せられてこの家にお戻りになったのです。この文作さんは――」

「そら慌てましたわ。血の気が引いたゆうのはあのことですわ。これで旦那さんにもしものことがあったりしたら、この小津屋はほんまに終わりや。すぐさま医者坊《いしゃぼん》を呼んで、ほいで、出来得る限りの手ェを尽くしたつもりやってんけど――」

「旦那様は一向にお気が付きにはならなんだ」

「へえ。兎《と》に角《かく》お目ェ醒まして貰いとうて、有り金叩《はた》いてあれこれしたんでっけど」

「三月《みつき》経ち、年も越してしまった、と」

「へえ、その三月の間に」

残った者も皆辞めて行ってしもたんですと言って文作は頭を下げた。

「幾度も引き止めたんやけど、手前の力不足で」

「そら――仕方ないやろ」

貫蔵でも辞める。文作が言っていたような状況で主が倒れてしまったら、先がないことは目に見えている。

「そこで――身共が呼ばれたので」

「魂呼ばいなあ」

貫蔵には、死にかけていたという覚えもないのだ。

すっぽりと完全に抜けている。

思い出せと言われてもどうしようもない。白い紙を見せられて、何が描いてあるか訊かれるようなものだ。

貫蔵は首を振った。

振幅に合わせて頭が痛んだ。

勘当された辺りまでは思い出せるのですなと六道斎が問うた。

「思い出せるゆうか、そこまでのことは忘れてない——言うたらえぇのか」

本当にあれから一年近くが経過しているのだろうか。

つまり——と、そこで怪しげな拝み屋は大きな声を出した。

「旦那様はお父上と和解なされて以降のことを思い出せない、ということになる」

まあ、そうなのだろう。

「思い出したくない——のかもしれませんな」

「な、何でや」

思い出したくない訳がない。

「いえ、これは例えばの話ですから、お気を悪くなさいませんよう。例えば、例えばの話ですぞ。何か背徳《うしろめた》いことがあったりする場合、人はその原因を忘れたい、消してしまいたいと思うものです。だからといって普通は忘れてしまえるものではないのでございますが——」

「背徳いことてなんや」

それは——。

ですから例えばの話ですと拝み屋は手を翳《かざ》す。

「旦那様が、その——先代様に対して何か隠し事をしているような場合ですな。それから、後は、その先代様との和解を、実は何処かで拒んでいらしたとか」

「そんな阿呆なこと」

親父が本当に自分に頭を下げて謝罪したのだとしたら——。

それは。

——いいや。

どうであれ謝るべきは矢張《やは》り親父の方だ。親父は、親でありながら子を子とも思わぬ、そんな男なのだ。貫蔵はずっと、そんな人でなしに育てられて来たのだ。堪《た》えていたのは貫蔵だ。

悪いのは親父だ。そして兄貴だ。

兄貴は——。

——死んで当然や。

天罰や。親父が死んだならそれも天罰や。

そう、だからわしは、敢えて黙っておったのや。

そうに違いない。わしは、わざと親父を困らせてくたばるように仕向けたのと違うやろか。

そや、そうなんや。せやから——。

「な、何が隠し事や。何が拒んでたや。わ、わしに後ろ暗いとこなんぞあるかいッ」

貫蔵は怒鳴った。

「何じゃかんじゃと煩瑣《うるさ》いわ。拝み屋だか何だか知らんが勝手なこと吐《ぬ》かすな。爺ィ、お前もじゃ。オノレなんぞ知らんのじゃッ」

思い切り枕を投げ付けると文作は畳に頭を擦《こす》り付けて詫びた。去《い》ね出て行けと貫蔵は更に怒鳴った。

文作は、どうかお気をお静めになって、申し訳ございません——と泣き声を上げた。六道斎は困ったように顔を歪《ゆが》め、大変失礼をば致しましたと低頭し、文作を半ば引き摺《ず》るようにして出て行った。

独りになった。

——本当でも嘘でも。

どうでもいい。親父も死んだのだろう。

貫蔵は位牌を睨《にら》む。

ざまを見ろ、と思う。

——わしを。

わしを蔑《ないがし》ろにするからじゃ。

いい気味じゃいい気味じゃ。

追い詰められて尾羽打ち枯らして、苦しんで打ち拉《ひし》がれて死んだのか。

それにしてもあの茶碗が——。

——瓢簞《ひょうたん》から駒よ。

「若旦那さん——」

囁くような小声に貫蔵は胃の腑が縮む程に驚いた。顔を向けると襖が三寸程開いており、お龍が顔を半分覗かせていた。す、と襖を滑らせ、お龍は半身を敷居の内に入れた。

「若旦那さん、ほんまに」

——何だ。

眼が潤《うる》んでいる。

妾《うち》のこともお忘れでっか、とお龍は言った。

「いや——」

違う。忘れている。だが。

「妾が一人残ったのは」

そんな。

そんな眼で見るな。

貫蔵が目を伏せると同時に、お龍の背後に薄影が差した。

もう一度顔を上げると、女の後ろに林蔵が立っていた。

林蔵はお龍の肩に右手で軽く触れた。お龍は一度林蔵を見上げて身を引き、林蔵はそれを避《よ》けるようにして部屋に入り、後ろ手で襖を閉めた。

「何じゃ。独りにさせせと言うたんやがな」

「へえ、文作はんは萎《しお》れてましたわ。旦那はん、わっしはね、まあ行き掛かり上、何や彼《か》や雑用手伝《てつど》うとりますが、それでもまあ、謂《い》わば他所《よそ》者や。せやから好きなこと言わせて貰いますけどな、あんた、このままやったら、少ォしばかり——お龍はんが可哀想やで」

「お、お前、何を知っとおる」

林蔵は擦り足で貫蔵の近くまで寄ると、音を立てずに姿勢良く座った。

「あれは——旦那はんのお手付きやで」

「ん——そやったか」

そんな気がしていた。

「しかもただのお手付きやないのんや。後生を誓《ちこ》うた仲でっせ」

「何やて」

嫁に取るとでも言うたか。

——このわしがか。

「本人の口からは言い難《にく》いことやろから、わっしが代わりに言うんでっけどな。お龍が言うには、何もかもことが巧く運んだ暁には、きっとお前と添うからと、旦那はんそう言わはったそうでっせ」

「わしにしては気の利いた科白《せりふ》やな」

「茶化《ちゃか》したらあきまへん。旦那はん、あんたこう続けたそうや。せやからもう、、、、少し待てと」

待て——。

巧く運ぶって何のことですやろ、と林蔵は言った。

「待てて、何を待つんでっか」

「そ、そらあんた」

「へい。わっしもね、そらまあ此度《こたび》の茶碗の一件のことなんやろと、最初はそう思てましたんや。盗っ人騒ぎでケチが付いて、それで茶碗で揉めて、商いも左前ンなって、そら嫁取るどころの話やなかったようですやん。せやから先方ときっちり話付けて、汚名返上して商売軌道に乗せて、巧いことする算段があるからそれまで待てと、そうゆうことなんやろな——と普通は考えますで。せやけど、お龍に詳しゅう話ィ聞いてみると、どうも——そやない」

「違《ちゃ》うゆうんか」

「そう思うんですわ。旦那はんが、お龍とでけたんは去年の夏前のことや。そして、今の口説き文句ゥ語らはったんは面倒事が持ち上がったすぐ後のことや」

「すぐ——後か」

「へい。慥《たし》かにないもの返さなならんゆうのは難題や。でも、まだ先方と話も拗《こじ》れてない。暖簾も傾いてない。蔵にもたアんと銭がある。真逆《まさか》この一件を契機《きっかけ》に小津屋が傾くとは、誰も思うておらん時分のことでっせ。こら、少しばかり話が違《ちご》うて来ると思いまっせ」

「どう違う」

「そら違いますわ。それまでの不幸はあれど、その時分は順風満帆《じゅんぷうまんぱん》やったんでっせ。その段階で巧くないことゆうたら、ただひとつ——返す茶碗がなかったことだけですやん」

「つまり、その段階で——お大名が捩じ込んで来たその時既《すで》に、旦那さんの胸にはことを巧く運ぶだけの算段があった——ゆうことになるのやないですか」

「ならどうなん」

——なる程。

あったのだろう。否、ある。

でも——と林蔵は続ける。

「でも、旦那はんは何もせなんだ。先の旦那が首縊《くく》らはっても、黙っておった」

「そやな」

「大番頭の喜助はんが死なはって、店の者がバタバタ辞めてそれで漸《よう》く——旦那はん動かはったように、わっしには見える」

「そうなんやろな」

「何ででっか」

さあ、忘れた言うとるやろと貫蔵は答えた。

「そうでっか。でも、旦那はんお龍にこうも言うたそうでっせ」

店は潰れてもええのんや、と——。

「潰れてええ——か」

「縦《よし》んば商売があかんようになっても大丈夫や、店土地家財、何もかも売り払って、江戸にでも行って楽に暮らそやと、そう言うたそうでっせ」

そうだ。

潰れても平気だ。

「なる程、よう解ったわ」

「何か思い出されましたか」

「思い出したんやない。解った、言うとんねん。林蔵さん——とかゆうたな。よう知らせてくれた。それで何もかも諒《りょうかい》解したで。わしはな」

——親父を許さへんかったのや。

貫蔵は肚《はら》の底で嗤《わら》った。そして林蔵を見た。この林蔵という男——。

——油断ならんな。

「で、お前さんはどう思うねん」

どうも思いまへんわと林蔵は答えた。

部屋はもう暝《くら》い。林蔵の顔は曖昧《あいまい》だ。

「ただ、そう言われたからお龍は残った。普通は辞めまっせ。この店は、まあ、まだ潰れてはおらんが、もう駄目ですわ。わっしと文作はんが騙《だま》し騙し辛《かろ》うじて繋いでおるだけや。件《くだん》のお大名かて、主が倒れて目ェ醒まさんということやし、今のところは黙っとこ、ゆうだけのことや。何かされたらひと溜《た》まりもありまへん。ま、通り掛かりのわっしがこないな後始末しておるのも——」

林蔵は曖昧な顔を貫蔵に近付ける。

どこが目鼻か判らない。口だけが動く。

「――裏の図面を見て取ったからや。何もない思たら、何もしまへんわ。こないな傾いた船ェ乗ったかて損ばかりでっせ」

沈まん別の船が裏手に舫《もや》いであるのと違いますか、と薄い唇は言った。

「それ待ってたんやけどね」

「ええ心掛けやな。欲得ずくの人助けかい」

「そやありまへんで。こら親切や。親切やけど、お礼貰《もろ》たかて罰《ばち》は当たらん思いまっけど」

「お礼て、なんぼ毟《むし》るつもりや」

喰えぬ男だ。

部屋は愈々《いよいよ》暗くなった。

少し冷え込み始めている。

「ま――そう思うたから、あんな拝み屋まで探して、今日まで親身にお世話して来たのやけどもね。これはどうも、あかんかもしれん――思いましてな」

そう言うと、もうすっかり影法師のようになってしまった林蔵は、背筋を伸ばして貫蔵から身を離した。

「どう――あかん言うんや」

「こら――」

ほんまに罰《ばち》なんと違いますか、と林蔵は言った。

「罰って、どうゆうこっちゃ」

「旦那はん、あんた何か――祟られるようなことされてはりまへんか。急にお倒れになったんも、三月《みつき》も目ェが醒めへんかったんも、肝心なとこ忘れはったのも、こら、何かの障りなんと違いますか」

――障りだと。

「へえ。わっしは、旦那はんが引っ繰り返る処見てますのんや。あら、尋常やなかった。まるで瘧《おこり》にでも罹《かか》ったような、否、雷はんにでも打たれはったような倒れようやった。聞けばそれまで、持病の一つもない、丈夫なお方やったそうやないでっか」

――祟りなど。

「わしは――」

承知してますわ、と林蔵の影は言った。

「そんな覚えはない――言わはるんでっしゃろ。そらそうや。誰かて己がそないなあくどいことを為《し》てると思て生きてまへんわ。もし為ておったとしたって、それがそんなに酷《ひど》いこととは思てない。思てたって口には出さん。せやけどね、旦那はん。世の中には逆恨み、ゆうのかてあるんでっせ」

「逆恨みやて」

「わっしは」

知ってまんねん、と林蔵は低い声で言った。

「何もなくとも人は祟りますんやで。何不自由ない暮らし振りで生を全《まっと》うし、大往生したお大尽《だいじん》も、幸せや楽しいわと満足して亡《の》うなったお方でも、つまらんことで執念《おもい》が遺《のこ》る。ええでっか、例えば――遺言《ゆいごん》し損ねただけで、人は化けて出ますのやで」

「遺言て」

大層な遺言やおまへんで、と林蔵は凄む。

「今際《いまわ》の際《きわ》に、親族に有《あ》り難《がと》うと言えなんだ、その一言のために人は迷う。迷って戻らはったら、そらもう人やのうて亡魂やさかい、道理は通じまへん」

感謝の気持ちを伝えたい。

そんな温《ぬく》い情ですら仇《あだ》になりますねん。

「そのたった一言が伝えられへんかった、言われへんかった、その無念だけが凝り固まって鬼になる。そんなもんかて人を鬼に変えますのやで」

どないだす、と林蔵は訊く。

「どないて」

「亡くなった先代はちゃんと遺言しはりましたか」

「し、知らん」

親父が死んだことすら知らない。しかし。

「親父は覚悟の自害やそうやないか。疾病《やまい》でも怪我でもないんやから、書き置きの一つも遺したやろ。そら無念やったのかもしらんが、わしを怨むことは」

――ないか。

怨まれる覚えなんぞないと言った。

「まあそうなんやろが――ほたら、そうや、死に水はどうだす」

「死に水て」

「今生に何の未練もない者《もん》でも、末期《まつご》の水を飲まさんで送り出したりすると――」

これも――。

帰って来ますで。

「帰って来るて」

「へえ、死人《ほとけ》さんゆうのは、きちんと送らなあかんのですわ。この家、暫く人死にが続かはったですやろ。どうだす旦那はん、よう思い出しなはれ。亡《の》うなった兄《あに》さんもお父はんも先の番頭はんも、何方《どなた》さんも――きちんと送らはりましたか。もしや――」

手抜かりがあったのと違いますかと、林蔵は言った。

肆

貫助の骸《むくろ》は、どうしても眼を閉じてくれなかった。

おまけに、口も開いていた。

余程苦しかったのやろ悔しかったのやろと、皆は口口に言った。

まあそうなのだろうと貫蔵も思う。

銭函《ぜにばこ》で殴られて、その上頸《くび》を絞め上げられて、顔を真っ赤にして、口の端から泡を噴き、額に血の道を浮き上がらせて、白目も真紅に充血させて、指は虚《むな》しく宙を掻《か》き、糞小便を垂れ流し、言葉にも、声にさえならぬ嗚咽《おえつ》を漏らして——。

そうやって兄貴はおッ死《ち》んだのだ。

それは苦しかったろうし、悔しかったろう。

でも、本当は吃驚《びっくり》したのだと思う。

多分あのうすのろは、命を落とす直前まで自分が死ぬとは毛程も思っていなかったに違いない。そんな顔だったのだ。

そうでなければ。

当て付けがましい死に顔だった。

いずれにしろ見たくなかった。貫蔵は、だから兄の死骸には一瞥《いちべつ》をくれただけである。

そう。

だから。

貫蔵は、兄に末期の水を飲ませていないのだ。

肉親が、死んだ者の名を呼び乍《なが》ら樒《しきみ》の葉で汲《く》んだ水を死人の口許に垂らしてやるのが、この辺りの作法である。父を除くなら貫助の肉親は貫蔵だけで、その父は倒れ臥せってしまっていたから、当然それは貫蔵の役目であったのだ。

その頃は——。

まだ店には大勢の奉公人が居た。店も繁盛していたから、取引先も沢山《たくさん》あった。弔問客も多かった。

だから、葬式も盛大なものであった。

当然、作法通りしきたり通りにそれは行われた。

でも。

貫蔵は、だらしなく半端に開いた兄の口に、水を垂らしはしなかった。

癪《しゃく》に障ったのである。

未練がましく閉じぬ、濁った瞳《ひとみ》も見たくなかった。

だから貫蔵は、飲ませる振りをして、水を溢《こぼ》した。

——ざまを見ろ。

そう思った。口に入らず溢《こぼ》れた水が、青黒い筋のついた骸の喉頸《のどくび》を伝うのを見て、貫蔵は。

こっそり嗤《わら》った。

それを——。

そうだ。あの女はそれを見ていたのだ。

そうだ。あれが、あの女が。

——お龍だ。

お龍は兄の葬儀の時、既に奉公に上がっていたのだ。

そして貫蔵は、つい嗤ってしまったその顔を見られてしまったのではなかったか。

——だから声を掛けたか。

否、だから抱き込んだのだ。そうに違いない。

抱き込んだ後、貫蔵の方もその気になったのかもしれないけれど——それはもう、覚えていない。

どうなさったと林蔵が問う。

「真逆《まさか》、旦那はんほんまに——」

「ほんまも何もあるかい。眠たいこと吐《ぬ》かすな。死人は死んでおるから死人なんじゃ。末期だか瓢《ひさご》だか知らんけども、そもそも屍《しかばね》は水なんぞ飲まんのんじゃ。大体、この世に幽霊《ゆうれん》なんぞ——」

「いや、居りまっせ」

「お、居るて」

「遺言《ゆいごん》幽霊、水乞《みずこい》幽霊ゆうのはね、居るんです」

「居ったとしても、わしには祟られる謂われなんぞ」

——ある。

厭という程にある。

「ええか旦那はん。仁義の道に明るいお方は、生あるうちに置きぬること悉《ことごと》く遺言の如きものや。せやから死期に臨んでわざわざ言い遺すことなんぞあらへんのです」

心を娑婆《しゃば》に留《とど》むるの輩《ともがら》は未来永劫《えいごう》成仏の因なし謂いますやろと林蔵は言う。

「こら浅ましいものや。末期の水かて、仏法を固く守らはって逝《い》かれたお方は、死して後甘露《かんろ》の雨が注《そそ》いで、枯渇の身ィ潤《うるお》す聞きますわ。慈悲《じひ》に篤《あつ》く、仏法に明るき者は、何があっても迷わへんのです。でも、裏ァ返せば、そうでない者は迷うのや。迷いますのやで」

それ即ち、逆恨みやと林蔵は言う。

「迷うの化けるのは、みんな己の所為なんや。迷う方が勝手に迷うんや。せやけど、祟られるんは生きてる者の方ですわ。こら傍迷惑《はためいわく》な話やけども、そういうものでっせ、旦那はん」

身に覚えがなくたって祟られますのやで。

況《まし》てや覚えがあるのやったら。

「な、何が言いたいのや」

「せやから身に覚えがあらはるのやったら、手ェ打たんといかん——言うとりますのや。もしも旦那はんが祟られとったなら、こっちもとばっちり喰いますのや」

そら敵《かな》いませんわと、影法師は言う。

「笑わせよるわ。何とも臆病《おくびょう》な餓鬼やで。祟りよるんが親父やろが兄貴やろが、喜助やったとしても、身内はわしだけやで。お前さんは、それこそ関係あらへんやろ」

「そやないで。旦那はんに障りがあったら」

儲けがおじゃんになるゆう話や——。

「旦那はん、何か、この店ェ潰したっても平気な算段ゆうのがおありなんやろ」

「算段かい」

それは。

「あったとして——や。お前さんの言う、その祟りか幽霊か知らんけど、それが邪魔する言うのんか」

「邪魔しとるやないでっか」

「わしが倒れたことかい。でも、ほれ、わしはこうして生き返ったで。あの六道斎やらゆう男のお蔭かどうか知らんけども——」

先代様に対して何か隠し事を、
先代様との和解を、実は何処かで拒んで、
煩瑣《うるさ》い。黙れ。

「そう――でんな。せやけど、旦那はん、色色お忘れになってはるのでっしゃろ。先代様が亡くなられたことも、あのお龍のことも。それ即ち」

まだ邪魔されとるゆうことと違いますのん。

「それは――」

「わっしが心配しとるんは、旦那はんが、その肝心の算段ゆうのまで忘れてしまわれたんやないか――ゆうことですわ。どうなんや旦那はん。あんた、この店潰しても平気な程の、その上女と江戸に落ちて楽に暮らせるような、その算段ゆうのを」

覚えてはりますのんか、と林蔵は問うた。

――覚えているも何も。

貫蔵は影法師を睨《ね》めつけた。

どうしたものか、この男。使い道はあるか。

どこまで察している。何を攫《つか》んでいるのだ。

真っ黒な影が、何故か笑ったように思えた。

「そら――心配ないわ」

貫蔵はそう言った。肚を括《くく》ったのである。

「あのな、林蔵さんゆうたな。お前さん、いったい何を何処まで嗅《か》ぎ付けとるのか知らんけども、その――大名か。その件はもう平気やで。この店が今どうなっとるのか知らんけども、もうこないな襤褸店《ぼろだな》、ほかしてしまえばええのんじゃ。どうなんや、今、蔵の中は空か」

空ですなと影は答える。

「借財はあるか」

ようけございますなと影は答える。

「この店から土地から売り払《はろ》うても、足りん額か」

「それなら——足りましょう。せやけど、茶碗はどないします。金に換算出来ぬ家宝やと、先方は」

「それは案ずることないのんや。茶碗さえ返したったら、その貸した三千両は戻るんやな」

「そらそうでっしゃろ。一度は返済《な》しに来はったんでっさかい——でも旦那はん、それ——」

——なる程。

そこまでは知らんか。

「よう解ったわ。林蔵さんよ。あんた、少しばっかり手ェ貸してくれるか。なに、悪いようにはせんで」

「手ェでっか。そら貸せる手ェやったらなんぼでも貸しまっけども——」

簡単なことや、童《こども》の使いやと貫蔵は言った。

「早い方がええやろ。祟りやら呪いやら、煩《わずら》わしゅうて敵わんわ。あんな糞親父やら阿呆兄貴やら、くたばり損なったか化けて出たか知らんけど、いずれ浅まし執心や。お前さんの言う通り、迷ったら迷った方が悪いんや。あんな業突張りに能なし、仮令《たとえ》迷いくさっても知ったことやないわ。供養しようとも思わんで。早いとこ爽然《さっぱり》とカタァ付けてしまお」

そうなのだ。

悪いのは兄貴だ。親父だ。貫蔵の知ったことではない。あんな連中——。

——未来永劫成仏でけんわ。

否。

——成仏させて堪るかい。

「それで——ええんでっか」

「ええて何がや」

「ですから、旦那はんほんまに、兄《あに》さんに詫びることも、先代はんに隠したはることも、何もない——と、こう仰《おっしゃ》らはるんですな」

「詫びて欲しいなこっちやで」

貫蔵は位牌を睨み付けた。

「あ、あの因業親父は、欲で目ェが曇ってもうた、ただの愚か者やで。兄貴は、その親父の敷いた布団の上に胡座《あぐら》かいとるだけの腑《ふ》抜けの役立たずや。わしはあの連中が大嫌いやった。死んで清清《せいせい》したわ。あのな、わしがここ一年のこと忘れたったのは、祟りでも呪いでも何でもないわ。あのな、わしは、あの糞親父と仲良うしとったことを認めとうなかっただけやねん。どんだけ謝られようと土下座されようと、わしは決してあの耄碌爺《もうろくじじ》を許さへんて。許す訳がないわ。いや、もしわしが許して仲良うやっとったいうなら、それはフリや。見せ掛けや。まやかしやったに違いないわ。せやから——認めとうなくなったんや。それだけや」

「そ、そやったら——」

お前さん悪党やろと貫蔵は言った。

「親切ごかしておるけども、小金が欲しゅうて此処に居《お》るだけや。そやな」

林蔵は答えなかった。

「答えんでも判るわ。その面は——」

何も見えぬのだが——。

「あんたァ悪党面やで。それならそれで、ええこと教えたるわ」

兄貴殺したんはわしや、と貫蔵は言った。

わしが、この手で兄貴ィ縊《くび》り殺したんやと、貫蔵は言って、そして笑った。

「三千両戴いたンも、茶碗盗ったのもわしや」

貫蔵は立ち上がる。

「あの時な、わしは糞親爺に商売の遣り方にいちゃもん付けられて、遠方の取引先に頭下げに行っとったんや。戻ってみればあの痴《し》れ者が、阿呆の兄貴が、貫助の奴がな、ほれ、その奥の座敷に、したり顔で座っておった」

兄貴、笑《わろ》うておったわ。

「へらへらへら笑うたった。わしは、もう我慢ならんようになったんや。貫助は何も考えておらん。喰って垂れてるだけの無駄な人生や。あれ自身が無駄なんや。せやから、積んであった銭の箱で殴ってやってん」

思い切り。

「眼ェ剝《む》きよったわ、あの阿呆。で、何や声出そうとしたったから、紐《ひも》で絞めたった。真っ赤になりよったで」

無様だった。見苦しかった。

お前が阿呆なだけや——。

能《よ》く言うたわ。阿呆はそっちやないかい。

じたばたじたばたしくさって、まるで虫やで兄貴。捻《ひね》り潰された虫螻蛄《むしけら》みたいやったで、兄ちゃん。

あんな簡単に殺されるて、阿呆も阿呆、ド阿呆やないか。阿呆はオノレの方じゃ、貫助。

——いい気味じゃ。

「でな、殺して、息の根止めて、それからわしは気が付いたんや。あの阿呆、座敷で金の番しとったんやな。親父は主立った店の者連れて出掛けとって、留守やったんやな。せやから三千両の見張りしとったんや。役に立たない番犬やで。屁の突っ張りにもならんかったわ」

何度も蹴ってやった。

「わしはな、此奴《こいつ》は阿呆や、留守番もまともに出来ん役立たずやと、世間様に知らしめたるために、そのために金を隠したんや。そん時、一緒に置いてあった桐箱も隠した。高価《たか》そうな箱やったからな。あれが、その茶碗やったんや。欲で盗んだのと違うんや。金かて、欲しかった訳やないのんや」

「盗まれて——なかったゆうんか」

「隠しただけや」

貫蔵は顔を伏せ、足許を見た。

「此処や」

指を差す。

「全部この家の中にあった、ゆうことですか」

「当たり前や。あないな重いもん一人で運べたもんやないで。一つなら兎《と》も角《かく》、三千両ゆうたら嵩《かさ》も張るわ。しかも真っ昼間やど。往来にも勝手にも人はおる。目立ち捲《まく》りやないかい。盗んだのやない、隠したんやから——」

畳を上げ、床を外して、縁の下に隠した。

わざわざ貫助の死骸《しがい》の真下に置いたのだ。

役人も、そんな処《ところ》までは調べはしない。状況から見て金は確実に盗まれたと考える。盗まれたのなら持ち出されたものと考える。それは当然である。ならばその家の裡《なか》、しかも死骸の下に盗品があるとは思わない。思うまい。

案の定、露顕《ろけん》することはなかった。貫蔵は疑われもしなかった。

「せやからな、茶碗は此処にあんねん。三千両もそっくりあるわ。ほたら茶碗をその大名に返して、三千両戻って来たなら、都合六千両やで。どや、一生——遊んで暮らせる額やないか」

「しかし旦那はん——」

それなら何故、と林蔵は問う。

「何故、すぐに茶碗だけでも出さはらへんかったのですか。実の兄を手ェに掛けたことが知れてまうと思たからでっか。否《いや》、そこんとこは隠したったとしても、や。それでも何とでもなった筈や。そんなん幾らでも言い繕《つくろ》えることやないですか。茶碗さえあればお店《たな》が傾くこともなかったやろうし、小津屋の窮地は救えた筈や。先代かて、首縊ることは――」

「だからや」

「だからて――」

「だから隠しておいたんや」

「じゃあ、あんた先代を――」

「そや。隠した時は、あの桐箱がそない大層なもんとは知らんかったけどな。知ってしまった以上は――わしならそうするやろな」

そう。わしは――。

親父が大嫌いなんや。

「わしはな、きっと、千載一遇の好機やと思たに違いないわ。わしは、あの糞親父を追い込んで、苛《いじ》めて苛めて苛め殺したろ思たに違いないんやわ」

「ほんま――ですか」

「そこはすっぽり忘れてしもたが、それ以外には考えられんやろ。現に親父はおッ死《ち》んだのやろ。あの忌忌《いまいま》しい腰巾着《こしぎんちゃく》の喜助も死んだのやろ。可笑《おか》しいやないか」

そう、そうに違いない。

そういう計略だったのだろう。

この店の窮状は、貫蔵自らが招いたものだ。招いたというより、これは貫蔵が仕掛けた罠なのだろう。堂島で倒れたこと以外は、何もかも——。

わざとしたことなのだ。

「それで——邪魔者には消えて貰《もろ》て、店潰してしがらみも何もかも絶ち切って、然《しか》る後にわしは、あのお龍とかいう娘と何処かで遊んで暮らすつもりやったのかもしれんな。或《あるい》はあれも始末するつもりやったのか——」

そうなのだろうか。

——どうでもいい。

「でも、旦那はん。そうは言うけども、先代はあんたに詫びたゆうことやないですか。土下座して、誠心誠意謝られたんでっしゃろ。そして跡目も取らせた。もう遺恨も何もなかった筈やないんでっか。それなのに、あんた」

「関係ないわ。誠心誠意て、笑わせるわ。何も覚えてないわ。忘れたい程に不愉快なことやったんやろ。もし謝ったんがほんまやったとしても、わしは所詮兄貴の身代わりや。あの親父に誠意なんてもんはないわ」

「そら——本心でっか」

黒い影もぬっと立ち上がった。

「本当に、そうお思いでっか」

「当たり前や」

「旦那はん、否――貫蔵はん。ええか、ここが勘所《かんどころ》やで。も一度訊きまっけどな、あんたほんまに、そうお思いなんでっか」

林蔵の影法師は、何故か一回り大きくなったように思えた。

「何が言いたい」

「いや、ここがあんたの分かれ道や貫蔵はん。今の言葉に間違いはおまへんな。意地張っておらるる訳でも、強がり言うておらるる訳でもないのやね」

何を言い出すのだ此奴《こいつ》――。

「お心に嘘はないんやな。どうなんや、貫蔵はん」

林蔵は声を張り上げた。

「諄《くど》いわ。嘘やないッ。嘘なんか言うか。わしは兄貴殺して金盗って、親父も死なせたったんじゃ。何が悪いか。あんなもん、殺されて当然じゃッ。首吊って当然じゃ。親父が謝ったとこなんぞ思い出しとうないけどな、ぶる下がっとるとこォ思い出せんのは残念なくらいやで。いい気味じゃ。いい気味やで」

貫蔵は笑った。

「おい、突っ立っておらんと、さっさと縁に潜って金と茶碗を掘って来いや。百両くらいならくれたるわい」

「さよか」

林蔵は横を向いた。

「どうあってもそういう了見や言わはるんやな。せやったら――」

死人返《しびとかえ》そか。

何だ。何と言った。

「何を返すやと」

「さあ能《よ》く見ィや。これが叡山《えいざん》七不思議、季節外れの浮かれ六道亡者の踊りじゃ」

さあ、と襖が開いた。

手燭《てしょく》を持った六道斎が座っていた。

「迷い亡魂、呼ばわろう」

次の間の奥に濃い影が差した。

六道斎が燭を翳《かざ》す。

火明《ほあか》りにゆらりと浮かび上がったのは――。

父――小津屋貫兵衛であった。

「お、おやじ」

「聞いたで、貫蔵」

ぜんぶきいたでえ。

おまえやったんか。

「何もかもお前が為《し》たことかッ」

「お――」

「貫蔵ッ」

「あ――」

貫蔵は声にならない悲鳴を上げた。

「せやから遺言は聞かなあかん、末期の水はきちんと飲ませなあかんて――」

そう言うたやないか。

林蔵はそう言うと踵《きびす》を返し、軽く振り返って、

「これで終《しま》いの金比羅《こんぴら》さんや」

と、結んだ。

後

酷《ひど》い男やったなあとお龍が言った。

「去年の秋からずっと観《み》ておったけど、もう、ほとほと厭んなったわ」

お龍は下働きの扮装《ふんそう》を解いて、既に花売りの恰好になっている。勿論《もちろん》、それもこの娘の本業ではない。何処にでも入り込み何にでも化ける——横川《よかわ》のお龍はそうした女である。

お龍は依頼があってすぐに小津屋に潜り込み、貫蔵の動向を窺っていたのである。

林蔵は鼻で笑う。

「中身の方はさて置き、あれはあれで中中ええ男振りやったしなあ、お前、満更《まんざら》でもなかったのと違うか。あの、襖越しの小芝居なんぞは堂に入っておったで。なあ文《ぶん》さん」

林蔵が軽口を叩く。

そやなあと言って文作も調子に乗る。

「あの、潤《うる》んだ眼ェはいかんなァ龍ちゃんや。科作《しな》って妾《うち》のことお忘れでっか、て。まあ大概の男はころっと参るわいな。この老い耄《ぼ》れかて惚《ほ》れそになったわ」

いやいやわ文作はん揶《から》うてばかりいたら怒るでと言ってお龍は文作の肩を小突《こづ》いた。

「でも文作はん、あの旦那、どないして気ィ失わせはったの。和泉楼で――何をしはったの」

「なァに、そこはな、まあ」

酒に毒盛ったのよと林蔵は言った。

「毒やて。怖《こわ》ぁ」

「怖いで。死ぬで」

おい待てや林さんと文作が不服そうに言った。

この男も――勿論小津屋の番頭などではない。

祭文語《さいもんがた》りの文作という二ツ名を持つ小悪党である。

讃岐《さぬき》辺りの出と聞くが、詳しいことは林蔵にも判らぬ。普段は一つ在所に定住しない漂泊の民なのだが、林蔵同様一文字屋仁蔵《いちもんじやにぞう》の息が掛かった、裏の渡世の男なのである。

文作は、時にこうして、林蔵の仕事を助《す》ける。

「あれは毒やないで。薬やでぇ、林さんよ。そんな言い方されたら誤解されるやないの。お龍ちゃん、儂はね、人殺しのような物騒なことはようせんのやわ。優しい優しい爺なんやで。せやからね、あれは、眠り薬やて」

「眠り薬が聞いて呆《あき》れるわい。あのな、この文作爺が盛ったんは、まあ、ほんの一滴でたっぷり丸一日は眠りこけるちゅう恐ろしい代物や。起きてからも、まあ、半日は頭が暈《ぼ》けてしもて使い物にならん。頭痛はするわ節節は痛むわ、まあ宿酔《ふつかよい》のキッツイやつやな」

そんな毒があんのやねえ、とお龍は感心する。

「毒やないて。薬やて」

「へん。薬ゆうのは体にええもんじゃ。悪くすんのは毒ゆうんじゃ。大体、どんな薬かて過ぎれば毒やで。水かて油かて飲み過ぎれば死ぬるで」

「毒でも薬でもええわ。そやけど都合のええもんがあったもんやねえ」

「この親爺ァのう、お龍。伊達《だて》に野山で暮らしとる訳やないのんや。海に三千山に三千ともの喩《たと》えに謂うけども、此奴ァほんまにそんくらい棲み付いとるんやから生薬毒薬の類《たぐ》いはお手の物や——」

そんなに生きてはおらんよと文作は笑った。

「ま、ただ眠らせたんではあの仕掛けは効かんやろ。何しろ、たった一日を三月《みつき》に、いやさ一年に引き延ばさなあかんのやからねえ。ま、多少は多く飲ませましたで」

そう。

凡《すべ》ては林蔵の仕掛けた罠であった。

昨年十月。

両替商小津屋に押し込みが入り、武家に貸し付けるために用意していた三千両と、茶碗が一つ盗まれた。現場では小津屋の跡取りである貫助が殺害されていた。

犯行当日、主人貫兵衛以下店の者は粗方《あらかた》外出しており、店は閉められていた。家には賄《まかな》い女数名が居たが、お勝手は現場から離れており、何も気付かなかったという。下手人は雲か霧のように消えてしまい、手掛かりも全くなかった。

しかし。

貫兵衛は——即座に察した。

誰が下手人なのかということを——である。

貫兵衛が疑いの目を向けたのは、次男坊の貫蔵であった。

貫蔵は当時泉州《せんしゅう》まで商談に出向いており、事件発覚直後に戻っていた。

父親である貫兵衛は、貫蔵の性質を熟知していた。その不自然な態度を目にするなり、すぐに不肖の次男坊の犯行を気取《けど》ったのであった。

だが、証拠がなかった。

証《あか》しもないのに奉行所に実の子を突き出す訳にもいかない。

貫蔵は素行も悪く、短気で僻《ひが》みっぽく、のみならず時に我を忘れて凶暴になる——そういう男だったそうである。それまでにも幾度もお縄を受けていた。

貫兵衛は忽《たちま》ち苦悩し、煩悶《はんもん》した。

そこで——。

大番頭の喜助を通じ、一文字屋に依頼をして来たのである。

仁蔵は迅速にことを起こした。

貫助の葬儀の日、すぐにお龍を店に入れたのである。

「末期の水をやらんかったが運の尽きやったな」

林蔵がそう言うと、笑《わろ》うてたからねえあの男、とお龍が続けた。

「曲《ま》がり形《なり》にも実の兄さんなんやし、普通は笑《わろ》たりしまへんやろう。あの顔見た時、こら絶対この男が下手人やろと思たんえ。けど敵も然《さ》る者、ちいとも尻尾《しっぽ》出さへんかった。それどころか見とったこっちが疑われそうになったわ——」

貫兵衛は仁蔵にこう頼んだのだという。

——下手人である証しが欲しい。

——もし、下手人でない証しが出たら。

——実の子を疑《うたご》うたことを恥じ隠居して。

——小津屋の身代を速やかに貫蔵に譲ろう思う。

「まあ証拠は出ェへんかったけど、あの暮らし振りはあかん思うわ。そらもう、人当たりは悪いし、揉《も》め事は起こすし、で、悪いのは全部周りなんやもの——」

そうした目に余る態度故か、貫兵衛と貫蔵はことある毎に、幾度も衝突した。貫兵衛が疑心暗鬼になっていた所為もあったのだろう。無理もないことであろう。

だが、そうした状態は危険なものでもあったのだ。貫蔵は独り善がりで短気ではあるが、一筋縄では行かぬ男である。興奮したからといって簡単に口を割るとは思えなかった。逆に、貫兵衛の方があらぬことを口走ってしまうことはあり得た。貫兵衛は配慮も知恵もある出来た人物ではあったが、売り言葉に買い言葉ということもある。実の子を疑っているという負い目もある。口を滑らせでもすれば、警戒されてしまうことは間違いない。

疑われていることが貫蔵に知れてしまえば——凡てはおじゃんである。

ける事にしたのだった。


二月《ふたつき》を経て年が明け、更に一月《ひとつき》様子を見た上で、限界と悟った林蔵は、已《や》むを得ず罠を仕掛けることにしたのだった。

大喧嘩も勘当も、何もかも芝居である。

家を追い出された貫蔵を薬で昏睡させて――。

架空の一年をでっち上げたのだ。

「しかしなあ、あの茶碗やけども、太閤さんから下賜された大名の家宝ゆうのは、どうも無理があったのと違うか林さん。あの茶碗――あれ、ただの茶碗やろ。あんなもん、その辺で売っておる安物やで」

そやそやと林蔵は笑う。

「ただの茶碗や。あれは客への引き出物やったそうやからね。ま、あのがさつな男やから、万が一にも中を見とる訳はないと踏んだんや。もし見ておったとしても茶器の目利きなんぞ出来んやろ」

でもねえ、とお龍は暗い顔をする。

「人は、あんな風に親兄弟を芯から憎く思えるものなんやろか。襖の蔭で聞いておって、ぞっとしたわ」

「一番遣り切れんかったのは――貫兵衛さんやで」

震えとったであの人――と文作が言った。

「実の子ォの口からあんなこと語られたら、そら切ないわい。悲しいで。堪らんで」

「でも、そンで——踏ん切りがついたのじゃねえのか」

梅の樹の蔭から、六道斎こと浮かれ六道の柳次《りゅうじ》が顔を覗かせた。

「あの旦那ァ、今朝一番で貫蔵の野郎を奉行所に引き渡したぜ」

「お縄ンなったんか」

「ま、当の貫蔵は、まァだ夢現《ゆめうつつ》でな、林《りん》の字の仕立てた靄船《もやぶね》に乗っかったまンまよ。念仏唱えてガタガタ震えていやがったが——俄《にわか》念仏ァ効きやしねえよ」

効くまで唱えるんが念仏ゆうもん違うのと文作が言った。

効くまで唱えられんのが俄念仏ゆうんやろとお龍が応えた。

「違《ちげ》ェねえ。ま、本人の言った通り縁の下から千両箱も出たようだしな、もう言い逃れァ出来ねェやな。あの様子じゃあ、死罪は免れねェだろよ」

「念仏が効く前にお陀仏ゆうことかい」

熟《つくづく》親不孝よなあと文作が言った。

「あの親父も切ねえよなあ」

息子二人とも失《なく》しちまうんだからなあと柳次は言った。

「悪党でも馬鹿でも、子は子だろうによ。ま、こうなっちゃ仕方がねェやなァ」

「そうや。貫兵衛はんは、もう遺言語る身内がおらんようになるのやで。せやから——遺言の要らんよう、日頃から仁義の道に明るう後生を送らな」

化けて出ることになるで——。

林蔵は遠くを観る。

「それより林の字。てめえぬかッてやがるぜ。こんなもん付け放しにしちゃあ、裏の婆ァが迷うじゃねエか」

柳次はそう言って、右手に持った一月《ひとつき》遅れの注連飾りを、勢い良く川に放った。

鍛冶《かじ》が嬶《かか》

◎鍛冶が嬶

土佐國野根《とさのくにのね》と云処に鍛冶屋《かぢや》ありしが
女房《にようぼう》を狼《お、かみ》の食殺《くひころ》しのり移《うつ》りて
飛石《とびいし》といふ所にて
人《ひと》をとりくらひしといふ

繪本百物語・桃山人夜話巻第五／第四十

壱

どうすべきなのか、助四郎《すけしろう》は迷っていた。

わざわざ大坂《おおざか》まで出張《でば》って来ていて今更何を迷うことがあるのかと、そうも思う気持ちもあるのだが、いざとなるとどうにも踏ん切りがつかぬ。

助四郎の心持ちは、余りに荒唐無稽《こうとうむけい》だ。

まともに取り合っては貰《もら》えぬかもしれぬ。

いや、取り合って貰えぬだけではなく、正気を疑われ放逐されるかもしれぬ。それでも仕方がないとは思う。思うが、そもそも話し難《にく》い事柄なのである。取り合って貰う以前に、どう口火を切ったら良いのか、そこに先《ま》ず躊躇《ためらい》がある。

だから助四郎は、暖簾《のれん》の前を行き来している。

臙脂《えんじ》に白く染め抜かれた、丸に一の字。

一文字屋《いちもんじや》。

大坂でも指折りの、版元であるという。要するに本を作っているのだろう。助四郎はあまり本を読まぬから、能《よ》くは判らない。

土佐《とさ》にも貸本屋くらいは居るし、多分版元もあるのだろうが、縁がない。戯作《げさく》だの黄表紙《きびょうし》だの、面白いとは思わない。錦絵《にしきえ》だの俳優絵《やくしゃえ》だのにもまるで興味はない。浄瑠璃《じょうるり》くらいは偶《たま》に観るけれど、それだって余り面白いとは思わない。

そんなどうでも好《い》いことを考え乍《なが》ら通り過ぎ、結局また助四郎は踵《きびす》を返した。

これだけ行きつ戻りつしていれば、流石《さすが》に不審な目で見る者も出て来る。

往来の目が――気恥ずかしい。店の丁稚《でっち》も顔を出した。

えい、ままよと助四郎は暖簾を潜《くぐ》る。誰に何を言ったものか、まるで判らない。堆《うずたか》く積まれた本の山を見て助四郎は居《い》た堪《たま》れなくなる。

場違いだ。

「何ぞ御用で御座居ますか」

声を掛けられ、助四郎は息を呑《の》んだ。

「いや、その、わしは」

「見れば最前より行ったり来たり、入り難《にく》そうにしてはりましたけど、もしや、戯作の持ち込みか何かでっしゃろか」

「い、いや」

「他やとええ顔されんかったかもしらんが、うちとこは持ち込み大歓迎でっせ。恥ずかしがることはおまへんて。誰でも最初は下手なもんや。下手でも、磨けば光る。光れば売れる。売れれば儲《もう》かりまっせ」

能《よ》く肥えた番頭らしき男は、澱《よど》みなくそう言った。

「い、いや、わしは、その」

坊さんの紹介じゃきに、と助四郎は言った。

「坊さんて――」

又市《またいち》はんの、と番頭は驚いたように言った。

「いや、名前は何というたか――その、旅の六部《ろくぶ》さんのような、いや装束は違《ちご》うたが」

そうだ。

助四郎はそこで漸《ようや》く思い出す。そして懐を探り、財布を引き摺《ず》り出して、その中を弄《まさぐ》った。

畳んだ護符《ごふ》。

この護符を見せれば――。

「そうじゃ。この、何じゃったかいな、そうじゃ、陀羅尼《だらに》の札じゃ。この札ァお見せすればええと」

札を翳《かざ》すと番頭はこら大変やと小声で言った。

それから助四郎の袖《そで》を摑《つか》み、お客はんこっちやこっちと引っ張った。

「お判りかね」

「判るもへちまもありまへんがな。あんさんもお人が悪いで。それならそうと、早《はよ》言うておくれやす。さあ、店先に居《お》ったらあかんがな。こっちや、奥へどうぞ。あ、草鞋《わらじ》かいな。そこで脱いで」

足を拭《ぬぐ》う間もなく、助四郎は店に上げられ、導かれるままに奥へと進んだ。板敷きの広間を抜けて、畳敷きの細い廊下を何度も曲がり、階段を上って、更に細い廊下を進み、今度は階段を下った。

迷路のようで、何処《どこ》に居るのか判らなくなった。

ここでお待ちを、と言われた部屋は、大層広いお座敷で、開け放たれた障子《しょうじ》から綺麗《きれい》な庭が望めた。

かなり待つのかと思ったが、そんなこともなく、すぐに商人《あきんど》然とした男が這入《はい》って来た。先程の肥えた番頭を従えている。

助四郎の目にはかなり立派な身形《みなり》に映った。土佐にも大店はあるが、こんなに洒落《しゃれ》た恰好《かっこう》をしている者は少ない。これは豪商の類《たぐ》いである。

「お待たせ致しました」

意外なことに上方の言葉ではなかった。

「わたくしがこの店の主《あるじ》、一文字屋仁蔵《にぞう》で御座居ます」

丁寧に頭を下げられ、助四郎は恐縮する。

「わしは、土佐の佐喜浜《さきはま》で刀鍛冶をしちょります、助四郎という者じゃき。その、文《もん》も使いも何も出さんと、いきなり押し掛けてしもうて」

言い難《にく》い。

畏《かしこ》まると余計に話しづらい。

さあお気楽にどうぞと仁蔵は言った。

「その旅の御坊とやらに、わたくし共《ども》のことをどのようにお聞きになられたのか、先《ま》ずはそこをお話しくださいませ」

「それは」

他人《ひと》に言えぬこと。

如何《どう》にもならぬこと。

この世のこととは思えぬこと。

「何とも為難《しがた》き困りごとの相談に乗ってくださるちゅう」

そんな——。

そんな稼業があるものか。

「いや、わしの」

聞き違い思い違いであったなら申し訳ないと、助四郎は頭を下げた。

「わしは田舎者じゃきに、上方辺りにはそんな渡世もあるもんなんかと、つい思うてしもうたんじゃ。無礼なことじゃったら謝るきに、赦《ゆる》いとうせや」

頭をお上げなされと仁蔵は言った。

「失礼など何もございません。わたくし共は、そうした稼業をさせて戴《いただ》いております」

「そう——」

なのか。

仁蔵は首肯《うなず》いた。

「如何《いか》にも。するとお前様、助四郎様は——察するにその旅の御坊に、何か相談ごとをなさったので御座居ますな」

「そ、そうじゃ。いや、先だって、土佐では船幽霊《ふなゆうれい》が出よって」

船幽霊、と番頭が声を上げた。

「田舎じゃき、そういうものも出よる。わしは見ちょらんが、何人か殺《と》られよったし、何でも殿様の御前にも出たと、そりゃ騒ぎじゃった」

耳にしておりますと仁蔵は言った。

助四郎は少なからず驚いた。

「知っておらるっとな、そりゃおまん、大した地獄耳ぞな。船幽霊ちゃ化け物ぜよ。狸が化けただ蛇《くちなわ》が夜這《よば》いかけただ、その手の話じゃきに。こんげな処《ところ》にまで聞こえちょる話たあ、思えんが」

「蛇《じゃ》の道はへび、と申します」

何の道だというのだろう。

「もしやその御坊、船幽霊鎮めに村村を廻《まわ》られていた——のではありますまいか」

「そうじゃ。装束は六部のようじゃったけんど、違《ちご》うとった。土佐にはそういう手合いが多く居ちょるし、巡礼なんぞも諸国から流れて来るのじゃけんど、お遍路《へんろ》は寺巡るものじゃし、物《もの》乞《ご》い坊主の類《たぐ》いは家家を回る。あンお方は、名主の処に来られたんじゃ」

此度《こたび》の妖物は、中中の大物——。

奴《やつがれ》では迚《とて》も手が回りませぬ故《ゆえ》——。

旦那《だんな》様のお力にはなれませぬが——。

僧形の男は、そう言って札をくれたのだ。助四郎は懐から護符を出して渡した。仁蔵は恭《うやうや》しくそれを受け取り、庭の方を向いて、日に翳し、隅隅まで観た。

「慥《たし》かに、これなる札は御行《おんぎょう》又市が陀羅尼の札。又市坊は、わたくし共とも浅からぬ縁あるお方。お前様を信用致しましょう。勿論《もちろん》」

相応のお代は頂戴《ちょうだい》申し上げますと仁蔵は言った。

「そ、それも聞いちょる。決して安くはないちゅうことも聞いちょる。そこは承知のことじゃきに——」

本当に。

本当にお困りでございやしたなら——。

必ずや力になってくれやしょうと、坊主は言った。

「金はあるきに。幾らでもあるとは言わんけんど、足りぬようなら工面する」

助四郎は、名匠名工の類いではない。しかし、助四郎の作る刀は、高く売れる。仮令《たとえ》無銘でも、助四郎の乱れ刃は能《よ》く切れるのだ。

幾価《いくら》ですと問うた。

それはお前様のお話次第と仁蔵は言った。

「物には相場がおます」

番頭が言った。

「悩みを消す、罪を消す、昔を消す、人を消す、国を消す——手前どもも商いでさせて貰《もろ》てますよって、同じ値ェいう訳には参りまへん」

「く、国を消す」

そんなことも。

「相手が大きゅうなれば、値ェも張りますで」

驚かしてはいかん佐助《さすけ》、と仁蔵は言う。

「いやいや、そんな大層な話ではないきに。小さなことじゃ。ほんに小さなことじゃきに」

勘違いかもしれぬのだ。

「寧《むし》ろ、小さ過ぎて此方《こちら》さんに御相談するようなことじゃないのかもしれんき」

「ことの大小は関係御座居ません。小さければ小さいなりのお代を戴くまで。商人《あきんど》は、時に大きな仕事ばかり追い求めがちで御座居ますが、それは贅沢《ぜいたく》というもの。慥《たし》かに仕事が大きければ利も大きい。しかし利が大きければ為損《しそこ》ねた折の損も大きいもの。身の丈より大きな仕事を引き受けるなら、それは時に命取りにもなりましょう。手堅い仕事を手堅く熟《こな》し、利を積み上げていくのが、本来の商いの道」

これは愚にもつかぬことを申し上げたと仁蔵は笑った。助四郎は少しだけ怖くなる。

この仁蔵という男は、只者《ただもの》ではないのだ。

国を消すような大仕事さえ、身の丈に合った仕事ということになるからだ。

柔和な顔だ。

貫禄《かんろく》もある。

でも——多分この男は狸なのだ。

助四郎は、何だか気圧《けお》されてしまう。

さあお聞き致しましょうと狸の仁蔵は言う。

「女房が」

言い難《にく》いことに変わりはない。

「女房が、入れ替わってしまったのじゃ」

それでは解るまい、と助四郎は思った。しかしそう言うしかない。そこが肝所《かんどころ》なのである。

「入れ替わったとは」

解らぬだろう。

「何方《どなた》か別人が、お内儀に成り済ましていると、そういう意味で御座居ますかな」

「成り済まし——というか」

「お前様の家裡《いえうち》に、赤の他人が入り込んで、お内儀の振りをしている、と」

「振りて」

番頭——佐助が言う。

「そらあきまへんて。成り済ますいうたかて、他ならぬ夫婦《みょうと》でっせ。そないなもの直ぐに判りまっせ。何処その何方様かが、わてに成り済まそ思《おも》たかて、そら無理な相談でっしゃろが。先《ま》ず顔が——」

能《よ》く似た他人、ゆうことでっかと佐助は問うた。

「見分けつかん程に似とおるとか」

違う。

「他人、じゃあないのじゃ。八重《やえ》は、女房は八重という名なのじゃが、八重は八重で、他の誰でもないのじゃ。他ならぬ亭主のわしが申すのじゃきに、これぱかりは真実《まこと》じゃき。わしが八重を見間違う訳がないきに」

「はて面妖な」

さすれば入れ替わりとは如何《いか》なること、と仁蔵は尋《き》く。

当然だろう。こんなこと誰も信じはせぬ。信じぬという以前に思い付かぬだろう。戯言妄言《たわごともうげん》の類いである。

「中身が入れ替わってしもうた」

仁蔵は怪訝《けげん》な顔をする。

「それは、人が変わってしまった——ということでございますかな」

「そう、人が、というか、そう、成り済ましではなく成り代わりじゃろうか」

仁蔵と佐助は顔を見合わせた。

「信じて貰えんのは百も承知じゃ。だけんど、わしは本気じゃきに。そうでなかったら大坂くんだりまで来てこんな恥晒《はじさら》しなこと言わんきに」

八重は。八重の中身は入れ替わってしまったのだ。八重は。

「笑わんのじゃ」

「笑われぬ——のでございますか、お内儀が」

「鬱《ふさ》ぎ込んで口も利かん。飯も喰《く》わん。いや、理由があるなら解る。でも鬱ぐ理由はない」

「ない、と」

「全くない。一つもない。それだけは断言出来るき。わしは、何よりも女房を大切に思うちょる。親よりも国よりも大事に思うちょる。出来ることは何でもして来たし、望むものは何でも与えちょる」

「それなのに、お笑いにならぬ」

そう。

八重はまるで変わってしまった。

「あれは、多分——狼が化けておるのです」

助四郎は漸《ようよ》うそう言った。

弐

土佐はええ処《とこ》ですやろ、と帳屋《ちようや》の林蔵《りんぞう》は言った。

「一度、行ってみたい思うてますのんや」

「田舎じゃ」

魚が美味《うま》いと聞きますで、と言って林蔵は茶を勧める。

一文字屋が紹介してくれた男である。

中中の色男で、物腰も人当たりも良い。

「別嬪《べっぴん》もようけ居はるんですやろ。その、お内儀、八重様でっか。旦那はんのご執心の様子から計るに、さぞやお綺麗《きれい》なお方なんでっしゃろな」

口が上手《うま》い。

仁蔵は信用していいと太鼓判を押したが、どうにも助四郎は、この林蔵という若者に今ひとつ心を許せないでいる。

「八重を大坂に連れて来るちゅうのは」

ご心配なんやろか、と林蔵は目を円《まる》くした。

「いやいや、お連れすンのは死に損ないの爺《じじ》でっせ。道道《みちみち》悪さするような真似は金輪際《こんりんざい》ありまへんから、案ずるには及びまへん。いやね、機《おり》良く向こうにお誂《あつら》え向きのが居《お》りましてな」

「居るて――」

一文字屋の手の者、ということか。

「土佐にも――居るがかね」

何処にでも、と林蔵は言った。

「早飛脚《はやびきやく》より速《はよ》う届きますんやで、一文字屋仁蔵の声は。せやから八重様も、もうこちらに向かってお出《い》での筈《はず》や。勿論、坊《ぼん》も一緒でっせ」

もう海の上や、と林蔵は言う。

「船もお持ちながか、あの旦那ァ」

亡者船をね、と林蔵は解らないことを言った。

「幾日とかかりまへんで。間もなく恋女房とご対面や。まあ、凡《すべ》てはそれから、ゆうことで」

「しかし」

「留守宅がご心配でっか」

「そんななどうでも良いことぜよ」

盗まれるものなどない。

有り金は持って出ている。残してきた金も八重が持って来るだろう。

来ると――すれば、だが。

「八重が来るとは」

思えない。

来たところで。

どうなるという。どうするという。

「そないにお人が変わらはったんでっか」

「変わった。あれは」

狼じゃ。

「わしの在にはな、鍛治が媼《ばば》の墓ちゅうのがある」

それは何ですのん、と林蔵は尋く。

化け物《もん》の墓じゃと助四郎は答える。

「まあ昔昔の話じゃきに、船幽霊や狸と一緒の、法螺話《ほら》じゃきに、信じんでもええが。墓はある。そしてその墓守しちょるのが、わしじゃ」

「化け物の墓守——でっか」

「そういうことじゃ」

そう。

代代。いつの頃からなのか。

まるで判らない。助四郎も知らない。

助四郎は語った。どうでもいい、昔昔の話である。

野根《のね》から阿芸《あき》に抜ける野根山街道の途中に、装束峠《しょうぞくとうげ》という峠がある。

その峠を越した辺りに、杉の大木が生えている。

この杉は、杉ではあるがくねくね曲がっている。

八尺か九尺目辺りで横に張り出し、曲がった幹が平たくなっていて、五人六人も人が乗ることが出来るという奇木である。

その前を。

その昔。

一人の産婦が通り掛かった。

身重の体で何故に峠越えをしなくてはならなかったのか、そこまでは助四郎も知らない。伝わっていない。調べようもないし、知る必要もない。

嫁ぎ先から里に帰ってお産をするつもりでいたのかもしれぬ。

土佐の山は深い。魔所悪所も多い。峠も幾つもある。だが、装束峠は難所という程に険しい処ではない。孕《はら》み女であっても越えられぬということもないだろう。

いずれ、真実《まこと》とも嘘ともつかぬ大昔のことである。

思うに、陽が暮れるまでに阿芸に抜けるつもりだったのだろう。

しかし産婦は、機悪《おりわる》く山道で産気づいてしまった。一歩も動けず、刻《とき》だけが過ぎた。

偶偶《たまたま》阿芸の方から登って来た飛脚が通り掛かり、その難儀を見兼ねて手を貸した。しかし峠を越すのは無理と判じ、取り敢《とあ》えず杉の上に女を上げた。

「そらまた何で」

「その辺りは山の上じゃきに。里まではかなり歩かんといかんのよ。野根山の街道はずっと尾根伝い、何処も峠のようなものじゃ。戻るにしても行くにしても産気づいた女の脚じゃ、着く前に陽が落ちる。陽が落ちれば」

狼が出る。

「狼でっか」

「大坂のような賑《にぎ》やかな処《とこ》と違《ちご》うての、わしの郷《くに》は寂しく草深い田舎じゃきに。狼はまっこと恐いものぜよ。夜の山は」

恐いものぜよ。

「狼ちゅうもんは、群れで動きよる。二十三十は当たり前じゃが、数が多くなると、これはもう妖物じゃ」

「あやかしでっか」

「あやかしちゃ海のものじゃ。山にはな、山爺《やまぢぢ》やら何やら、訳の判らん化け物《もん》がおる。狼はけだもんじゃが、数が増えればその化け物の仲間になるきに。千疋連《せんびき》なると、千疋狼ゆうて、こら恐ろしいものじゃ」

千疋もおりまっか、と林蔵は顔を顰《しか》める。

「そうじゃ。まあ、普通の狼は、樹には登れん。だから野宿する者は樹の上で休むんじゃ。だが、千疋狼は妖物じゃから」

「樹に登りますか」

梯子《はしご》を掛けるのじゃと助四郎は言った。

「梯子でっか」

「人の使う梯子じゃないき。そう、肩車のようなもんじゃ。狼の上に狼が乗り、その上にまた狼が乗り、そうやって狼が狼で梯子を作るんじゃ。それを登って襲うて来よる」

ほんまでっかと林蔵は問う。

助四郎も見たことはない。嘘かもしれぬ。或いは本当にそうした習性があるのかもしれぬ。

「いや、そらわっしも」

聞いたことがあります、と林蔵は言った。

「わっしは以前、暫《しばら》く江戸に居ったのやけど、そうした故事に滅法《めっぽう》詳しい本草《ほんぞう》学者が居てはりましてな。言うてた気がします。あれはでも――虎やったかな。虎櫓《とらやぐら》とか言うてたかもしれまへんな」

「虎は唐天竺《からてんじく》じゃろ。土佐には居らんき。まあ、けだもんも歳経《としふ》れば賢くもなるきに。餌獲《と》るためには知恵も使う。そういうことじゃ思う」

妊婦と飛脚は、樹上で夜を迎え、そしてこともあろうに千疋狼に襲われた。

「樹の上まで来よる。じゃが、一度には来られん。梯子何本掛けようが、掛けた数しか登れはせんし、梯子一つで一疋ずつじゃ。孕み女だけじゃったら一口で咬《か》み殺され、腹の子諸共《もろとも》喰われておったろうが」

飛脚は脇差《わきざし》を持っていた。

登って来る狼を一疋ずつ、飛脚は斬《き》り捨てた。

「そらまた豪胆な飛脚さんでんな。まあ、産気づいた女子《おなご》はんが一緒やったら、わっしかてそのくらいのええとこ見せたろ思うかもしれんけど――何しろ身ィ二つ護《まも》らなあかんちゅうことですやろ」

「我が身を護っただけかもしれんがの」

飛脚は応戦を続け、樹下には獣の骸《むくろ》が積まれた。

その時。

佐喜浜の鍛冶が媼を呼んで来い――。

そういう声がしたと謂《い》う。その声を契機《きっかけ》に、千疋狼の襲来は一旦止《いったんや》んだ。

やがて。

一際巨大な白狼が現れた。

その白狼は、頭に鉄の平鍋《ひらなべ》を被っていたそうである。飛脚は咄嗟《とっさ》に、それは己の攻撃を避けるための算段であると察した。白狼が悠然と樹下まで歩を進めると、背後で控えていた千疋狼はみるみる梯子を組んで道を作った。

白狼がその梯子を駆け登る、その刹那《せつな》。

飛脚は脇差を思い切り振り下ろした。

鍋は二つに割れ、血飛沫《ちしぶき》が上がった。

白狼は樹下に転げ落ち、その瞬間に梯子も崩れ、千疋狼は散り散りになって消えた。

「鍋て――鉄鍋ですやろ。割れまっか。兜割《かぶとわり》持ってたんと違いますやろ。脇差なんぞで鍋が斬れますかい」

「鉄鍋なぞ薄いもんじゃ。簡単に斬れるぞね」

助四郎は能《よ》く識《し》っている。

鍛えた刀で斬れぬものはない。

鉄だろうが石だろうが、斬れる。鍋如きが兜の代わりになることなどない。斬れぬなら、刀がなまくらか腕が悪いか、どちらかである。素人でも思い切り振り下ろせば、古鍋などひと溜《た》まりもない。刃毀《こぼ》れはするかもしれぬが、外《はず》さなければ、斬れる。

ただ。

話の中の飛脚は、大量の狼を斬った後に、鍋を割っている。

助四郎はそこがやや納得出来ない。

この謂い伝えの中で眉唾《まゆつば》に思える部分があるとするなら、それは千疋狼が梯子を作る件《くだり》などではなく、まさにその部分だろうと、助四郎は思う。

慥《たし》かに脇差で鍋を割ることは出来るだろう。だが。

寧ろ。

刀の敵は脂《あぶら》なのだ。

特に人の脂はいけない。段平《だんぴら》でも、人は精精二人くらいしか斬れぬ。

三人目を斬ろうとするなら、その時刀は既に刃物ではなく鉄の棒だと思わねばならない。斬れぬ。叩くだけだ。

斬れぬのに下手に叩くと、曲がる。曲がってしまえば更に斬れなくなる。

そうなれば突くしかない。

しかし槍と違って片刃で薄刃の刀は、下手に突くと切っ先まで欠いてしまう。刃毀れし、脂がつき、曲がり、先を欠いてしまえばもう役には立たぬ。しかも大刀ならぬ短い脇差となれば、殺傷能力はないに等しいだろう。

樹下が埋まる程狼を斬った後、鍋を叩き割る——。

武芸者でもない、侠客《きょうかく》でもない、高が飛脚に、そんな芸当が出来るものだろうか。

勿論《もちろん》——。

不可能なことではない。助四郎はそうも思う。

助四郎は狼を斬ったことがないから正確なことは判らないが、もしかしたら狼は人より脂が少ないのかもしれぬ。そうでなければそんなに何疋も斬れるものではない。それに、飛脚は総《すべ》てを斬り殺したという訳でもないのかもしれない。相手は獣であるから、鼻先に傷を付けるだけでも怯《ひる》むだろう。そうなら、最後の一撃まで切れ味は温存出来ていたかもしれぬ。

この期に及んで——。

助四郎はそんなことを考えていた。

で、どうなりましたと林蔵が問うた。

「ああ」

そうだ。

「女は無事に樹上で赤子を産み落とし、それからその杉は産の杉と呼ばれるようになった。実際、今もそう呼ばれちょる」

「ほう」

ほんまの話なんでっか、と林蔵は改めて言った。

「本当かどうかは知らんちや。何度も言うが、昔の話じゃきに。問題はその後じゃ」

母子を杉から降ろした飛脚は、樹下に血痕《けっこん》を発見した。

お産の血ではない。その血痕は、野根の方に向かう街道沿いに点点と続いて落ちていた。間違いなく、あの白狼の血だと、飛脚は確信した。

ならば。

妖物である。化け物である。ただの狼ならば、難を逃れて目出度《めでた》し目出度しで幕、なのだろうが、この場合はそうも行かぬであろうと、飛脚は考えた。

手負いの化け物を放って置く訳には行くまい。今後どのような禍《わざわい》を齎《もたら》さぬとも限らぬし、退治するなら手傷を負わせた今この時しかない。

飛脚は、産後の女と生まれたての嬰児《あかご》を行き合った旅人に託し、一人血の跡を辿《たど》った。

血の跡は山を下り、佐喜浜まで続いていた。

更に辿ると、獣の血は一軒の鍛冶屋の前で途切れていた。

「わしの家じゃ」

助四郎はそう言った。

飛脚はそこで、昨夜の妖物の言葉を思い出した。

佐喜浜の鍛冶が媼を呼んで来い——。

そこは正に、佐喜浜の鍛冶屋であった。一計を案じた飛脚は、鍛冶屋の戸を叩き、この家に婆《ばば》は居るかと尋ねた。鍛冶屋の主人はいきなり訪れた見知らぬ男の突拍子もない質問に目を円《まる》くしたものの、年老いた母が居りまするると答えた。

その鍛冶屋の母は、昨夜頭に怪我を負って奥で寝ているという。

飛脚は有無を言わさず鍛冶屋に乗り込み、奥の間で寝ている老婆を斬り殺した。

「白狼じゃった」

「狼が、婆様に化けとったんでっか」

——さて。

そうなのか、どうか。

「狼も人に化けるもんでっか」

「どうじゃろな。床下からは取り喰らったらしき人の骨が沢山《たくさん》出て来たちゅう話ぞね。本物の婆様も喰われておったのかどうか、骨じゃき、判らん」

骨になってしまえば。

人も獣も一緒だ。

「その婆の墓なのか、将又《はたまた》喰われた者を弔ったもんなのか、それともその白狼の墓なのか、それすら判らんのじゃが」

墓はある。

「わしの家は代代――その墓守をしちょる」

「せやけど助四郎はん。代代その墓守ってはるゆうんやったら、そら狼やのうて、婆様のお墓なんと違いますか」

「いや」

同じことじゃ思うと助四郎は言った。

「同じて、どういう意味だす」

「婆が、狼だったんと違うか、思うんじゃ」

「せやから、その狼が婆様を喰い殺さはって、婆様に化けてた――のでっしゃろが」

「いや」

婆が狼になったのではないかと助四郎は思う。

「なった――て、解りまへん。そらあれですか、その、狼が憑《つ》いたァとか、狼の術で操られとるゥとか、狼の霊《みたま》か何かが乗り移ったァとか」

「憑くのは犬神《いぬがみ》じゃ。操るんは狸じゃ。乗り移るんは生霊《いきすだま》やらじゃろ。狼は、射竦《いすく》めて喰うだけじゃ」

「では」

「じゃから、婆が変じて狼になったのじゃないかとわしは思うちょる。婆が狼なんじゃ。婆の墓も狼の墓も」

一緒じゃ。

「あのな、わしの家筋は代代、その狼の毛ェがな、逆毛で生えて産まれるち、そう村の者《もん》から謂われちょるぜよ。それ即《すなわ》ち、わしが狼の子孫ち思われちょる——そういうことじゃあないがかね」

そんな毛はない。ないのだが。

「まあ、どっちでも構わん。わしは別に人を喰う訳でもないが。ただの刀鍛冶じゃき。今の話も、昔昔のこと、ただの謂い伝えぜよ。それでも、現に墓はあるんじゃ。つまりじゃ。人であれ狼であれ——鍛冶が媼は居った、ちゅうことじゃろ」

いずれかは真実《ほんとう》だったのだ。

「人が、何かべつのものに成り代わるちゅうことが——あんた、あると思うか」

林蔵は切れ長の眼を細めた。

「姿形が変わるゆう訳ではありまへんな」

「それは変わらんのじゃ思うが。謂い伝えの鍛冶が媼も、長いこと気付かれずに暮らしちょった訳じゃ。つまり見た目は変わらんかったちゅうことぞね」

「中身だけ変わると」

「そうじゃ」

それならありまっせ、と林蔵は言った。

「人は、中中己を変えられんもの謂います。せやけどそれは、己は己やと思う気持ちがあるからでっせ。己が何者か判らんようになってしもたら、人はもう、朝と夕とで別人や。うかうかしてたらそれはすっかり」

成り代わってしまいますがな。

林蔵はそう言った。

「人が変わるということじゃろか」

左様《さよう》だ、と林蔵は言う。

「ま、機嫌は変わりまっしゃろ。誰やって機嫌のええ時は笑《わろ》うてはりますし、悪い時は怒ってはる。箸《はし》が転げても可笑《おか》しい謂いまっけど、慥《たし》かに何観ても笑える時もあれば、どないに笑かされても頬ひとつ動かん時もある」

それは気分じゃろと助四郎は言う。

「へえ。気分だす。せやけどな、助四郎はん。生まれてから死ぬまで、一度も笑わんような遣《や》り難《にく》いお方かて居りますのやで。洒落の通じん堅物ゆうのは何処にでも居りまっしゃろ。一方で、冗談しか口にせんような、底の浅い連中かて仰山《ぎようさん》おるやないですか。肚《はら》の立つ程調子のええ阿呆《あほ》ゆうのも居る。笑う笑わん、それは人次第や。同じ者が同じもの観て聞いて笑《わろ》うたり笑わなんだりするて、こら、一時的にでも人が変わっておるちゅうことでっせ」

そうかもしれない。

八重も、以前は能《よ》く笑った。

鳥が翔《と》んだ、花が咲いた、風が吹いた――そんな当たり前のことでも喜んで、微笑《ほほえ》んで、時に声を出して笑った。

それが。

でもやね、と林蔵は言う。

「それが機嫌で済んでまうのは、最前も申し上げた通り、人の多くは、自分《おのれ》は自分《おのれ》やと、頑《かたく》なに信じ込んでるから――に過ぎまへんのや。変わってへん同じなんやと思い込んでおる。せやから、今はこんな気分なんやろ、さっきはあんな気分だっただけやろと思うて、遣り過ごしてまう。でも、でっせ。それが出来ひんかったらどないだす」

「出来んことがあるがか」

ありまっせ、と林蔵は低い声を発した。

「それが出来ひんかったら、人はもう、己が何だか解らんようになってまう。それでも生きとるから、解らんでは済まされん。朝と違うた己を選んでしもたら」

別人や、と林蔵は言った。

「幾人もの己が一つ身体ァ棲《す》み分けたり、入れ替わったり、そんな病《やまい》かてあるそうでっせ。ええでっか、わっしも、助四郎はんも、誰かてそうなるかもしれんのですわ。人はみな船の上の幽霊みたいなもんでっせ。板子《いたご》一枚下は地獄や。大した理由もなく人は堕《お》ちることもある。昇ることもある」

人は、変わる。そうだろう。

「人でなくなることもありまっせ」

「人でなくなること――」

「へえ。鬼か、けだものか、もっとこわいもんになってまうこともありまっせ。誰にだってそれはあるのんや。それは何も、摩訶《まか》不思議なことやない。今のお話も、そういうことやと思うて聞けば」

納得出来るお話でっせと林蔵は言った。

「そうかもしれん」

そうなのだろう。

狼というのは、比喩《たとえ》なのだろう。

「人でなくなったら――どうしたらええ」

「戻るなら戻す。戻らんかったなら」

退治されまっせと林蔵は言った。

参

八重と知り合ったのは、十年前のことだ。

その頃、助四郎は父親を亡くして、一人で暮らしていた。

鞴《ふいご》の風と。

融《と》けた鉄と。

鎚《つち》と。火花と。熱と。

打って打って打って。

乱刃紋を打ち付けて。

切れろ斬れろ切れろ。

刀になれ。

蒸気が上がる。焼いて、打って。

研《と》いで。

来る日も来る日も、助四郎は刀を作っていた。田舎の野鍛治《のかじ》ではあるが、腕には自信があった。父ですら助四郎の打った刀を手にして、畏《おそ》れ戦《おのの》いたものだ。

火焔《かえん》の地獄を叩き込み、
氷の刃《やいば》を打ち上げる。

抜けば玉散る——。

まさに、抜いた途端に気が冷える、そうした刀を助四郎は打った。強靭《きょうじん》で、鋭利な、凶器であった。

名刀ではなく妖刀だと、父は言った。

それでも構わない。刀は斬るためにある。何よりも丈夫で何よりも斬れる刀を妖刀と呼ぶならば、妖刀こそが真の刀だと、助四郎は思う。

遠国《おんごく》から依頼しに来る者もあった。

大金をくれる者もあった。

暮らしには困らなかった。

だが、独り暮らしは何かと不便ではあった。

助四郎は、いや鍛冶が嫗の鍛冶屋は、村人からは疎んじられていた。白地《あからさま》に嫌われていた訳ではなかったが、付き合いは殆《ほとん》どなかった。

元元そうだったのだろう。

助四郎の父という人は腰の低い男で、愛想も良かったから、それなりに村人との付き合いもあったようだが、助四郎は余り人付き合いが得手な方ではなかったから、放っておいた。父の葬式の後、村に礼を尽くさなかったから呆《あき》れられたのかもしれぬ。

村には村の掟《おきて》がありしきたりがあり遣り方があるのだと、助四郎は能《よ》く知らなかったのである。当たり前のことが出来なかったのだ。

それを教えてくれたのも八重だった。

取り分け愛想を振ったり諂《へつら》ったりする必要はないのだ。することさえしていれば、村人は普通に付き合ってくれるのだと、助四郎は後で知った。

八重と一緒になってからは、だから助四郎も村の一員として振る舞うように努めた。その結果、村人として扱われるようになった。

今は、蔑視《べっし》されてなどいない。

寧ろ、立派な刀鍛冶、刀匠として捉えられている。

村のため他人のために気前良く金を使うようになった所為《せい》かもしれぬ。行事にも参加するようにした。祭にも出る。寺社に寄進もする。葬式や婚礼にもまめに顔を出し、手伝いもする。

別段笑いかける必要はない。そうするだけで、村人は頭を下げ、笑いかけて来るようになった。

そういう意味では、助四郎こそ変わったのである。

でも、それは変わろうと思って変わったのである。

八重のために。

八重が望むから。

八重が喜ぶから助四郎は変わった。

八重は、孤立していた助四郎の許《もと》に通い、あれこれと面倒をみてくれた女だ。

最初に来たのは、父が病み付いた時だった。病人が居て女手がないのは不便だろうと、八重の実家が親切で寄越《よこ》したのだった。

初めは食材を持って来てくれるだけだったのだけれど、やがて家裡《いえうち》のこともしてくれるようになった。

そして助四郎は、初めて他人に感謝するということを知った。

父が亡くなった時、八重は泣いた。

正直言って助四郎は余り哀しくなかったのだが、泣いている八重を見て、何だか可哀想に思った。

それからも八重は通って来た。

掃除をしたり飯を作ったりしてくれた。お蔭《かげ》で助四郎はそれまで通り、刀を作ることに専念出来た。

そのうち。

口を利くようになった。

八重は、優しかった。

能く笑った。

助四郎は、それこそそれまで余り笑うことのない人間だったのだが。

笑うようになった。

そう、人は変わるのだ。

助四郎は、それまで置き去りにしてきた人としての色色なことを八重から学んだ。会話や、立ち居振る舞いを身に付けた。

そして知った。

人は哀しくて哀しいと言う訳ではない。哀しくて泣く訳でもない。

人は、泣くことが出来るから哀しくなるのだ。哀しいと表現出来るから哀しくなれるのだ。

可笑しいから笑うのではない。

笑うことが出来るから可笑しく思えるのだ。

哀しいとか嬉《うれ》しいとか楽しいとか苦しいとか、そうした感情は、内から湧き出るものではない。人と接することで、他人に対して表現することでやっと明らかになるものなのだ。

助四郎は、八重と知り合って、八重と過ごすことで人になったのだと思う。

八重は、大切な人だ。

そう思うようになった。

それから、助四郎は八重のために、八重のためにだけ生きることに決めた。

八重のためなら何でもした。我慢もしたし努力もした。頭も下げた。身体も使った。金も使った。

何も惜しくはなかった。

八重は。

喜んでくれた。

先《ま》ず、助四郎が村に溶け込むことを、村人と交流することを喜んでくれた。

助四郎が笑うと喜んでくれた。

そうしているうちに助四郎は村に受け入れられ、やがて嫁入りの話まで持ち上がった。

八重を嫁に娶《めと》ると決めて、助四郎は更に変わった。

評判もどんどん良くなった。

八重は、益々《ますます》喜んだ。

そして、祝言を挙げた。

八重と夫婦《めおと》になって、助四郎はやっと、幸せというものを知った。嬉しいでも楽しいでも可笑しいでもなく、幸せだと思うということ、幸せに過ごすということを知った。

何をしていても、幸せだった。

刀を打つことの意味も、変わった。

助四郎はその幸せを維持するために刀を打った。

八重のために鞴を吹き。

八重のために鎚を打ち下ろし。

八重のために、毎日乱紋刃を研いだ。

それまでは刀を作るために刀を作っていた。

切れ味も反り具合も艶《つや》も硬さも何もかも、それは刀のために吟味すべきことであり、それ以外の何ものでもなかった。

だが。

少しでも良い刀を作るのは、客が喜ぶからである。

客は喜べば金を出す。

金が手に入れば。

暮らしが豊かになる。

贅沢がしたい訳ではなかった。

八重を喜ばせることが出来るようになる。

勿論——。

金があればいいというものではない。

それは助四郎とて百も承知している。

金だけあれば幸せだなどと思ったことは只の一度もない。

いや、例えば八重が、銭金は嫌いだと言ったとしたら、助四郎は全財産を惜《お》しげもなく捨ててしまうだろう。

金は、あるだけでは何にもならぬ。

金の価値は、品物や、それ以外のものに換えてこそ出る。金を貯めることには何の意味もない。それは助四郎も能《よ》く知っている。知っているから、助四郎は稼ぐ。

八重の笑顔が買えるなら、百両千両出すことも厭《いと》わない。

金で笑顔を買うのではない。八重の笑顔は、金に替えられないからだ。

金に替えられないものが金で手に入るなら、それは幾価《いくら》であっても安いものだろう。

でも。

八重は、元来質素な女だったから、物を欲しがるようなことも余りなかった。それでも美味い物を喰わせれば喜んだし、綺麗な着物を着せてやれば嬉しそうにした。

贅沢を望んでいなくとも、無理せずそうした暮らしが出来るのであれば、それを嫌がる者は少ないだろう。

ただ、八重はそうした女であったから、無駄に贅を尽くすような暮らし振り自体は好まなかった。慥《たし》かに派手な暮らしは村の中では浮くし、八重は他人より良い暮らしをし、その暮らし振りをひけらかして喜ぶような人間ではなかった。

その気持ちは能く解ったから、助四郎も必要以上の贅沢は避けた。

寧ろ、村のために金を遣うようにした。

そうすれば村人は喜ぶ。村人が喜べば——。

八重も喜んだ。

金を稼ぎ、金を遣うだけではない。

家の中でも、助四郎は八重のために何でもした。

気を遣い、手間を掛け、出来る限りのことをした。

助四郎は、八重を喜ばせることをしたばかりではない。

八重が困ること、八重が嫌がること、八重が悲しむことは、徹底的に排除した。

八重が嫌だと言えば、どんな習慣も直した。

酒も控えた。

博奕《ばくち》は元元しなかったが、煙草は煙いと言われたので、止《や》めた。

そこまでしてくれんでも良うございますのに、と八重は言った。そこまでも何も、我慢出来ることなのだから、構わなかった。助四郎は出来ることをしているだけで、無理など一つもしていない。

為《す》べきことがあって。

それが出来ることならば。

するだけだ。するべきなのだ。

旦那様は素晴らしいお方です——。

八重はそう言ってくれた。

涙を浮かべて感謝してくれた。助四郎も、肚《はら》の底から嬉しかった。そして。

幸せだった。

助四郎が気を遣う以上に、八重も気を遣ってくれたし、それは能《よ》く働いてもくれた。八重は喜べば喜んだだけ、働いた。助四郎がしてやった数倍、数十倍のおかえしをしてくれた。

八重は勤勉で、優しくて、健気《けなげ》だ。

一番困ったのは、自分達だけがこんなに幸せでいいのかと言われた時だった。そればかりはどうしようもない悩みだった。

助四郎の家は栄えた。

そう。

栄えるとはこういうことを謂《い》うのだと、助四郎は実感した。

僅《わず》か五年で鍛冶屋の小屋は屋敷になった。奉公人も雇った。弟子も取った。

刀の評判も良く、道行く村人は皆、助四郎に頭を下げ礼を尽くすようになった。

今では子供もいる。

何一つ。

何一つ悩みはない。

辛《つら》いこともない。不安もない。困ったこともない。

哀しいこともなければ、禍も障りも何もない。

怨《うら》まれることもない。

憎まれることもない。

疎ましがられることもない。

勿論、暮らしに困ることなど考えられない。縦《よし》んば助四郎が刀鍛冶を止《よ》したとしても、何十年でも喰って行けるだけの備蓄があるのだ。子供もすくすく育っている。

幸せなのだ。

それなのに。

八重は。

「八重は笑うことを止《や》めた」

助四郎はそう言った。

林蔵は、悲しそうな顔をした。

「八重は、もう二年も笑わんきに。口も利かぬ。その上に、わしを睨《にら》む。」

「何か――契機《きっかけ》があったのと違いますか」

林蔵は真面目な口調で問う。

三日目にして、助四郎はこの若者のことをかなり信じられるようになって来ている。

「それが、判らんのじゃ」

「突然、ゆうことなんでっしゃろか」

「突然、なのかの」

突然だったかもしれぬ。いつの間にか、というしかないのだが。

「喧嘩《けんか》しはったとか、そういうことはないんでっか」

「喧嘩は――」

したことはない。

そう言った。

林蔵は腕を組む。何ごとも真摯《しんし》に聞いてくれる。だから信用する気になったのか。

「まあ、お話を聞く限り、助四郎はんに限って浮気したりするようなこともないのやろし」

「浮気なんぞ」

承知してます、と林蔵は言った。

「その、八重様のお言葉通りや。助四郎はんは、素晴らしいお方でっせ」

そう――なのだろうか。

「お話通りなんやったら、そら亭主の鑑《かがみ》みたいなもんでっせ。世の中の亭主がみな助四郎はんみたいなお人やったら、天下は泰平や。ええでっか、世間には矢鱈《やたら》と阿呆が多い。中中でけたお方いうのは居りまへんのやで」

そうかというとそうでっせと言われた。

「わしは普通と違うか」

「違いまっしゃろな。まあ、ええ亭主ゆうのはざらに居《お》りますわ。せやけど、真面目なら真面目で融通が利かん。銭に目が眩《くら》めば銭の亡者や。色に目が眩めば色の亡者や。誰も彼も己のことで精一杯、連れ合いのことまで気ィなんぞ回らんもんや。それでも、まあ博奕もせず喰うに困らず、取り敢えず暮らしが立つ、そういうのが世間で謂う、ええ亭主でんねん。女房カタにして賭場《とば》に通うボケやら、女郎買いが止まずに嫁はん売り飛ばすカス、働かずにゴロゴロしてけつかる屑《くず》、そういうのかてようけ居りますわ。中には、男は女房《にょうぼ》泣かせてなんぼ、みたいな戯言《たわごと》吐《ぬ》かす者《もん》も居りまっせ」

「解らんぜよ」

理解出来ない。

「泣かすなら何故娶《めと》るのじゃろう」

気ィの迷いでっしゃろと林蔵は言った。

「まあ、こら男女の別はない。男にも女にもカスやボケは居りまっせ。ええ亭主にええ嫁はんが付くとも限りまへんわ。駄目なんは亭主ばかりと違いまっせ。悪い嫁かて、世間にはごまんと居る。せやから、世間の夫婦は皆喧嘩しよりまんねん」

喧嘩——か。

「刃傷《にんじよう》沙汰《ざた》かて起きまんがな。可愛さ余って憎さ百倍謂いますやろ。あれですわ。どんだけ好いたって惚《ほ》れたって、相手に気持ちが届くとは限りまへん。届かなんだら肚も立つ。腑《はらわた》も煮える」

それは、解る。

こんなに懸命に尽くしているのに。

何故辛《つら》そうにする。何故笑わない。何故。

心を開かない。

でも。

「わしは、肚は立たんぞね。ただ」

幸せではない。

幸せな気持ちにならない。

八重が、幸せそうにしていないからだ。助四郎自身に不服はない。でも辛《つら》くなる。

「相手を思い遣る、だから辛《つら》くなると」

「他に何がある。好いて添った仲じゃ」

肚を立ててどうするというのだ。

どうにもなりまへんなと林蔵は言った。

「まあ、仰せの通りや。せやけど、世の中の九割はその当たり前のことが出来ひんのです。せやから、喚《わめ》いて怒鳴って取っ組み合いの喧嘩して生きてまんのや。出来た亭主に出来た嫁なんちゅう組み合わせには、先ずお目に掛かれまへんて。せやけども、助四郎はんのとこに限っては、どうもそうなんやね」

八重様も良く出来たお方のようやと林蔵は言った。

「良く出来たなんてものじゃないきに。八重は」

天女のようなもんじゃと助四郎は言った。

「助四郎はんにも不満はない」

「不満なんぞ」

いや。今は。

違う、それは不満じゃない。

不安だ。

不満なんぞないと助四郎は大声で言った。

「感謝しちょうだけぞね」

「一度も、喧嘩はせえへんかったと」

「じゃから喧嘩する理由がないきに。感謝して慈しんどる相手と、何でいがみ合わなきゃならんちや」

「そうやねえ」

林蔵は一層に考え込む。

「そうなると、助四郎はんの何かが気に入らんようになったとしか思えんのですが——」

「わしの——何じゃ」

何か悪いことでもしたか。

「イヤ、それは悪いことやないかもしらん。何か理不尽な理由かもしれまへんで。そうやったら八重様も、自《おのれ》の理不尽を承知でいはるからこそ何も言えず、堪《こら》えていらっしゃるとか」

「堪えているちゃ、何をぞね」

わしの、何が。

「嫌う理由は様様《さまざま》でっせ。惚れる理由も様様でっしゃろが。斯斯然然《かくかくしかじか》これこれこうやと、説明出来るもんやない。何となく好きや、どことなくええ、それだけで添う夫婦も居りますで。せやったら」

理由なく、嫌う。八重が。わしを。

「八重は、そんな女やない」

「へえ、そこも解っておりますがな。せやけど助四郎はん、だからこそ——ゆうのはありまへんか」

「だからこそちゃ何ぞね」

「ええでっか。人ちゅうのは、変わるもんや」

それは解っている。

「理由なく嫌いになってまうことやって、あるかもしれへん。イヤ、あるんですわ。でな、普通は、その辺の阿呆な夫婦やったら、そうなってしもたら、もうどもならん。理由があろうとなかろうと、嫌いなもんは嫌いや、厭なもんは厭やと、こうなる。こら、喧嘩になる。理由がありまへんから、決着もつかん。やがて悪い事は全部相手の所為になる。雨が降っても風が吹いても、連れ合いの所為やと思えて来る。顔を見るのも厭になりますわ。そうなってもうたらもう、後は摑み合い、蹴《け》り合いでっせ。亭主は外に女囲う、遊び捲《まく》る、女房は間男《まおとこ》する、逃げる。後は三行半《みくだりはん》や。出て行くか追い出されるか、時には殺し合いまでありまっせ。そうゆうのを痴話喧嘩謂いまんねん。痴話喧嘩に理由はないのんや。実際、そうゆうことはありますのやで」

他所《よそ》ではね、と林蔵は言った。

「ま、阿呆ですわ。助四郎はんとこから見たら、まっこと阿呆ですやろ。でもな、そうした気持ちに、もし八重様が囚《とら》われてしもたとしたら」

「へえ。八重様は、出来たお人や。お話伺《うかご》うておる分には、助四郎はんも立派やけどお内儀もご立派でっせ」

「八重が――か」

「わしは兎《と》も角《かく》、八重はきちんとしちょる。じゃから」

「だからこそ――そないな理不尽な理由で、助四郎はん責めたり、喧嘩吹っ掛けたり、不平言うたりは、きっとしまへんやろ。ご自分の想いが理不尽やと承知されておったなら、きっと黙って堪《こら》えはりまっしゃろな。違いまっか」

「それは」

きっと堪えるだろう。

「でも、そうならわしは」

わしが目の前から消える以外に、八重に平穏を与える術はないということになってしまう。

それは――。

「それは」

「せやから」

人は変わる言うてますやろと林蔵は、何故か不敵に言い放った。

「変わるんですわ。つまり」

変えられる、ゆうことですわ。

「そりゃどういうことぞね」

「せやから八重様をこちらにお呼びしたんですわ」

林蔵はそう言った。

「お話お聞きする限り、こら理不尽なことや。まあ、今の話のようなことなのやったら、八重様に笑顔を戻す道は二つや。一つは助四郎はんが八重様の前から消えてなくなること。もう一つは、八重様の中から理不尽な想いを――」

追い出すことやと、林蔵は言った。

「追い出す」

「へえ。何度も言いまっけどな、人は朝と夕では違《ちご》うてまんのや。変わりまんのや。自分はこうや、己はこういう人間や、自分はこう思とる――そうゆうのは、皆、何もかも、本当は思い込みなんや。好きも嫌いも思い込みでっせ。思い込みがのうなれば、人はどうにでもなれるものや」

「だが、林蔵さん。それは、他人にはどうしようもないことじゃないがか」

「どうしようもないことを」

どうにかするのがこの稼業でっせ。

「どうにかなる、いうのか」

「わっしら時には」

死人《しびと》でも生き返らしますで、と林蔵は言った。

仁蔵も国を消すと豪語していた。そのくらいのことは平気なのかもしれない。

「勿論、詳しゅう調べてみんことには何も言えまへん。八重様のお気持ちは――道道うちの者《もん》がお聞きしてますさかい」

なる程。

そのためにわざわざ八重を大坂まで来させることにしたのだろう。こちらから出向いたのでは、時間の無駄になる。

でも。

「八重は、本当にこっちに」

「もう、幾日とせんうちにお着きになりまっせ」

「しかしどうやって」

八重を連れ出せるような理由は見当たらない。

助四郎は商いで西国を回ると嘘を言って家を出たのだ。八重を騙《だま》すのは心苦しかったが、真《ま》逆《さか》お前が笑わぬから大坂まで相談に行くとは言えまい。

「勿論」

林蔵は再度不敵に笑った。

「謀《たばか》らせて戴きました」

「騙した――がかね」

それは。

林蔵は右手を振った。

「気が引けるゆうお気持ちは解りまっけども、嘘も方便でっせ。それに、助四郎はんにご迷惑が掛かるような嘘は吐《つ》いてまへんて。もしも露顕《ばれ》た処で悪いのはわっしらや。その辺の手筈は周到でっせ。頼み人の御為ならば、泥でも糞《ばば》でも喜んで被る、それがわっしらの稼業だす。心得ておりまっから」

ご心配なく。

「八重様がお着きになったら」

必ず決着付けますさかい。

「もう少しお待ちを」

林蔵はそう言った。

助四郎は少しだけ怖くなった。

肆

日を数えていなかったので大坂に来てから幾日経っているのか判らなかった。半月か、二十日か、それくらいは経っているだろう。

その間、助四郎は微に入り細を穿《うが》って、八重との暮らしを林蔵に語った。林蔵は大層聞き上手で、それ程口が達者ではない助四郎も、余す処なく語れたように思う。

嘘は言っていない。

誇張もしていない。

言い難《にく》いことも、凡《すべ》て答えた。隠しごともしていない。

いや——もう助四郎は、林蔵が赤の他人とは思えなくなっている。それ程迄《まで》に、林蔵は親身になって接してくれた。

話術は巧みで、気遣いも濃《こま》やかだった。

この男なら何とかしてくれる——。

助四郎は、半《なか》ばそう確信し始めてもいた。

只《ただ》一つ、助四郎には懸念があった。

いったいどうするのかは知らないが。

八重を。

変えてしまうのは厭《いや》な気がした。

林蔵の言うように、人は変わるのだろう。だから変えられもするのだろう。

更に林蔵の言う通りなら、人というのは変わる時、変わる本人の意志とは無関係に、理由もなく変わってしまうものなのかもしれない。

それでも。

外側から無理矢理変えてしまうのは——。

どうなのか。

助四郎の都合で変えてしまうのはどうなのか。

いや違う——。

自分の都合ではない、と助四郎は思う。凡ては八重が不幸そうだから、不幸そうに見えるから、助四郎にはそう見えるから、だから。

そう、八重の不幸が助四郎の不幸なのである。

そう考えるなら、八重を変えてしまうことも、八重のためと思えないこともない。

例えばこれが病なら、それを癒《いや》すと考えれば良い。

何か間違ってしまったのなら、正すと思えば良い。

歪《ゆが》んでしまったのなら元に戻すと思えば良いのだ。

八重の意志とは無関係に、助四郎の好《い》いように八重を変えてしまうという訳ではないのだ。

きっとないのだ。

そう思い込むことにした。

したけれど。

窓から見える景色にも飽きて来た。

街並み街並み街並み街並み。

立派な街並み。

人人人。

大坂は豊かな街だ。人と物で溢《あふ》れている。土佐とは違う。土佐も豊かな土地だとは思う。思うが、何かが違う。

この街では暮らせない、と助四郎は思う。

そして、八重のことを想う。

八重の笑顔を想う。

その時、すっと襖《ふすま》が開いた。

いつになく険しい顔をした林蔵が立っていた。

「林蔵さん――」

「助四郎はん。愈々《いよいよ》、決着をつける日ィになったようでっせ」

林蔵はそう言った。

「それじゃあ八重が」

「へい。八重様と坊やはもう港や。今、一文字屋の女衆《おなごし》がお世話してますわ。急ぎ旅やったし、疲れてはるようでしてな。一足先に手の者が戻りましてな。詳しい話を聞いたとこや」

「それで」

それでどうなる。

どうするというのか。

「そこで――幾つか、尋ねたいことがおますのや、助四郎はん」

「まだ――何か」

「へえ。助四郎はんの答え次第で、処方が変わりますねん。お代も違《ちご》うて来ますよって」

「金のことはええちゃ。幾らでも払うきに。多く払《はろ》うても構わん。そうじゃ、今払うきに」

助四郎は振分《ふりわけ》から金の包みを出した。

「三百両じゃ。これで足りるがか」

林蔵は立ったままその包みを見下ろして、それやったら其処に置いといておくれやす――と言った。

「高価《たこ》うても、それ以上は貰いまへん。安く済むなら二十両や。こら、船賃手間賃宿賃や」

助四郎は言われるままに金を畳の上に置き、それから林蔵を見上げた。

「で、何か判ったがか」

「へい。色色と――判りましたで。先ず最初に助四郎はん、あんさん」

八重様にただの一回も嘘吐《つ》いてまへんのやな、と林蔵は言った。

「今更何を言うんじゃ、林蔵さん。わしは」

「いや、嘘吐いてないのも嘘吐く気ィがないのも承知してますのんや。せやから何もかも、言い、い、い、わいでもええことまでも、洗い渫《ざら》いお内儀に言うてはったかどうかを、確認してますのんや」

「言わんでもええことち、何ぞね」

この期に及んで何を言っているのだろう。

「八重に隠しごとなんぞしィはせんぞね。わしは常に誠意《まこと》を示して来たきに」

神懸けて、それは断言出来る。

林蔵は襖も閉めず、敷居の外に突っ立ったまま、暫く助四郎を眺めていた。

――何だ。

何だろう。この悲しそうな、哀れむような、遠ざけるような、否、畏れるような目付きは。

これは。

八重の目と同じだ。

林蔵は――。

何を聞いた。

「助四郎はん。あんさん、八重様のためなら何でもして来たゆうてはりましたな。八重様の喜ぶこと、八重様の望むこと、八重様が好むこと」

「ああそうじゃ。して来たが。何でもしたぜよ。これからもする。そうし続ける」

「なら八重様の嫌がること、悲しむこと、困ることは、取り除いて来られたちゅう訳でんな」

「勿論じゃ」

「本当に、取り除かれはったんでんな」

「何を今更そがいなこと——いや、おまん」

何か八重から聞いているのか。

助四郎に手抜かりがあったとでもいうのか。

「わしに、何ぞ見落としがあったちゅうがかね。わしが何か八重が嫌がることを見逃していたち、おまんはそう言うがかね」

何だ。

何だ何だ。

「いや、そんな訳はないきに。わしは、何も彼《か》もきっちりして来た筈じゃ。手落ちはない。西陽が眩《まぶ》しい隙間風《すきまかぜ》が寒いと言うから小屋を建て替えた。井戸が遣い難《にく》いと言うから井戸を掘らせた。鼠《ねずみ》を厭《いや》がるから家中の鼠を退治した。罠《わな》を仕掛け猫を放ち、屋敷から、村から鼠という鼠を追い出した——」

蜘蛛《くも》が怖いと言うから。

蜘蛛を駆除した。

蛞蝓《なめくじ》を気味悪がるから。

蛞蝓を退治した。

「いいやその程度やで。それくらいのことやったら、失礼やけど誰にでも出来ることやないですか。屋敷建てるも井戸掘るも、銭があれば出来ることでっせ。虫獲《と》るぐらいやったら、子供かてやりまっせ」

「その程度なんち言い草はないぞね」

「阿呆なこと吐《ぬ》かすな」

そんな。

そんなものじゃないのだ。

「そや。助四郎はんと添わはる前から」

八重様に付き纏《まと》うておった厭な男が居ったそうでんな、と林蔵は言った。

――与吉《よきち》か。

「八重から聞いたがか」

与吉は八重に惚れていた。執拗《しつこ》く執拗く纏わり付いていた。助四郎の許に嫁いだ後も、幾度も訪れて嫌がる八重を口説《くど》き、剰《あまつさ》え夜這《よば》いを掛けて来たり、待ち伏せて組み伏せようとしたりした。下種《げす》である。

八重は、怖がり、厭がり、泣いたのだ。

「与吉は――もう居らんきに」

「助四郎はんと添うて」

八重様が裕福になって幸せになって、その暮らし振りに嫉妬《しっと》して辛《つら》く当たった娘が居ったそうでんな、と林蔵は続けた。

――染《そめ》か。

染は酷《ひど》い娘だった。それまで仲良くしていた筈の八重にいいだけ辛く当たった。のみならず助四郎には色目を遣《つか》って来たりしたのだ。それまでまるで虫螻蛄《むしけら》でも見るような目で助四郎を見ていたくせに――だ。幼馴染《おさななじ》みの豹変《ひょうへん》に、八重は心を痛めていたのだ。

「染も村には居らんきに」

「居りまへんか」

「八重が苦しむ。あんなでは仲直りも出来ん」

「助四郎はんと添うのを」

最後まで反対した八重様の叔父ちゅう人も、随分と八重様を悩ませたようでんな、と林蔵は言う。

――源吉《げんきち》だ。

散散《さんざ》人を蔑みやがって。化け物鍛冶屋め狼めと罵《のの》りやがって。姪《めい》の嫁ぎ先の悪口を垂れてどうしようというのだ。お蔭で八重がどれだけ悲しんだことか。叔父は口が悪うて困る、気にせんで、あてに免じて赦《ゆる》いとうせやと、泣き乍《なが》ら謝る八重の顔を、助四郎は生涯忘れない。八重が謝ることではない。

八重を泣かせやがって。

な」


「それから」

林蔵は更に続けた。

「峠を越えて物乞いに来る山の連中やら、旅の六部やらも、八重様を困らせてはったようでんな」

「あの連中か」

あれは。

鼠より始末に悪い。

駆っても狩っても涌《わ》いて来る。

施しをすれば去ることは去るが、味を占めると何度でも来るし、噂を聞きつければ何人でも来る。追い返しても追い返しても来る。施しをしないと、脅《おど》す。

「やれミサキが憑《つ》いちょる犬神が憑いちょると愚にもつかん脅しをしよる。祟《たた》りじゃ呪いじゃと吐《ぬ》かす。奴等《ら》はたかりじゃきに。他人《ひと》に集《たか》って生きちょる酷い連中じゃきに」

八重は優しいから。

随分と苦労したのだ。米を分け、銭を恵み、精一杯のことをしているというのに。まだ足りぬ、まだ足りぬと、蛆《うじ》のように次から次へと涌いて来やがって。

可哀想には思いますけど。

こう続いたのでは。

「それだって」

心配はない。わしが。

「林蔵さんよ、あんた——いったい、何が言いたいんじゃ。八重を泣かす奴八重を困らす奴は誰であろうとわしが許さんのじゃ。村の中に八重を悲しい気持ちにさせるもんはひとつもないぞね。八重の心を曇らすようなことはひとつもないぞね。八重を苦しませる者もひとりも居ない。

「全部わしが取り除いたが。山の者とて、何人来ても同じことじゃ。何人来ても全部わしが取り除く。」

「さよか」

「当たり前じゃ。八重のためなら何でもするち、言うたじゃなかね」

「何でも——しはった訳でんな」

「オウ、何でもしたわ。あれは慾《よく》のない女じゃきに、欲しい欲しいと言うことも少なかったけんど、欲しい言うものは何でも買《こ》うてやったぞね。衣《べべ》でも紅でも、簪《かんざし》でも帯でも、何だって買うたわ。喜んだで。まっこと素直な女じゃきに。分不相応や、勿体《もったい》ないと、それは有難《ありがた》がったわ。銭だけじゃなかぞ。手間も掛けて、気も遣《つこ》うて、出来るだけのことはしちょるぜよ」

「本当《ほんま》に、何でも——しはったんやね」

「諄《くど》いが。簞笥《たんす》が要るちゅうたら立派な簞笥、蒲団《ふとん》が傷んだちゅうたら上等な蒲団、どんなもんも買《こ》うたったが。子供が欲しいとせがむから

子供も買ってやった。

「買うたん——でっか」

「当たり前じゃ。お産みたいな危ないことさせられる訳ないが。腹が大きゅうなったら可哀想じゃろ。産む時は苦しいじゃろ。痛いじゃろ。それに、もしお産の途中で何かあったらどうするちゅうんじゃ。お産は命懸けじゃき。無事に産んだとて、産後の肥立ちが悪くて死ぬる者もおるがぜよ。そんな」

危ないこと。

「お子を買《こ》うて差し上げて——八重様は、喜ばはったんでっか」

林蔵は顔を背けてそう問うた。

当たり前じゃろがと助四郎は答える。

「欲しいと欲しいと何度も言うたのじゃ。八重があんなに欲しがることは稀《まれ》なんじゃ。滅多《めった》にないことなんじゃ。買うてやって喜ばん訳がなかろう」

可愛がって。

育てておるわ。

「そう——でっか」

林蔵は、そこで背けていた顔を助四郎に向けた。

「助四郎はん」

「何じゃ。林蔵さん、どうでもええが、早《はよ》う八重に会わせとうせ。そして、八重の心の中の理不尽な想いを消しとうせや。約束じゃないがか。金もあるきに」

助四郎はん、と林蔵は助四郎の言葉を遮った。

「ええか。ここが大事なとこや」

林蔵はそう言うと身体を返し、身を屈《かが》めて、廊下に置いてあったらしい何かを手に取った。

聞き覚えのある音が聞こえた。林蔵は振り返りざまにそれを自らの顔の前に掲げた。

それは、一振りの大刀だった。

「な、何じゃ」

それは――。

林蔵は鯉口《こいぐち》を切る。

ぱちりと、音がした。

さっと、部屋に冷気が満ちる。

「抜けば玉散る何とやら――流石《さすが》に」

こいつは切れそうや。

斬れるさ。

林蔵は五寸ばかり刀身を抜き、己の顔に近づけた。

陽を照り返し、刃は冷たく輝いた。

「見事なものや。昨今珍しい腰反《こしぞ》りの打刀《うちがたな》。糠目《ぬかめ》肌《はだ》の地に濤瀾乱《とうらんみだれ》の乱れ紋。隠れた名工、土佐の刀匠助四郎が大刀――そうやね、助四郎はん」

そうだ。

離れて見たって見間違いはしない。

助四郎が打った刀だ。しかし。それが、何故。

「おい林蔵さん。そら、その鞘《さや》その柄《つか》、それは」

人のために打ったものではない。

それは、助四郎自身の――。

「さぞや切れるんやろうねえ」

「あ、当たり前じゃ。おい、いい加減にせや。おまん、それ、何処から持って――」

「そないに切れるからには余程の技が要るンやろねえ。そら何でっか、研ぎ方が違《ちや》いまっか」

「き――鍛え方じゃ」

「鍛え方でっか」

「幾ら鋭く研いだって、刀身が脆《もろ》ければ欠ける。軟らかければ曲がるんじゃ」

靭《しなや》かに。強く。

「刀ちゅうもんは元元は突くもんじゃ。突くには直刀の方が向いちゅう。だけんど、斬るためにゃ反りが要る。形が大事ぜよ。その形に鋼を如何《いか》に鍛えるかじゃ。そして」

そんなことは関係ない。

「打ち方、ゆうことでっか」

「勿論、打ち方も研ぎ方も大事じゃ。じゃが」

「炉の火加減」

林蔵はそう言った。

「な」

何なんだ。

「滾《たぎ》る炉がどのくらいの熱さか、それが肝心と聞いた覚えがありますのんや」

「そ、そらそうじゃ」

「あれ、どないして計りますのん。風呂《ふろ》の湯加減みるような訳には行きまへんやろ。水と違《ちご》うて、沸くゆうこともないんですやろ」

「計ることなど出来ん」

「では――」

「教えられん」

「秘密、でっか」

「そうじゃ。当たり前じゃないがか。そんなもン、軽軽しく赤の他人に教えられる訳がなかろうが」

「お内儀には――どうなんです」

「な、何やて」

「助四郎はん、あんさんは最前、八重様には隠しごとはない――言わはりましたな。せやったらその秘密、炉ォの温度の調節法も」

お教えになったんでっか。

「それは。そんなことは」

教えたか。

いや。

「八重様には隠しごとはせえへんのでっしゃろ」

「か、隠す隠さんちゅうことじゃないがぜよ。そんなもの八重には関係のない――」

「尋ねられたら答えるのとちゃいまっか」

「尋《き》ねられる――」

尋かれたか。

尋かれたかもしれない。

尋かれたら。

――答えたか。

「助四郎はん、あんさんゆうお人はほんまに誠実なお方や。まるで阿呆みたいに誠意《まこと》を尽くしとる。せやけど」

ものには限度いうものがおますで。

限度。限度とは。

「言わんでええことゆうのもこの世にはあるもんなんや。中には隠しといた方がええこともあるんでっせ。ええか、助四郎はん。これが、ほんまの分かれ道やで」

本当のことを八重様に言わはったんでっか――。

林蔵は屹度《きっと》助四郎を睨《にら》んだ。

「い――」

言った。

そう、言った。

それから、それから八重は。

そういえばそれから八重は鬱《ふさ》いで――。

「さよか」

林蔵は刀を鞘《さや》に収めて、敷居を跨《また》ぎ助四郎の前まで歩み寄ると、お返ししますわ、と言ってそれを畳の上に丁寧に置いた。それから金の包みを手に取った。

「それからな、助四郎はん」

「な、何じゃ」

「あんたにとっては当たり前でも、世間様では当たり前やないゆうこともありますで。世の中には、してはいかんことゆうのも」

ありますのやで。

「な、何なんじゃ。八重は、八重に」

「残念やけど、助四郎はん。あんさん、八重様には」

もう会えまへんで――。

林蔵は金を懐に入れるとそう言った。

助四郎は耳を疑った。

「何を言うぞね。もう一遍、言え」

「八重様には会えん、言いました」

「な、何ィ」

助四郎は刀の柄《つか》を摑んだ。

「何を巫山戯《ふざけ》たこと言うちょるんじゃ、おまんは。わしをおちょくっちょるがか。八重は」

八重はどうした。

何処に居る。

「八重様は、この大坂には来てまへんのや」

「来てないじゃと。じゃがおまん、さっき」

「さっきの話は――嘘や」

「何じゃと。それでは今までのこと、凡《すべ》て」

嘘か。

「おのれッ」

助四郎は大刀を抜き放った。

この。

この男は。

林蔵はすっと後ろに退き、再び敷居の外に出た。

「勘違いされたらあかんて。あんさん騙すつもりやったら、こないに時間掛けたり手間掛けたりしまっかいな。ええか、嘘言うたんは、あんさんを驚かしたらあかん思うたからや。あまりにも酷《むご》い話やさかい、あんさんの気持ちを慮《おもんぱか》って吐《つ》いた、親切の嘘やがな」

酷い話だと。

慥《たし》かに、林蔵の様子は変だった。

「八重に――何かあったんか」

林蔵は首肯《うなず》いた。

「実はな、助四郎はん。八重様は連れて来とうても来られなんだんや。八重様は、あんさんが土佐を出た後、すぐに」

殺されてしもた。

「う、嘘を言うなッ」

助四郎は宙を斬る。

「嘘やない。あんさんがあの土地離れてすぐ、八重様は村の者《もん》に――退治されてしもたんや」

「た、退治じゃと」

何を言っているのだこの男は。

「そや。そうなんや。あんさんかて、疑《うたご》うてはったんでっしゃろが。八重様は」

狼やった。

「何じゃと」

「矢張《やは》り人が変わっておられたんです。八重様はけだものになられてはったんですわ」

「あ、阿呆なこと吐《ぬ》かすなッ」

横に払う。風を切る音がする。

「阿呆なことて、そらないわ。先《ま》ず亭主のあんさんが疑《うたご》うてはったんでっせ。村の者かて疑うておったんや」

「む、村の者が八重を疑ってたちゅうンかッ」

「鍛冶屋の嬶《かか》は昔から化ける、あれは人取って喰う狼や、けだものじゃと——陰で言うてたようでっせ」

「陰で——」

「ここんとこ行方知れずが仰山《ぎょうさん》出る、物乞いも、六部も旅人さえも居なくなるゆうて、村人も不安やったんですわ」

「そ、それは」

「イヤ、それが動かぬ証拠《あかし》があったゆうんですわ。八重様を捕まえようとお屋敷に乗り込んだ村人達が見たところ、火ィ落とした炉ォの下から、大勢の人の骨の欠片《かけら》が出たのやそうでっせ。

「噫《ああ》」

それは。

そんな馬鹿な。

「そ、そんなもん、出る訳がないきに。鋼が融《と》ける熱じゃ。骨なんぞ皆、燃えて蕩《とろ》けて散じてしまうが。炭にもならん。塵《ちり》一つ残らん。何一つ」

全部。その刀に叩き込まれまっか。

「いずれにしても手遅れやった。八重様は殺されてしもた。死んでしもたんや。死なれてしもたら連れては来られまへん」

死んだんや。八重様は殺されたんや。

八つ裂きにされて退治されてしもた。

それはわしの。わしの所為《せい》か。いや。

「鍛冶が嬶の子孫は、けだものは」

け、け、け、け、

けだものはわしや。

助四郎は、喉《のど》を突いて果てた。

「これで終《しま》いの金比羅《こんぴら》さんや――」

それが、助四郎が聞いた最後の言葉だった。

後

何が何だか解らねえと六道《ろくどう》の柳次《りゅうじ》は言った。

「おまけに旅籠《はたご》の親爺はかんかんだぜ林《りん》の字よ。畳は血だらけ、一階まで染みてらァ。あら表替えだけじゃ済まねえよ」

心配あらへんと林蔵は軽くあしらう。

「青畳三十枚買《こ》うても釣り銭がたんと来る程に詫《わ》び賃渡しとるんやで。文句ゥ言える立場やないで」

「そりゃそうかもしれねェが、あんだけ役人に出入りされたらよ、商売にも障《さわ》りが出るンじゃねェのか」

叩けば埃《ほこり》の出る旅籠だろと柳次は言う。

それはその通りである。

「まあ多少は不便があったかもしれんけど、その程度のことでいかんようになる店は、この大坂ではやって行けんのんじゃ。それにな、どうせ狸の親爺の息が掛かった宿なんやから」

潰《つぶ》れたかてええわいと林蔵は悪態を吐《つ》いた。

「まあそうかもしれねェが、あれで」

良かったのか、と柳次は尋く。

「お前《めえ》にしちゃ急《せ》いた始末と、そう見えたがな」

「まあなあ」

目の前で死なれたのだから。

「そら、後味も悪いわい。せやけど、此度ばかりは仕方のない幕引きやった、ゆう気ィもしとるんや――」

良かったとは言わない。

でも、林蔵は何処かで予感していた。

だからこそ、刀を渡したのではなかったか。

お前も危なかったのじゃねェかよと言って、柳次は眉を顰《ひそ》める。

「斬り掛かって来たらひと溜まりもねェぞ。見たところあの男相当の手練《てだれ》だぜ。剣術遣《つけ》ェの太刀筋じゃあねえ、あら人殺しの筋だ。余計に悪《わり》ィや。そこはお前だって承知だったろ。何でまた刀なんか渡したんでぇ。あら、わざわざ土佐から文作《ぶんさく》に持って来させたんだろ」

何故だろう。渡すべきだと思ったのだ。

「しかも土壇場《どたんば》であんな嘘までコキゃあがって。何が八重さんは殺されたァ、だ。的《まと》怒らせてどうすんだ。あれじゃあ何とかに刃物じゃねェか。殺しておくんなさいというようなもんだろがよ」

「殺されはせんわ」

そこは、確信していた。

「あの助四郎ちゅう男は悪人やない。狂人とも違うわ。どんだけ頭に血ィが昇ったかて、誰彼構わず斬り刻むような阿呆なことするかい」

「頭に血が昇りゃ何するか判らねェじゃねえか。裏の婆ァだって悋気《りんき》で庖丁《ほうちよう》振り回すぞ」

「そうかもしれんけどな」

助四郎が死を選ぶかもしれぬという予感はあった。

だが、助四郎に殺されるかもしれないという危惧《きぐ》を、林蔵は一切持っていなかった。

「まあいいやイ。用心深いお前《めえ》にしちゃあ、脇が甘《あめ》ェと思ったまでよ。それより林蔵、あの刀鍛冶、ありゃ一体《いつてえ》、何をどうしたっていうんだよ」

限度がなかったんやと林蔵は答えた。

「限度かい」

「限度や。ものごとには限度があるわ。ええか六道。この世にあるもんは皆、毒なんや。良薬も匙加減《さじかげん》間違《まちご》うたら毒薬じゃ。醬油《しようゆ》かてだくだく飲めば死ぬで。量を超せば何だって毒になるんや」

「彼奴《あいつ》は――何の加減を間違《まちげ》えた」

「情愛《なさけ》を掛け過ぎたんや」

余計に解らねェと柳次は言う。

「情愛も掛け過ぎりゃ毒ンなるてェのかよ」

オウよと林蔵は答えた。

「ええか、助四郎はほんまに、心の底から八重はんを大事に大切に思とったんや。出来ることなら何でもしょうと、ほんまにそう思うとったんや」

「彼奴がお前《めえ》に長長語ったこたァ全部真実《ほんとう》だってことか。嘘も誤魔化《ごまか》しもねえというのかよ」

「ない」

それも、林蔵は確信している。

助四郎は、林蔵に対して真情を語っていた。あの述懐に虚偽も韜晦《とうかい》もなかったと、林蔵は信じている。

「あの男は、道を間違うたんやない。ただ行き過ぎただけや。遣り過ぎたんや――」

丁度――。

助四郎が一文字屋に話を持ち込んだ時、機良《おり》く土佐近辺に祭文語《さいもんがた》りの文作が居た。仁蔵がどのように遠方の手下《てか》と繋《つな》ぎをつけるのか林蔵は知らないが、報《しら》せを受けた文作は即座に佐喜浜に行き、探ったのだ。

「女房に岡惚《おかぼ》れしてた与吉、やっかみ半分の嫌がらせをしてたお染、それから助四郎が気に入らなかったらしい叔父の源吉か。そりゃ――皆」

「ああそうや。助四郎が取り除いたんや」

鼠や蜘蛛と同じように。

「殺した——のか」

「そや。殺したんや。それから、銭やら物やらをせびりに来よる山の者《もん》や流れ乞食や、旅の六部や——そういう連中も」

「全部殺しちまったのか」

「そのようやな」

矢《や》ッ張《ぱ》りお前も危なかったんじゃねェか、と柳次は言った。

「何人殺してるてェんだよ。そら相当に血の気の多い野郎じゃねェかよ。まあ、恋女房に執拗《しつこ》く言い寄って来る助平野郎をぶっ殺す——こりゃ聞かねェ話でもねェや。でも、その他はどうなんだよ」

「だから、遣り過ぎなんや」

染は八重の一番の友達だったのだそうだ。

仲違《なかたが》いしたという訳でもなかったらしい。自分より先に嫁ぎ、村一番の幸せ者と評判の八重に対し、軽い気持ちでやっかみを言う——その程度のことだったらしい。加えて、染は助四郎に対して淡い恋心を抱いていた節がある。八重と添うまでの助四郎は、村の中では孤立していたから、口を利くこともままならなかったのだろう。

「お染ちゃんにも困ったものねと、そうゆうたんやそうや、八重はんは」

「それだけで殺したのかよ」

「そや。困ったゆうたから」

殺したのだ。

酷《ひで》ェなあと柳次は言った。

「叔父さんてェのもその程度か」

「そのようやな。まあ、口の悪い酔っ払いなんぞ何処にでも居るわい。親戚《しんせき》のおっさんゆうのは身内の悪口程能《よ》く垂れるもんやろ。鍛冶屋ァ悪く言うたんも、どうもその類いのことやったらしな」

「それで殺されっちまうってなら、その辺の酔いどれ親爺はみんな西向いてらあ。その——旅の六部やら物乞いやらも、何か、家に来た途端にバッサリか」

「そら違《ちゃ》う」

「どう違う」

「来てから殺すのじゃ、遅いのんじゃ」

「ああ。嫁さんが嫌がるのか」

「嫌がるのとも違うねん」

八重は、慈悲深い女であり、寧ろ貧しい者や困った者に施しをしたがっていたらしい。暮らしが豊かなのだからそれは当然のことだと、八重自身は思っていたのだ。しかし、そうはいうものの、財産は総《すべ》て助四郎が稼いだものである。それを施しに遣《つか》ってしまうことには多少なりとも抵抗があったのだ。

ところが、そうした連中は——。

「幾らでも居るんや。なんぼでも来るわ」

「そりゃあ恵んでくれると知れりゃ何処からでも来るだろうよ。すると困るてェのも——そういう困るか」

「そうや。あの助四郎という男は、ほんまに八重はんのこと思うて、八重はんのためにと思うて何でもしとるんや。せやけどな」

本当の気持ちは全く汲んでいなかったのだ。

「見張りつけてな。鍛冶屋に近付く他所者《よそもん》がいると報せが来るようにしとったらしい。で、家に着く前に」

蛞蝓を退治するように。鍛冶が嫗の墓の前で。助四郎は何人も人を斬った。

「まあ、そいつァ慥《たし》かに行き過ぎだ。行き過ぎも行き過ぎ、人の倫《みち》ィおッ外れてやがるぜ。だがな、林の字よ。肝心の八重さんは、それで——喜んだのか」

「喜ぶも何もないわ」

「何故だ」

「与吉もお染も源吉も、旅の六部も物乞いも——ただ消えてしもたんやからな。居なくなっただけや。八重はんにしてみれば、最近物乞いさんが来んようになった、そう思うとっただけやろな」

文字通り。

助四郎は悩みの種を取り除いたのだ。

「亭主が殺したと、その八重さんは知らなかったのか」

「普通そんなことで殺すとは思わんやろが」

「そりゃ思わねェさ。だがよ」

「死んだとすら思ってなかったらしいで。叔父やら幼馴染みやらは、まあ、神隠しゅうのかいな。家出か、山で熊にでも喰われよったか、六部巡礼に至ってはただ数が減ったんやと、そう思とったらしい」

助四郎にしてみれば、それで充分だったのだ。喜ばせようとしたのではない。助四郎は、ただ困難の種を排除しただけなのであるから。

「疑いもしなかったのか」

「そのようやな。まあ、助四郎から或る話を聞くまでは——のようやけど」

「何を聞いた」

「炉ォの火加減や」

「炉って——」

そう。

助四郎は、殺した人間を炉にくべていたのだ。

何じゃいそりゃあ、と柳次は声を上げた。

「珍しい話とちゃうで。あのな、鍛治屋が骸《むくろ》を燃すゆう話は、昔からある話なんや。人の骸にはな、脂やら何やらあるし、骨には燐《りん》があるし、それを入れると」

炉の具合が良くなる——。

そうした言い伝えは東西にあるのだ。

「ほんとかよ」

「話や。イヤ、話やと思とった。与太《よた》で耳にすることはあっても、ほんまにくべたゆう話は聞かん。くべとっても言わんやろし、今日日《きょうび》は難しことやで。でもな——どうもその加減、人の死骸の入れ加減が、乱れ紋刃の助四郎の切れ味の秘密やった——ようやな」

勿論、それだけではないだろう。

ないのだろうが——。

「おい、ほんとなのか。真逆《まさか》、代代炉に死骸《しがい》くべてたってのか」

「先代もしとったのか、それとも助四郎が始めたことなんか——そこはもう判らん。そうするとええ、ゆう謂い伝えくらいはあったのかもしらん。ただ実行するにも無理やろ。骸《むくろ》なんぞ調達でけんがな。けどな、これだけは言えるで。助四郎が人を殺すようになってから」

刀匠助四郎の——評判は格段に上がった。

「刀の出来が良くなった、ってことか」

「そうゆうことなんやろな。偶偶《たまたま》死体が手に入った、だから試してみた、そういうことやったのかもしらん」

「そりゃ死骸も消えェッちまうから一石二鳥だが——能《よ》く暴露《ばれ》なかったもんだな。大体《でえてえ》、刀ってのは二人で打つもんだろ。相方が居るもんなんじゃねェのか」

「助四郎は独りで打ったそうや。親父殿が亡《の》うなって仕方なしかと思たんやけど、そやないらしい。弟子採ってからも大事な仕事は独り打ちだったそうや」

「骸《むくろ》ォ燃すから隠れて独りで打ったってのか」

「元来、独りで打つ作法なのかもしらんけどな」

だから暴露《ばれ》なかった――ともいえる。

「まあ、そらええねん。問題なんは――或る日、八重はんが彼奴《あいつ》にこう尋いたんやな」

どうしてこんなに――。

能く切れる刀が打てるのやろ――。

「助四郎は、女房に隠しごとをせんと誓い、その通りにして来た男や。せやから、正直に答えたんや」

「ば、馬鹿じゃねェのか。そんなこと――」

阿呆だったんや、と林蔵は言った。

「そして、八重はんは凡てを察してしもたんや。与吉もお染も源吉も、皆この人が」

――殺したのじゃないか。

――殺したのだ。

八重は確信した。そして煩悶《はんもん》した。

「でも、どうにも出来んかったんやな。証拠もないし質《ただ》すことも出来ん。それに、恐い。そもそも助四郎に罪の意識は欠片《かけら》もないのや。そこがまた恐い」

「悪いことたァ思ってなかった――ってことか」

「わしに任せとけばええ、もう安心や、わしが何とかしたる、そうした優しい言葉の一つ一つが――」

一気に。

恐ろしい言葉に変わってしまった。

「それで――鬱ぎ込んだのか。八重さんは」

「そのようや。ま、それ以前から、八重はんは亭主の振る舞いが尋常でないことを悩みに思うてはったようや。子供が欲しいゆうて、ハイどうぞて子供買《こ》うて来るような者は、居らん。そらおかしい。おかしいやろ」

おかしいぜと柳次も言う。

「でもな、そこまでは我慢せなあかんと思うたんやそうや。多少変わっとっても、真面目で優しいことに変わりないわ。金も稼ぐし何でもしてくれる。文句垂れたら贅沢や。子供かてそうや。仮令《たとえ》自分が産んだ子ォでなくとも、情かけて育てれば同じこっちゃ――と」

でも、人殺しだけは。

人殺しだけは堪えられなかったのだろう。

「悪気はのうても彼奴《あいつ》はそんだけ殺しとるんや。それでも償うなり遣り直すなり、他にも道はなんぼでもあったのかもしれんが――そこんとこ解らせるんは」

難しいやいなァと柳次は言った。

「ま、八重はんとお子も、真相を知ってしまった以上土佐には帰りづらいやろし、帰っても暮らし難《にく》いやろ。助四郎の遺した金から手間賃抜いたこの二百両渡して、何処か別な場所で暮らしが立つよう、算段するつもりなんやけどもな」

助四郎は己の罪を悔いて死を選んだ――。

そう嘘を吐《つ》こうと、林蔵は決めた。

夜楽屋《よるのがくや》

◎夜楽屋

(前略)丑《うし》みつころに樂屋《がくや》へ入《い》れば必《かならず》怪異《くわいゐ》をみ
るといふことさもあるべきにや
首《くび》は切《きり》て棚《たな》に眼《まなこ》を開《ひら》きうではちぎれて血綿《ちわた》の
くれなゐにそみ怒《いか》れるあれば笑《わら》ふ有《あり》
もと是人《これひと》の靈《れい》を寫《うつ》せし故《ゆへ》也(後略)

繪本百物語・桃山人夜話巻第五/第四十三

壱

首《かしら》が割れた。

これは由由《ゆゆ》しき事態である。首だけ差し替えれば済むというものではない。拵《こしら》えから遣《や》り直さねば、ちゃんと役にならぬ。

役にならぬというより、役を任せられない。

人形というものは、役に合わせて一体一体作り上げるものである。だから人形に関しては役者不足という事態は発生しない。役に合わせて首も手も足も、何もかも最適なものを選び、そして最適な形に拵えて行くのだ。不足などない。

生きた俳優《やくしゃ》ではこうは行かぬ。

衣裳《いしょう》化粧は変えられようが、誰それの顔に誰それの胴を繋《つな》げ、誰それの声で演じさせよなどという真似《まね》は出来ぬ。俳優は、己の技量を磨き役に近付く工夫をせねばならぬのだ。それでも体格までは変えられぬし声音《こわね》とて大きく変えられるものではない。

人形は、組み合わせが自由なのだ。良い節を唸《うな》る太夫《たゆう》と三味線方が居てくれさえすれば、思い描いた通りの役を作り上げることが出来る。

但《ただ》し。

演じるのは人形ではない。

人形遣いだ。

人形は、人形遣いの道具に過ぎない。

人形遣いが力不足であるならば、どんなに丹念に作ろうと人形は死ぬ。それ以前に、力のない人形遣いには、役に敵った良い人形は拵えられない。

首《かしら》も一つ一つ違う。

此度《こたび》は此奴《こやつ》で行こうと決めたなら、一から十まで誂《あつら》えて、きっちりと念入りに拵えなければいけない。胡粉《ごふん》を塗り直し手入れをし、結髪《けっぱつ》をして衣裳を作り手足を選び、そうやって一つ一つ積み上げて、此度の役の姿形を、文字通り作って行くのである。

そうして丹精込めて拵えた最適の首が。

塩谷判官《えんやはんがん》の首が。

割れていた。

藤本豊二郎《ふじもととよじろう》は声も出せなかった。いいや、息も出来なかった。

何やこれは、どないなっとんねんという太夫の声が遠くで聞こえただけである。

後はもう、頭の中が白くなり、音も声も聞こえなくなった。わやわやという漣《さざなみ》のような振動が、頭の芯《しん》に響いていただけである。

命が細る如き心持ちであった。

「ま、また人形争いかいな」

そう言ったのは衣裳方の徳三《とくぞう》であった。その一言で豊二郎は我に返った。

「人形争い――」

「上手に拵え過ぎたのとちゃうか」

慥《たし》かに。

楽屋は荒れていた。

きちんと並んでいる人形は一つもない。皆、床に散乱している。真ん中に塩谷判官が仰向《あおむ》けになって倒れており、その上に高師直《こうのもろなお》がのし掛かるようにして乗っている。

判官の首は入り口の辺りにまで転げていた。

のみならず、額からぱっくりと二つに割れていたのだ。

「寝首掻《か》いたちゅう感じでもないわ。こら、争うとりますわ。松の廊下の逆やで。いつもいつも額斬り付けられとる高師直が逆に斬り付けはって、止《とど》めに首ィ落としたんちゃうか」

「あ、阿呆吐《あほぬ》かせ」

首を拾い上げ、豊二郎は呟《つぶや》く。

「そないなことがあるか」

「い、今更何言うてまんねん。豊二郎はん、忘れた訳やないでっしゃろな。その首ァ――」

「あ、あれはこの首の所為《せい》やない。ええか、人形ゆうのはな、ただの道具や。魂は」

こっちにあるんや――そう言って豊二郎は己が胸を叩《たた》く。

「人形遣いが人形の命なんや。わっしら人形遣いこそが人形の心や。わっしらなくして、人形に命なんぞないわ。人形自体に心なんかあるかい。心のないもんは争うたりせん」

「せやけど――」

「ええか。八年前のあれは、人形が悪いんやない。この首《かしら》には何の罪もないんやで。あら、遣《つこ》うとった名人の念が凝《こご》って人形が動いたのやろ。それが先代に祟《たた》ったいうことやないか。それとも何か、このわっしに、遣う人形が割れてまうような邪念があるとでも言うんか」

そやないそやないと徳三は言う。

三味線方の勇之助《ゆうのすけ》が割って出た。

「まあ、困ったことやから気ィが立ってるのは解るけど、豊二郎はんも落ち着きや。此度《こたび》割れたんはあんたの首なんやないかい。あんたの言う通りやとして、なら悪念があんのんは」

何やのその言い種《ぐさ》は、という怒鳴り声が聞こえた。

楽屋口の暖簾《のれん》を分けて米倉巳之吉《よねくらみのきち》が顔を覗かせた。

「せやったら何か。このわしに悪心があるとでも言うんかい勇之助はん。師匠の先代巳之吉同様に、わしが二代目豊二郎を邪魔に思うておるとでも言うんか」

「そうやないて」

「そう言うてるのと同じやないか。高師直遣うのはわしやど。わしの悪心が乗り移って塩谷判官の首刎《くびは》ねたと、そういうことになるやないか」

そないなことはないとゆうてるやないかと勇之助は泣きそうな声を出す。

徳三が顔を歪《ゆが》める。

「ない——て言うがな、勇《ゆう》さん。せやったら、八年前のことはどうなる。あン時は人が死んでおんねんど」

「それとこれと一緒くたにするからややこしことになんねん。八年前のことは八年前のことやないか。此度は此度やと、そう言うてまんねん」

お前等《ら》が掻き混ぜてどないすんねんと、今度は太夫の杉本兼太夫《すぎもとかねたゆう》が割って出た。

「まあ、大事《おおごと》や。大事やけど此度は人やない。首切られたんは人形でっせ。前みたくお奉行所の手ェ煩《わずら》わせることもないやろ。話が違《ちや》う」

「イヤイヤそうはいかんやろ。慥《たし》かに人は死んでおらんし怪我《けが》もないわ。けど、何もなかった訳やないで。これが人形同士の争いやないとしたなら——や。こら、人の仕業ゆうことになりまっしゃろ。そやったらお役人に届けなあかんのと違いますか。この惨状は、こらただ事やないわ。白波《どろぼう》か、然《さ》もなきゃわてらのことを良う思うてない何方《どなた》かの嫌がらせやないですか」

そうやけども、と兼太夫は言う。

「少しは落ち着かんかい徳三。勿論《もちろん》賊が居るンなら捕まえて貰《もら》わなあかんのやけども、わたいが言うてんのは、そういうことやないのんや。こら人殺しとは違《ちや》うやんか——いうことでんねん。ええか、モノ壊すんと人殺すんは雲泥の差ァなんやで。人殺しは取り返しのつかんこっちゃけどもな。ええか、こら人形や。人形やったら替えも利くやろ」

「替え——」

替えなど利くかと豊二郎は怒鳴った。

「この芝居の塩谷判官は此奴なんや。此奴以外にこの役はでけんのじゃ」

「そうは言うても豊二郎はん、そこまで壊れてしもたらば、もう直すのは無理やで。人形方に尋《き》くまでもないわ。継いで塗ったかて元通りにはならんて」

無理やろかと、幾人かが屈《かが》み、豊二郎の持っている首《かしら》を見た。こら無理やなと、豊二郎の手許《もと》を覗《のぞ》き込んだ形の巳之吉が言った。

「豊さんよ。こら駄目や。お釈迦《しゃか》や。別の首で拵えなあかんやろ」

「別の首なんぞないわ」

「仰山《ぎょうさん》あるやないか。検非違使《けんびし》はそれだけやないで」

「これは――これ一つや」

そう。

この首は特別だ。

豊二郎にとって、この首は何ものにも替え難《がた》い宝のようなものである。この首で拵えた人形は、豊二郎そのものだ。否、それ以上なのだ。

動く。生きる。豊二郎は人形を操り、役を演じさせているだけなのだけれども、この首で拵えた人形は、役を演じるのではなく、役そのものになってしまう。

豊二郎は塩谷判官を演じさせているだけなのに。

この人形は、塩谷判官そのものになってしまう。

「この首は天下にこれただ一つなんや。巳之《みの》、お前も主遣《おもづか》いやったらそのくらいのこと解るやろ。替えなんぞないんや。わっしは、此度の興行、これでのうては塩谷判官は演《や》れん」

豊《とよ》さんよと巳之吉は顔を上げる。

「我《わ》が儘《まま》言うたらあかんわ。誰かが割ったのか、勝手に割れたんか知らんけども、現に割れておるやないか。そら直らんて。それ解っとってその言い様は、興行降りる言うてんのと同じことやないか。こらお前さん一人の芝居と違うんやで。童《ガキ》やないんやから、駄駄《だだ》捏《こ》ねるんやったら別の者立てるしかないで」

「誰にでもさせればええがな」

「そういう了見かいな。見損のうたで豊二郎。首一つでそないなみっともない振る舞いすんのやったら、何処《どこ》へでも去《い》ね」

何言うてんねん、と兼太夫が大声で言った。

「どっちゃもこっちゃも頭冷やしィな。あンな、巳之吉はん。藤本豊二郎抜きでどんだけ客が入ると思とんねん」

「わし一人では客は入らんと言うんか」

「そうは言わんわ。そら巳之吉はんかて名人上手と評判の当代一の人形遣いやで。せやけども此度は巳之吉豊二郎の二枚看板が売りなんやないか。ええか、巳之吉はん、この豊二郎はんの他に、あんたと張り合える名人が居《お》るゆうのか」

「張り合うて――」

別に張り合《お》うてるつもりはないと巳之吉は言う。

それは豊二郎も同じ気持ちである。巳之吉と並ぶつもりはない。芸は――。

――自分の方が上だ。

豊二郎はそう思うている。ただ、人形遣いの芸は当人だけで生み出せるものではない。左遣い足遣い太夫に囃子方《はやしかた》、そして人形――その凡《すべ》てが一体となることで芸は究《きわ》まるのだ。

それが人形浄瑠璃《じょうるり》というものである。

この首《かしら》がなければ――。

何処から誰引っ張って来る言うのやと兼太夫は巳之吉に言った。

「豊二郎はんの他に誰が居る。あんたの名ァと釣り合う名人が何処に居る言うねんな。まっと格上引いて来るんか。言いたくはないけどな、名前だけ大看板でも爺《じじ》どもはもう芸が錆《さ》びておるわ。渋《しぶ》うて花ものうて、あんたの芸とは合わん。此度は何としても若手の芸達者でのうてはいかんのんじゃ。それとも何か、左遣いから誰か上げる言うのんか。誰が居《お》んねん。我こそはと思うもんが居るなら、名乗り出てみい」

誰か居るんかと兼太夫は大声で言った。

返事はなかった。

楽屋の中に居る者も、廊下に立っている者も、押し黙ってしまった。

それは当然だろう。

豊二郎に敵《かな》う者など――。

——否。

もう。

「もうわっしはでけん」

「まだ言いなはるか。豊二郎はん」

「いいや。有り合わせの首使《つこ》うて拵えたかてその場凌《しの》ぎにもならん。わっしはこの首でのうてはあかん。そんな急拵えの人形では」

——巳之吉に負ける。

「そんな芸は見せられへん」

「演目変えたらどないだす」

徳三が怖《お》ず怖《お》ずと言う。

「その、別の——娘の首遣《つこ》うて演れるような狂言に変えたならでんな」

今更変えられるかいと、今度は巳之吉が言った。

「わしはな、もう気持ちが入っとんねん。高師直ンなっとるんや。こら幾度も演っとる芝居やし、稽古《けいこ》かて出るもんの気ィ合わすだけのこっちゃないか。演目変えたら日がないわ」

「どないせえちゅうんじゃ」

勇之助が泣き声を上げた。

「みなで勝手ばかり言いよってからに。八方塞《ふさ》がりやないか。壊れたもんは戻らんのやで。そないにガタガタ言うんやったら、座元に掛け合って止《や》めにして貰うしかないやんか」

「そや。止《や》めや」

豊二郎はそう言った。

「もう止《や》めたらええんじゃ。童《ガキ》でも我《わ》儘《まま》でも何でも構わん。もうええわ。何とでも言え」

出来んものは出来ンわいと豊二郎は怒鳴った。

「何やと」

「何でもええ言うとるんや。こんな気ィの合わん連中とはやってられん。いいや、わっしは」

この首《かしら》がないのなら。

もう。

「待っておくんなはれ」

能《よ》く通る声だった。ただ余り聞き覚えはない。

豊二郎が視軸《しじく》を投じると、つるりとした面体の狐のような男が立っていた。

林蔵《りんぞう》さん、と徳三が呟《つぶや》いた。

「林蔵て、お前さん、慥《たし》か――」

「へえ。この間から衣裳方にお世話になっとります林蔵でおます」

「縫子《ぬいこ》かい」

「縫子と違います、この林蔵さんは――」

兎《と》に角《かく》、中止《やめ》はあかんと林蔵は言った。

「新参がごしゃごしゃ口ィ出すな。話が余計に見えんようになるわ」

「いいや、ここは口出さして貰いますわ。ご一同、失礼やけども、目ェが曇ったはるンと違《ちゃ》いますか」

　何やと、と一同が気色ばんだ。

「誰の目ェが曇とる言うねん」

「見なはれ、これ」

　林蔵は荒れ果てた楽屋を示す。

「これが人の仕業やとして、や。なら——こりゃ何や」

「何やて、見ての通り——」

「見ての通り——何ですのん。この有り様ァ、物盗《ものと》りでっか。何か失《の》うなったものでもありまへんのか。ここは金蔵と違いまっせ。銭も何もあらしまへん。帳場に尋いても何も盗まれとらん言うてましたがな」

「だから、これは」

　人形争いでっか、と林蔵は言った。

「ほんまに人形同士が争うたのやったら、こら仕方がないわ。争いの元は此方《こちら》の世のこっちゃない、彼方《あちら》の世の話や。せやけど、そうでなかったなら」

「なかったら——何や」

「誰か人が為《し》たことやとして、なら、こりゃ何を目当てに為たことや思われまっか」

「何て」

一同は顔を見合わせる。

「考えるまでもないことやないですか。せやから目ェが曇ったはる言うてますのんや。ええですか。先程徳三はんが言うてはったやないですか。こら、どう考えても私等《わてら》のこと良う思うとらん何者かの仕業や。でも、ただの嫌がらせやないですわ。ここまでですンのやし。豊二郎巳之吉の名人二人を仲違《なかたが》いさせて、此度の興行を邪魔したれ、止《や》めさせたれ——いうことやないんでっか」

そうなのかもしれない。

「なら、中止したら敵さんの思う壺《つぼ》と違いまっか」

がやがやと一同が騒めく。

兼太夫が林蔵の前に出た。

「お前《ま》はんの言うことはよう解る。解るけども、どないもならへん。この首《かしら》がなくては豊二郎はんは演《や》れん言うておるのんじゃ。而《しこう》して豊二郎はんの代わりなんか何処にも居らん。人形の替えもない。演目変えるんは、巳之吉はんが嫌や言う。ま、慥《たし》かに仕込み直しは他の者《もん》にもキツイわ。なら千日手《せんにちて》やないか。誰の仕業か知らんけども、お前《ま》はんの言う通り思う壺に嵌《は》まったるしかないやんか」

「納得行きまへんな」

「せやけど」

「その首、直らんのやったら——作ればええ」

「作るて――阿呆なこと言うな。首なんぞ然《そ》う然《そ》う作れるかい。大体な、立派な首は他にもまだたんとあんねん。でも豊二郎はんは、これでのうてはあかんと」

「せやから」

それを作《い》ればええんでっしゃろ。

「何やて」

「他の首やから駄目なんですやろ。そうですな、豊二郎はん。せやったら、その首を作ればええのと違いますか」

此奴《こいつ》気ィが違《ちご》とるのやないかと勇之助が言う。

「言うてることが解らんわ。そら何か、寸分違《たが》わずに同じものを拵える、ゆうことか」

如何《いか》にも、と林蔵は言った。

巳之吉が鼻で嗤《わら》った。

「阿呆くさ。あのな、首いうのはな、ただ作るのかて何日も掛かるんやで。そもそも仰山《ぎょうさん》あるよって、作ることは少ないのんじゃ。手入れするだけや。それで何年も何十年も保《も》っとるのやないか。新しゅう作ることなんか滅多《めった》にないわい。職人かて居《お》らんわ。阿波《あわ》の人形師でも連れて来《こ》ォ言うんか」

止《や》めや止めやと巳之吉が言って、場の気が散じそうになったその時――。

「居るんですわ」

と林蔵は言った。

「居《お》るて――何がや」

「職人ですわ。しかも、ただの職人と違いますで。そやな。あんさん方――坂町《さかまち》の小右衛門《こえもん》ゆう名前、聞いたことありまへんか」

「小右衛門――て」

ああ、知っておるでと兼太夫が言った。

「そらあれやろ。江戸の人形師やろ。坂町ゆうたかどうか忘れたけども、慥《たし》か、生き人形やら拵える、大層な名人やと――」

「へい。十年前に拵えた生き人形が余りにも見事な出来栄《できば》えで、見事過ぎてお上がその腕前を畏《おそ》れ、手鎖《てぐさり》まで掛けたゆう――その小右衛門や」

「ああ、わし観ましたわ。その十年前の生き人形」

勇之助が声を上げた。

「わし、丁度その頃、江戸に居りましたんや。あら慥か、無惨修羅場《しゅらば》の芝居仕立てやったと思うが――うん、あら名匠やろな。そりゃもう、この世のもんやないような、鬼気迫る仕上がりやったが――その、小右衛門がどないしたちゅうねん」

ああ、と続いて巳之吉が声を上げた。

「あの首《かしら》――」

「首がどないした。その――小右衛門は、浄瑠璃人形の首も作るゆうんか」

オウと巳之吉は上の空で答えた。

「その男――元は四国の出ェやないのか。そう聞いた覚えがあるで。わしは昔、阿波でその男の作った首を観たんや。思い出したわ。あれは――そら惚《ほ》れ惚《ぼ》れするよな首やった。譲ってくれ言うたら、千両貰《もろ》ても否《いや》や言われたわ。しかし――わしの聞いた話やと、その小右衛門は江戸を所払《ところばら》いになったとかならんとか、いずれその後の行方は知れンと聞いとるがな」

「今、この大坂《おおざか》に居りまんねん」

林蔵はそう言った。

「その小右衛門がか」

「その小右衛門はんが、ですわ。あのお人やったら、二日もあればそっくりそのまま作れまっせ。あの首でもこの首でもない」

その首を。

――この首を。

豊二郎はざっくりと割れた塩谷判官の顔を見る。

その男に会わせてくれと豊二郎は言った。

弐

小右衛門は気難《きむずか》しそうな男だった。

余計なものは何もない、実にすっとした面持《おもも》ちではあるのだが、ずしりとした重みがある。

調度の何もない剣術の稽古場のような板間《いたま》に、人形師は微動だにせず座っていた。

——好ましわ。

豊二郎はそう思った。

へらへらがたがた喧《やかま》しいのは嫌いだ。

威張る奴も、遜《へりくだ》る奴も好かぬ。だから武士《さむらい》も商人《あきんど》も豊二郎は嫌いだ。

真正面に座り、丁寧に頭を下げた。

「人形遣いの二世藤本豊二郎でござりまする」

返事はなかった。

顔を上げると、一言、

「品は」

と——問われた。

はあ、と言うと、背後から林蔵が、首《かしら》のことでっせと言った。

「この方は強面《こわもて》やけど、筋の通ったお方や。怒っとる訳やないわ。子細は話してあるよって」

首──。

「首はここに──」

包みを開ける。差し出す。拝見、と言って小右衛門はあの、豊二郎の命とも言える首を、その武骨な腕で摑《つか》み上げた。

「ああ」

声を上げてしまう。心配ありまへんと林蔵は言う。

小右衛門は爛爛《らんらん》と輝く眸《ひとみ》で首を見据えた。矢で射るような視軸である。豊二郎は己の胸が射《い》貫《ぬ》かれたような気分になる。

「これは」

小右衛門は短くそう言った。

「直りましょうや」

「直すことは出来ぬ。継いで傷を消したところで、この首はもう元の首ではない。遣えまい」

「さよか──では」

もう。

小右衛門は今度は豊二郎に眼を向けた。

「ただ、同じものを──作ることは出来よう」

作る――。

「ほ、ほんまでっか」

「但《ただ》し」

「但し――何ですやろ。そ、その首《かしら》が戻るんやったらわっしは何でもします。金かて、なんぼでも」

金など要らぬと小右衛門は言った。

「要らんやて」

「ああ」

「そら――どういうことです。失礼やけども、銭は払わして貰いまっせ。江戸者は、二言目には上方者は銭に汚いなどと腐しまっけども、銭は働きの証《あか》しや。働いた分は貰う、貰《もろ》た分は働く、それが当然のことやとわっしは思う。わっしはこの首に千両万両、それ以上の価《あたい》を見出《みいだ》してますのや。それを戻してくれるいうなら、そんだけ払うのが道理でっせ」

解っておると小右衛門は言った。

静かだが、威圧的だ。

「案ずるな。掛かった分は戴《いただ》く。それに儂《わし》は江戸者ではない。草深き山に暮らす田《でん》舎者だ。田夫野人《ぶやじん》故、銭の値打ちも解らぬ。だがお前さんの執心は――」

痛い程に解る、と人形師は静かに言った。

「執心でっか」

「ああ。人は、往往にして形あるモノに心を奪われるものだ。人は衰え、やがて死ぬ。それは承知しておる。一方で人は、モノは不変と思うておる。移ろい行く時に逆ろうて永遠に残ると思うておる。だが、それは勘違いだ。慥《たし》かに命なきモノは死にもせぬ。しかしモノも必ず壊れる。朽ちる。失われる。天地の間に不変のものなどない。執着を持つ者が先に死ぬか、モノが先に壊れるか、そのどちらかだ」

小右衛門は割れた首を豊二郎の眼前にぐいと突き出した。

「どうじゃ。これは――壊れておる」

豊二郎は眼を伏せた。

「そや。壊れてますわ。せやからここに来てるんやないでっか。あのな、わっしの朋輩《ほうばい》もあんたの噂は知っておった。身ィを隠して十年から経って、尚《なお》衰えず其処此処《そこここ》で伝えられる程の名声や。こらほんまの技量なんやろ。あんたがその評判通りの腕前なのか、そもそも本物の小右衛門はんなんか、それは判らん。せやけど、それはもうどうでもええことなんや。それと全く同じモノが作れるのやったら、わっしは――何でもしますで」

「ふむ」

小右衛門は豊二郎の顔を見据えてから納得したような、呆《あき》れたような声を出した。

「お前さんの執着は、生半《なまなか》なものではないようだな」

「それが何ですの。何やの。で――どうなんや」

元通り全く同じものが作れるんでっかと、豊二郎は問うた。前に乗り出す。問い詰める。

「どうなんや」

「同じものを作ることは」

造作もないことと小右衛門は言った。

「ぞ――」

造作もないとは。

「ほ、ほんまか」

「ひとつ尋く」

「何です。何を焦《じ》らしますねんな」

「この首《かしら》、傷を受けたは一度ではないな」

「何と――」

「、、、最初の傷はどうする」

最初の傷て何ですのんと、背後から林蔵が尋いた。

「それは――」

「判らぬように、実に巧みに修復されておる。しかし右頬から一直線に――」

刀傷があると小右衛門は言った。

「大刀《かたな》ではない。脇差《わきざし》か、小刀《こがたな》のようなものだ。突き出された刃が掠《かす》めたのであろう」

そ。

「そこまで――お判りでっか」

「判らねば作れぬ」

「今まで見抜いた者は居りませぬ。それを一目で」

　恐れ入りましたと豊二郎は平伏した。

「あなたはただのお方やない。今までの無礼千万な物言い、何卒《なにとぞ》ご勘弁くださりませ。わっしは、正直申し上げてあなた様の技量を疑《うたご》うておりました。どうせ出来ンのやろと、高ァ括《くく》っておったんや。それでも、もし出来たならそん時は占《し》めたもんと、そう思うて此処《ここ》に参ったんでございます。甚《はなは》だ失礼——致しました」

　そんなことはどうでも良いと小右衛門は言った。

「此度のこの傷——これはもう傷ではない。割れて削《けず》れておる故、直す術《すべ》がない。人であるなら——死んでおる。だから作り直すとすれば、この傷を受ける前に戻すしかあるまい。しかし最初の傷はどうする」

「どう——するて」

「最初の傷も消すのか。つまりこの首が無傷であった頃に戻すのか、それとも最初の傷も復元するのか、そこを問うておる」

「き、傷も復元するんでっか——」

「傷を付ける訳ではないぞ。傷を修復した形に作るのだ。寸分違《たが》わずに戻せと、そこの林蔵は申した」

「そらそうでっけど——」

「同じように作れ、ではない。元に戻せという依頼なのだ。ならば同じようなモノではなく同じモノを作らねばならぬのであろう」

「それはそうでっけど」

「似たモノと同じモノは、まるで違うぞ」

「同じモノ――でっか」

「似ているというのは同じではないということだ。外見が全く同じであっても、重さが違えばそれは別のモノ。いずれかがいずれかの偽物ということになる。儂は元に戻せ、つまり本物を作れという依頼を受けた。そうであったな」

「へえ――」

それはそうなのだが。

「お前さんが人形師だと小右衛門は続ける。

儂も人形遣いなら」

「見た目を同じにすることはいとも容易《たやす》い。人の目を欺くことは簡単なことだ。だがお前さんは人形遣い――人形を遣う者なのであろう。人形は謂《い》わば手であり足であり、お前さんの血肉だ。重さ硬さ色形、湿り気から匂いまで、その僅《わず》かな差異が大きな違いとなる筈。だからこそ問うておるのだ。この古傷は」

生かすか消すか。

――古傷。

「そこまでお出来になるのでっか。いや、して戴けるのでっか」

「出来ぬことは引き受けぬ」

「お引き受け下さいますのやな」

こうして会《お》うておることが引き受ける意思の表れだと小右衛門は言った。

「扨《さて》、如何《いかが》致す」

「わっしが主遣いとしてその首《かしら》を使えるようになったのは、最初の傷が出来た後のこと。傷を直し、綺麗《きれい》に修復して、それからその首はわっしの手に馴染《なじ》み腕に馴染み、仰せの通り血肉となったのでござります。ならばその古傷は」

「既にこの首の一部なのだな」

わっしにとっては——と豊二郎は再度頭を下げた。

「無傷の頃は触ることもしておりまへん」

「承知」

小右衛門は音も立てずに立ち上がった。

威丈夫である。

「首は預かる。材を調達して参る。一日、此処でお待ち戴く。林蔵——」

へい、と林蔵は畏《かしこ》まった。

「お世話を」

お待ち下されと豊二郎は立ち去ろうとする小右衛門を引き止めた。

「い、今、一日と仰せにならはったが、それはその、材料をお探しになるのに一日、という意味でっか」

「いいや」

「では」

「一日で作るという意味だ」

「一日で――」

「そうでなければ待てとは申さぬ」

人形師はそう言い残し、逞《たくま》しい後ろ姿を見せて板間から消えた。

「い、一日で――」

ほんまか、ほんまのことかと、豊二郎は残った林蔵に問うた。林蔵は取り澄ました顔で、あのお方が言うんやからほんまでっしゃろうなと答えた。

「まあ、恐ろしいお方やで」

「信じられへん。細かい細工もあるやろし、木ィは乾き具合やら何やらあるやろ。胡粉塗るのかて、一日やそこらで巧《うま》いこと行くものやないで。天気かて」

「まあ、お天気は具合ええのんと違いまっか。梅雨時やったらこうは行きまへんやろ。あのお方はそこまで読んで言うてはるに違いないですわ」

「本当に」

出来るのか。

あの首《かしら》が。

あの——傷が。

「林蔵はん——いうたか。あんた、ほんまはどういうお人なんや。あの小右衛門はんとはいったいどんな仲や」

「私《わて》だっか」

私《わて》は帳《ちよう》屋《や》が本業だすと林蔵は言った。

「帳屋て、筆やら何やら売るあれか」

「へえ。まあ、この御時世、不景気やさかいそれだけでは喰えんよって、小間物も扱わして貰《もろ》てますし、細工もん錺《かざり》もんなんぞも扱いまんねん。南蛮玉《なんばんだま》なんぞも揃えられますの。で、衣裳方の徳三はんが、持ち道具やら飾りものやら、拵えものに要るゆうて、前前からご贔屓《ひいき》にして貰てましたんや」

「帳屋がそないなもの扱いまんの」

「ま、うちだけかもしらんけども、そこはそれ、私《わて》はもう、童《ガキ》の時分より義太夫節《ぎだゆうぶし》には目のない質《たち》なんや。せやからもう、本業そっちのけで作りもん手伝《てつど》うたりしてましてん。何たって私《わて》の作ったお道具が、天下の藤本豊二郎やら米倉巳之吉に使われるんでっせ。こら、身ィも入るいうもので」

そんなものなのか。否、そうなのだろう。

世話になっていたのやなと言うと、滅相もないと林蔵は畏まった。

「私《わて》の拵える小物は、この世では偽物だす。嘘や騙しや。小そうて、使えんものばかりや。でも、舞台の上では本物になる。あんさんの操る人形が持てば、その時は本物なんや。扇子は充分に風を起こし、斬れぬ脇差が人を斬る。」

「こら、浄瑠璃狂言が好きな者には堪りまへんわ。無上の喜びや。命のない人形が生きて虚構《うそ》が真実《まこと》になる。」

「なる程な。その気持ちは、わっしにも解る。先代の芸を初めて観た時——わっしもそう思うたわ。最初に観たんは苅萱桑門筑紫《かるかやどうしんつくしの》 轢《いえづと》やった。あら、見事なもんやったで」

嘘が真になる。

ならば、真は嘘になる。

人よりも小さな、命も何もない木偶《でく》人形が、人のように振る舞い、泣き笑い怒り、命の遣り取りをする。

つまり生を得る。

舞台の上では生なきモノが生を得る。

操っている者は——。

黒衣《くろこ》、つまりは居ない者となる。

豊二郎にとって、それ程素晴らしいこと、素晴らしい場所はなかった。

「私《わて》が最初に豊二郎はんの主遣い観たのは」

一谷嫩《いちのたにふたば》軍紀《ぐんき》やったでと林蔵は言った。

「まあ、そんな具合で。あの小右衛門はんはね、私《わて》が世話になっとる、さるお方の客や。あの方は、長らく北林《きたばやし》に隠遁《いんとん》してはったんやそうで、この度《たび》思うところあって、大坂に出て来はったらしいですわ。まあ埋めておくには勿体《もったい》ない腕や」

そう言うと、林蔵は立ち上がり、物入れの、重そうな木扉を開けた。

中には、娘が居た。

「これは――」

いや。

「人形か。いやいや、これは紛《まが》う方《かた》なき人形や。人形やけども――何や、何故に」

操る者も居らぬのに。

「こら、まるで生きてるようや。いや、生きておるがな。これが――生き人形ゆうもんかい」

生き人形やおまへんと林蔵は言った。

「違うんか」

「生き人形は生きた人間の偽ものや。大きさから色艶《いろつや》から毛穴まで、人に似せて作らはるんやそうで。でもこら、そうやない。こら、ただの人形ですわ」

慥《たし》かに、人ではない。

白い肌は胡粉。眼も鼻も唇も作り物。

それでも、この娘は生きている。

「勿体ないですやろ」

「勿体ない言う話やないわ。しかしこれは、こんな凄《すご》いもんは——わっしには」

操れん。

人が操らずともこれだけで出来上がっている。

そうでっしゃろなと林蔵は言う。

「こら、あんさん方のような立派な方方の操る人形やおまへん。大道芸の、山猫廻《やまねこまわ》しの人形やそうで」

「や、山猫廻しやて」

「そうらしいですわ。一段高い処《ところ》で操るのやない一段低い処で遣うものやそうで。謂わば卑《いや》しい芸やと」

「そ、そんなことは関係あらへん。こら」

魔性や。

妖物や。

豊二郎は背筋を冷やす。

「こんなもん——作れる者《もん》がこの世にはおんねんな」

鳥肌《さぶいぼ》立ちまっしゃろと林蔵は言う。

「あの小右衛門さんゆう人は——もしや人やないンと違うか」

「笑《わろ》うて、自分は天狗《てんぐ》のようなものやと仰《おっしゃ》ってましたけどな。それより豊二郎はん」

林蔵は扉を閉めて、戸板に顔を向けたまま問うた。

「さっきの、古傷て何ですのん」

「それは――」

「楽屋で皆が言うとった、八年前の人形争いて何のことですの。私《わて》は、多分その頃、一寸子細《ちょいとわけ》ありで、上方から落ちて東の方に居りましてん。せやから何があったのか、まるで判りまへんのや」

教えて貰えまへんかと林蔵は言った。

「座敷に御膳《おぜん》が調《ととの》えてありますわ。あんさんはいずれこの館で一日過ごして貰わなあかん。そちらで――」

林蔵は手を差し延べた。

参

豊二郎は、元の名を末吉《まつきち》という。

末吉は摂津《せっつ》の貧農に生を享《う》けた。

その名の通り六人兄姉《きょうだい》の末で、本来は間引かれる筈《はず》の子であった。

しかし末吉は情けを掛けられたのではない。親が間引き損《そこ》ねただけなのだ。

可惜《あたら》生命力が強く、末吉は中中死ななかったのである。そして、口を押さえても死なぬ強い子を捻《ひね》り殺す程、末吉の親は強くなかった。

一家は本当に貧しかった。喰うや喰わずという常套句《じょうとうく》があるけれど、真実飯が喰える日は何日かに一度だった。飯は毎日喰うものだと知ったのは、長じてからのことである。

末吉は——。

死ぬ筈の子や。

間引き損ねの子や。

生き意地の汚《きたね》ェ子や。

穀潰《ごくつぶ》しィの要らん子や。

何でおんどれはそんな可愛らし顔して飯《まま》欲しがるねんお人形やったら良かったのにな黙って座っておるならええ子やのに泣いて糞垂《ばば》れてからにほんま――。

お人形やったらええのに。

死んでくれればええのに。

みんな、そう言った。

兄も姉も祖母も父も。

母までも。

そういうものだと思って過ごした。だから、ひもじかったが悲しくも侘《わび》しくもなかった。油も蠟燭《ろうそく》もなかったから夜は只管《ひたすら》暗く、竈《かまど》の烟《けむり》も立たぬ日が多かった。家族は誰一人笑わず、腹が減るから怒ることもなく、泪《なみだ》も涸《か》れていたのか泣くこともなかった。

凡《およ》そ。

人とは思えぬ暮らしであった。

やがて。

兄や姉は、下の方から死んで行った。

姉は上の方から売られて行った。祖母も死に、母は病に斃《たお》れ、父は――居なくなった。

逃散百姓《ちょうさんびゃくしょう》になったのだろう。野垂れ死んだのかもしれなかった。

みんな、死んでしまった。

畑も枯れた。

役に立たない末吉だけが、いつまでもただ飯を喰って糞をするだけの、死に損ないの末吉だけが、それでもぽつんと、一人だけ生き残った。

何もなかった。

食い物も蒲団《ふとん》もなかった。

家に居ても死ぬだけだと思った。

末吉が家を出たのは、多分八つの頃である。

放浪し、草の実や木の根を喰い、施しを受け、時に盗みを働き、末吉は生き延びた。

生き延びたけれど、生きて居ただけだ。いや、生きていたのかどうか怪しい。その頃の記憶《おぼえ》が豊二郎には余りない。

朦朧《もうろう》としていた。

死にかけていたのかもしれない。

否、本当に死にかけたのだ。二つ冬を越し、草が芽吹く頃のことだ。飲まず喰わずで三昼夜歩き詰め、そして末吉は気を失った。

何処で行き倒れたのかも覚えていない。

死にかけの猿のような童《こども》を拾ってくれたのが、先代の藤本豊二郎であった。

そして——。

末吉は十歳で、人形遣いの下働きになった。

養子になった訳ではない。弟子ですらなかった。

末吉は、使えない下働きだった。先代豊二郎はその頃はまだ若手で、弟子も幾人かは居たのだが、そう多くはなかった。それ以前に痩《や》せこけた乞食《こつじき》の子が人形遣いになるなどと、誰も思わなかった筈だ。

それでも先代は、行き場のない飢えた子供を野に置き去りには出来なかったのだろう。

先代豊二郎は慈悲深い人だったのだ。

その慈悲深さに、しかし末吉は余り応《こた》えはしなかった。

末吉は笑わず、和《なご》まず、馴染まずに、いつも独りで過ごした。

優しくされることの意味が末吉には解っていなかった。言い付けは守ったし、不平も言わずに働いたけれど、言われぬことはしなかったし、親切にされても礼は言わなかった。

何より。

命を助けて貰ったという大恩に対しても、末吉は一切礼を述べていないのだ。一言の礼も述べぬまま恩人は逝《ゆ》き、現在《いま》に至っているのである。

だから。

後から聞いた話だが、子供の居なかった先代は拾った末吉を養子にしようと考えていたらしい。悪い子ではないから養子にしたいと、周囲に相談していたという。だが、末吉は養子にはならなかった。

そんな態度であったから。

周囲が反対したのだろう。

そうではないのかもしれない。

もう判らない。何も判らない。

先代もまた、寡黙《かもく》な人ではあったのである。死んでしまえば余計に真意《きもち》など知れない。

その頃の末吉は、蒲団で寝ることにすら抵抗を覚えたものだった。だから、まま寝所を抜け出して、土間で眠った。飯も最初のうちはまともには喰えなかった。三度三度飯を喰うことが申し訳ないことのような気がしていたのである。

誰に申し訳ないと思うたのか。

死んだ兄姉《きょうだい》か。母か父か。

そんなことは、多分ない。

今思えば――。

親には恨みこそあれ、恩などない。

兄姉も、哀れとは思いこそすれ、感謝する謂《いわ》れはない。

捨てられた殺された、そうした扱いを受けていた方がまだましだった。生かすは生かして生き殺《ごろ》し、詰《なじ》れるだけ詰り、捨てはせずとも世話もせず、とっとと先に逝ってしまった血縁《かぞく》どもなど、知ったことではないと思う。

それでも末吉は、朝昼晩と飯が喰えるということそれ自体に、何故だか大きな背徳《うしろめた》さを感じていたのだった。

自分と同じような。

死んだように生きているのだろう顔も知らぬ者どもに対して申し訳が立たないと、そう感じていたのかもしれない。

そんなだから、情けを掛けられても慈しみを注がれても末吉という器は底抜けで、手応えのない、まさに木偶《でく》の坊のようなものであった筈である。

末吉が変わったのは、十二の時だった。

拾われて二年が経っていた。その年、初めて末吉は自分を拾ってくれた人の舞台を観た。

人形は屋敷にもあったから何度か目にしていた。触れたこともあったと思う。

だが、それが動く様——それを動かす様は、その時に初めて観た。

涙が止まらなかった。

先代の芸は、素晴らしいものだった。

そして。

末吉はその時に、ぐるりと裏返ったのだ。

動かぬ筈の木の塊——人形はその頃の末吉にとってただの木屑《きくず》に過ぎなかったのだ——が。

生きている。

なる程、生きているとはこういうことか、と思った。

末吉は生きるということを人形芝居から学んだのである。

人形どもは、時に哀しげに時に愉《たの》しげに、或る時は猛猛《たけだけ》しくまた凜凜《りり》しく、啀《いが》み合い睦《むつ》み合い、憎み合い助け合い、そして——生きて、死んだ。

生まれて、生まれ放《はな》しで死に体《てい》で、ただ死なぬというだけで、笑いもせず泣きもせず怒りもせずに僅《わず》かな飯を喰って僅かな糞をひるだけの自分とは、まるで違っていた。

これが真実《ほんとう》なんだと、末吉は思った。

自分の方が虚構《うそ》なのだと。

その日。

末吉は殆《ほとん》ど初めて自分から、恩人に対して言葉を発した。

凄い凄い素晴らしいもっともっと。

もっとたくさん。

——人形芝居が観たい。

先代豊二郎は大いに驚き、そして喜んだ。

それから一年の間、末吉は毎日浄瑠璃狂言を観た。

何度観ても飽きなかった。観れば観る程にのめりこんだ。嘘の実《まこと》に、末吉は取り憑《つ》かれてしまったのである。

十三になり、末吉は正式に弟子入りを願い出た。

先代は快く申し出を聞いてくれた。これ程嬉《うれ》しいことはないと、泪まで流して。

貧農の子末吉は、その日、藤本豊吉《とよきち》と名を変えた。

それから豊吉は黙黙と修業を積んだ。

初めて人形を持たせて貰った時、豊吉は余りの嬉しさに丸二日眠れなかった程である。

暫《しばら》くは人形の手入れをし、やがて舞台作りの手伝いをさせられ、黒衣の恰好《かっこう》をさせて貰うまでに四年掛かった。十八で足遣いになり、二十歳で一人遣いの人形を任された。二十八で左遣いに昇った。

筋が良い、組み易いと、主遣いの兄弟子も師匠も豊吉を褒めた。

褒められても驕《おご》ることなく、豊吉は拾われた暗愚な小僧として振る舞い、ただただ言われるがままに従い、芸を磨いた。

だが。

そこからが長かった。

首《かしら》を持たせて貰えない。

主遣いになり首を持たねば、結局人形を遣っていることにはならぬのだ。足も手も、主遣いの手足に過ぎない。足は足、手は手で演じることなど出来はしないのである。

主遣いの気を汲《く》み、息を窺《うかが》い、動きを読んで、その手となり足となる。それだけである。

しかし文句はなかった。

それで不平を言うような性質は、最初から持ち合わせていない。ただ、首を持ちたいという強い想いだけはあった。

首を持ち、人形を操って、そこで虚実は反転する。

そうして初めて自分は人になるのだと、そう偏《ひとえ》に豊吉は考えていたからである。

でも、それはまだ先だ。

自分はまだまだ、
人ではないのだと――。

豊吉はそう思っていたのであった。

あれは――。

そう。

仮名手本忠臣蔵《かなでほんちゅうしんぐら》だった。

先代藤本豊二郎が塩谷判官。

そして先代米倉巳之吉が高師直。

出番は別の幕だったから、その時豊吉は久し振りに桟敷《さじき》で観た。何度も観ているし、主遣いではないものの、幾度も演じた演目ではあったのだが――。

圧倒された。

憎げで威圧的な師直の重重しい演技。

そして師の演ずる判官の、何と表情豊かなことか。

人形遣いは役を演じている。だが操られている人形の方は、既に演じているという域を越えていた。舞台の上では本物の愛憎劇が繰り広げられていた。人形が憎み合い罵《ののし》り合いぶつかり合い、本当に心を通わせていた。演じている筈の人形遣いは、真実舞台の上から消えていた。

完全に――。

裏返った世間がそこにあった。

「世に迫真の演技——と、謂いまんな」

豊二郎は語る。

「迫真ゆうたら世間では褒め言葉なんやろけど、そうやとしても、迫真ゆうからにはこれ、真やない、ゆうことですやろ」

へえと林蔵は答えた。

「先程、小右衛門はんも言うてはったけど、似てるもんは本物と違う訳ですやん。似てるゆうことは、同じやないちゅうことや。それと同じこっちゃ。迫真ゆうのは、真に迫るゆう意味やから、真そのものやないんや。八年前のあの芝居は、迫真やのうて真やった」

「まこと、いう意味でっか」

「まこと——そやなあ」

判官の口惜《くちお》しさ。

師直の憎憎《にくにく》しさ。

「舞台の上の人形は、ほんまに人形として生きておったんや。せやから」

「人形争い——でっか」

林蔵は茶を注ぎ乍《なが》らそう言った。

「私《わて》はよう知らんのやけども、その人形争いゆうのんは、人形が勝手に争う——ゆうもんなんでっか」

「勝手に——か」

「能《よ》く謂いましゃろ。能く出来た人形は操る者が居なくとも己の意志で動くて。さっきの娘人形かて動きそうだったやないでっか。怪談噺《ばなし》や。人形が仕舞《しも》うてある夜の楽屋に入ると必ず怪しいことが起きるて、私《わて》は脅かされましたで。ま、到底信じられへんことやけども――」

それは嘘や。

豊二郎はそう言った。

「嘘て」

「人形は人の形をしておるわ。わざわざ人に似せて作るんやから。それが、ずらっと暗い中に並んでおるんや。そんなとこ見てみ。ぞっとするわ。それだけや」

「それだけ――でっか」

それだけだろう。

「ま、実際に人形遣うとる者にとっては、あれは道具や。モノに過ぎん。モノは動かん」

動きまへんわなあと林蔵は言う。

「まあ、少なくともわっしはそう思とる。人形に命はない。命のないもんに意志《きもち》はない。意志のないもんは動かれへんわ」

じゃあ人形争いゆうのは何なんでっか、と林蔵は問うた。

「みな、見間違いか、此度《こたび》のような嫌がらせゆうことなんでっしゃろか」

「そら違う」

「せやけど、動かへんのでしょう」

「動く」

「動くんでっか」

わっしらが動かすと豊二郎は言った。

「掴《からこ》うたらあかんて。そら、手ェで操《あやつ》りゃ徳利でも下駄でも動きまんがな」

「そやない。ええか、人形は身体やで。いや、人形には身体しかあらへんのや。謂わば、屍《しかばね》と一緒や。屍ゆうのは、あら魂が抜けておる身体な訳やろ」

「死んでますからな」

林蔵は少し笑った。

「魂が入っとるうちは、人は屍やない。魂があればそれは生者やろ。人形かて同じことなんやとわっしは思う。わっしら人形遣いはな、人形の魂なんや。心なんや。命なんや。わっしらが舞台の上で不可視《みえん》のは、わっしらは舞台の上には居《お》らんからや。出遣《でづか》いで顔晒《さら》しても、わっしらは客には見えン。見えぬ約束や。そらわっしらが人形の魂だからや」

魂込めればモノは動くでと豊二郎は言った。

「仏作って魂入れず謂いますやろ。言うたら何やが、仏さんかて木作りやで。あら木っ端《こっぱ》でっせ。せやけど仏師が丹精《たんせい》込めて彫って、御坊が真摯《しんし》に祈り込めればそれに応じた霊験を顕《あらわ》すものや。木っ端が有難《ありがた》い仏さんになるんやわ。あれは、木っ端が有難いのやない。入魂やら開眼《かいげん》やらした御坊の心が入るのやないか。それに祈る衆生の気持ちが込められますのやろ」

「祈れば込められるもんでっか」

祈るだけでは駄目やと豊二郎は思う。

「込めるモノの形は大事や思う。出来の良い悪いの基準は色色やろけど、少なくとも仏さんの形をしておらんかったら、仏さんにはならん」

「なる程——そうでんなあ。奈良の大仏さんかて鋳潰《いつぶ》してしもたら銅の塊や。そんなもん有難《ありがた》がるな難《むずか》しいですわ。すると、人形も同じやと」

そう。

不出来なものに魂は入らぬ。

「人形はな、まあ木と胡粉と布と、そういうもんで出来た、モノや。何度も言うがモノは動かん。わっしらは人形を操るけども。操り難《にく》い人形ゆうのはありますわ。逆に、すうと動くものもある。左遣いも足遣いも一体となって、こう、ふうと動かせることもある。こら、主遣いの技量と、人形の出来が嚙《か》み合《お》うた時にそうなるんやわ」

出来——でっかと林蔵は喰い付く。

「相性みたいなもんもある訳やろか」

「相性なあ——」

それはあるかもしれぬ。

「まあ、いずれ巧《うま》く操れた時、わっしら人形遣いは人形と、まあ月並みな言い方やけど一つになっておる訳や。身体は人形や。心はわっしらや。わっしら人形遣いはそうした時、自分が消えてのうなりますのや」

「消える――」

「客にも見えン。そら、わっし自身が消えておるからや。巧く操れた時いうのは、人形遣いは人形の腹の中に注がれておるんや。魂としてな」

そら何ですかと林蔵は少しばかり震えたような声を発した。

「その、あんさん方の、何というか、霊を注ぐゆうことでっか」

「まあ」

言葉は判らんと豊二郎は答えた。

「せやから、ええ人形を名人が使うと、その――注いだ霊やら魂やらが残るのや。

「残るて、人形にでっか」

「そうや思う。あのな、ほんまに上手に演《や》れた時にはな、魂半分取られたようになるんや。あれは――」

残ってるのや。

「魂があれば」

「動く――いうことでっか」

動くこともあるかもしれぬ。いや、動いてもおかしくないとは思う。そうは思うが。

「人形が勝手に動くのとは違う。人形は勝手には動かんのや。動くとしたら、人形遣いの念が残っているのやと思う。昼の舞台を繰り返しておるだけや」

「人形遣いの念でっか」

そうやと答えた。

「その昔な、野呂《のろ》松三左衛門《まつさんざえもん》いう人形遣いが居ったそうや。野呂松いうたら間狂言《あいきょうげん》で野呂間《のろま》遣《つこ》うて評判取った勘兵衛《かんべえ》が有名やけども、その人もそやったのかもしれん。或る時この人の遣うとる人形を誰かが跨《また》いだんやて。ほたら瘧《おこり》に罹《かか》ってもうて、どないもこないもならんようになった。で、人形に詫《わ》びたら、けろっと治った謂いますねん。これな、人形粗末にしたらあかんゆう話で伝えられるんやけども、事実《ほんま》やとして」

祟ったな三左衛門本人や思うと豊二郎は言った。

「何でそうなりますのん」

「繰り返すけど人形はモノや。ま、商売道具やから大事にせなあかんし、跨ぎ損ねて踏んだりしたら壊れるよって、跨いだりはせんほうがええんやけども、跨いだかて人形は何とも思わんわ。思う心がない」

跨いで怒るのは人形遣いや。

「自分の人形粗末にされたら腹ァ煮える。呪ったろくらいは思うわ」

「なる程ねえ」

林蔵は考え込んだ。

「すると」

「そや」

「八年前の人形争いいうのは――」

「そうなんや。あら、見事な舞台やった。今でも眼ェ閉じたら思い出せるわ。人形遣いは完全に居なくなっとった。人形が――」

判官が。師直が。

「拵えも、芸も、何もかも、言うことのない神業みたいな舞台やった。だからや、と思う」

「魂が残ったんでっか。先代の豊二郎はん、そして先代の巳之吉はんの」

そうなのだろうか。

「わっしは知らんかったのやけど、初日の夜から何やら怪しいという話は出ていたようや。夜中、楽屋でひそひそ話し声がするやら、ごとごと鼠《ねずみ》が駆け回るような音がするやら、そんな話や。で、まあ鼠が首《かしら》を齧《かじ》ったりしたら、こら大変やから、衣裳方が夜中に覗《のぞ》いた。ほしたら」

「動いていたんでっか」

豊二郎は首を振った。

「動かんて。ただ塩谷判官の人形――あの首で拵えた人形やな。それが床に落ちておった。当然きちんと並べたった筈やのにな。それから、人形争いがあるいう噂が立ったんや。でも、まあ、片付けた楽屋が朝になって来てみると多少散らかってる程度でな」

「昨夜のようなことはなかったと」

昨夜――。

割れた顔。

「いや、あんなことはない。実際、興行はきちんと行われたんや。大評判やった。中止になったんは——千秋楽だけやった」

その。

最後の日。

最初に楽屋に入ったのは、誰だったか。

「どないに——なってたんです」

「まあ——荒れとった。此度の嫌がらせと同じように荒れとった。人形は床に散乱して」

高師直が。

塩谷判官に伸《の》し掛かっていた。

刀を突き出し、襲い掛かったような形で。

刀は判官の頰を掠めて——。

その。

「刀はな、その判官の下に倒れとった、わっしの師匠、先代豊二郎の喉笛《のどぶえ》に——突き刺さっておったんや」

刺さる筈のない竹光《たけみつ》の刀が。

寸暇《ちょっと》待っておくんなはれと林蔵が止めた。

「刀て、小道具の刀でっしゃろ。あないなものが刺さりまっか。まあ、傷くらいは付くかもしれんが」

「刺さってたんや」

先代は事切れていた。

「どういうこと――なんやろ」

「さあ。奉行所も首を傾げてたわ。まあ、丁度な、人形を操っておる最中に、まあ人形の面《おもて》に向けて刀が突き出されたとしてみ」

豊二郎は腕を伸ばす。

「人形がこう、躱《かわ》すわな。人形は上手く躱したとしても、後ろには――居ない筈の人形遣いが居るやろ」

そう。

居ない筈の。

人形の目には見えない人形遣いが。

「それでこう、勢い余って、刺さった――ような具合やった」

「人形の身代わり――でっか」

「もう大騒ぎや。役人は来る目明かしは来る、当然舞台は中止や。お客さんは騒ぐし、もう人《ひと》集《だか》りでな、二三日収拾がつかんかった。それからもかなり長いことわやになって、暫《しばら》く葬式も出されへんかった」

「下手人は」

「居《お》らん」

「居らんて──捕まっとりまへんの」

「捕まえようがないやないか。下手人は──」

舞台の上には居らぬ。居るのは。

人形や。

「高師直や」

んな阿呆なと言って林蔵は座り直した。

「あんさん、人形は勝手に動かんて言うてはったやないですか。魂入れな──て、つまり」

「そや。それは、その前の日の公演の巳之吉──先代米倉巳之吉の動きやってん」

「いや、せやけど師直は刀抜きまへんやろ」

「抜かん。抜いたら芝居にならん。松の廊下やさかいな。刃傷《にんじょう》に及ぶのは塩谷判官や。普通やったらな」

「普通や──なかったので」

「そうや。あら、迫真やのうて、真やったんや」

解りまへんと林蔵は言った。

「どういうことだっか」

「考えてみ。あんた、いきなり斬り付けられて助かろう思うたらどないする。逃げるか刃向かうか。いずれ必死になるやろ。額割られて、そのまま止め止《や》め言うて泣くだけか。武家やったら抵抗するわ。あの時は、斬り付けられた師直が判官の手首取って、突き返したんや」

「そ、そんなことしたら浄瑠璃と合わんようになるやないですか。段取り変えたら無茶苦茶ンなりまっせ」

「それが」

合っていた。

「ぴたりと合《お》うておったのや。二人の名人の息もぴたりと合うておった。それだけやない。太夫の語る浄瑠璃も、囃子方も何もかも、ぴたりと合うておったのよ。斬り付けて手ェ取られてエイと一突き、さっと除《よ》けて足蹴《あしげ》にし、二の太刀浴びせようと――」

覚えている。

あんな松の廊下はない。後にも先にも――あれだけだ。

「人形がその時の所作を覚えておった――そうとしか思えん。先代が何故に夜の楽屋に行ったのか、それは判らん。もしや怪しい物音を聞いたのかもしれん。それで、操る者が居らんのに争う人形の姿を見られたんかもしらん。で――」

「己の人形を」

「止めようとしたのか、操ろうとしたのか、そらわっしには判らん。でも、あれは」

突かれて。

除け損ねて。

「お奉行所もそれで納得したんでっか」

する――訳がない。

「そら、あの神業のような芸を観た者の語り草ゆうだけや。実際にそれで通る訳がないわ」

詮議《せんぎ》は厳しかった。

疑われたのは――。

「先代の巳之吉はんやった」

「段取り変えたからでっか」

「遺恨ありと、誰かが吹き込んだのや。まあ、名人同士、多少の悶着《もんちゃく》はあったようやけど、そらいずれ芸の上のこっちゃ。そんなこと根に持つようなお人やない。それは――みんな解っておったのやけど」

他に下手人らしき者は居なかった。

しかし豊二郎――当時の豊吉は、正直言って下手人の詮索には関心がなかった。

死んだのは師匠で、恩人でもあったというのに。

その恩人は、人形と同じ魂なしになってしまった。

そして、その屍の上に、もう一つ、別の屍が乗っていた。

人形の如くになってしまった恩人は、人のように振る舞える人形を抱いて死んでいたのだ。

豊吉の心《きもち》は、そのもう一つの屍の方に注がれたのである。

豊吉は。

人形を直した。

師匠の方は直らない。二度と戻らない。

でも塩谷判官の扮装《ふんそう》をした検非違使の首《かしら》は――直る。生きる。

首は直った。寸分違わず元通りになった。

そして豊吉はその首を使うために必死で精進し、翌年主遣いに昇り詰めて、二代目豊二郎になったのだ。

一方。

先代米倉巳之吉は、自害した。

疑いは晴れず、かといって決め手もなく、詮議はいつまでも続いた。世間からは下手人扱いをされ、座元からは敬遠されて、先代巳之吉は舞台に立つことは疎《おろ》か人形に触ることすら出来なくなっていたのだ。

堪えられなかったのだろう。

豊吉が豊二郎を襲名した半年後のことである。

結果、上方の人形浄瑠璃は名人上手を相次いで二人までも失うこととなったのだ。

誰もが惜しんだ。

掌《てのひら》を返したように惜しんだ。

惜しまれるだけの芸だった。

しかし惜しむくらいなら疑いの目など向けるべきではなかったのだろう。少なくとも身内だけは信じてやるべきだったのだ。

しかし、遅かった。

口祥《くちさが》のない世間には、矢張《やは》り巳之吉が下手人であったのだ、だからこそ死を選んだのだなどという埒《らち》もない噂を流す者も居た。事実疑われていたのは巳之吉なのであるし、その容疑は晴れていなかったのであるから、これは仕方がないことだろう。けれども、殆《ほとん》どの者は、その死を大いに悼《いた》んだ。

一年後、息子の由蔵《よしぞう》が二代目を襲名した。

先代の忘れ形見だからというだけの理由で名を継いだのではない。それまであまり芽が出ていなかった由蔵は、先代の死を契機《きっかけ》に精進を重ね、たった一年で父親を凌ぐ名人に育っていたのである。

「八年前のことは」

だから人形争いの結果ということに落ち着いたのやと豊二郎は言った。

「そう思わな、もうどないもならん。人形同士の争いに巻き込まれて人形遣いが命を落とした――そうしとくのが一番ええのんや。技を磨き、芸を究《きわ》めた名人が、しかも二人も死んでおんねん。人の仕業とするよりも、人形の仕業とした方が収まりがええ――いうだけのことなんや。だから、誰も何も言わん」

「信じてるゆうよりも、信じたいと思とるゆうことでんな」

そうなんやろなと答えた。

そんな――。

済んでしまったことはどうでもいい。今は。

あの。あの首《かしら》が。

「その、先代が亡《の》うなった時に付いた傷ゆうのが――最初の傷ゆうことでっか」

林蔵は己の右の頰を人差指《ひとさしゆび》ですっとなぞった。

「ああ」

豊二郎はそう短く答えた。

それからは、会話も途切れた。

窓のない小振りの座敷には昼も夜もない。刻《とき》を告げる鐘も何も聞こえない。行燈《あんどう》はずっと点《つ》き放しだ。

林蔵は何度か出入りしていたが、豊二郎は一度厠《かわや》に立っただけだった。

そのうち別の膳が用意され、酒も出た。林蔵の振る舞いだということだった。連れて来られた時は動転しており、割れた首のことしか考えられないでいたから何とも知れなかったが、どうやらこの建物は寮か何かなのだった。通好みの金持ちが作りそうな館である。

やがて別の座敷に床が延べてあるからお休みをと言われた。迚《とて》も寝る気にはなれなかった。

どれくらい待っただろう。

気配が朝を告げた。

女が襖《ふすま》を開けた。廊下は既に明るくなっていた。

導かれるまま豊二郎は廊下を進み、最初に小右衛門と対面した、広い板間に至った。

同じ場所に人形師は座っていた。

豊二郎は、居ても立ってもいられなくなり、駆け寄るように近付き、姿勢の良い人形師の真正面に座った。

「こ、小右衛門はん、で、出来たンでっか」

小右衛門は首肯《うなず》いた。

「ど、何処や。首《かしら》ァ何処に」

何処にあるのだ。

「待ちなさい」

小右衛門は右腕を真横に延ばした。

「な、何ですのや」

「藤本豊二郎さん――でしたな」

「そうやが」

「この首――ただのモノではないぞ」

小右衛門はそう言った。

「ただのて、何を言うてまんの。早く――」

「昨日も申したが、あんたが人形操る人形遣いなら儂は人形生み出す人形師だ。この首がどのくらいの業に浸っておるかくらいのことは手に取るように判る。予《あらかじ》め申しておくが、儂はその業も含めて作り戻した」

「何やて」

「慥《たし》かにモノには魂がない。だからそれだけでは動くものではない。だが、古《いにしえ》より――器物百年を経て霊威を為《な》すと謂う。魂なきモノも齢経《としふ》りしなば――精《せい》を得、鬼神《きしん》と変じて動くものと心得られよ」

「巫山戯《ふざけ》たらあかんて。お渡ししたあの首はそないに古いもんと違う。しかも、新しゅう作り直しとるやないですか。さあ、早く戻しとくなはれ」

新しくはないと小右衛門は言った。

「何もかもを復元したのだ。この首に纏《まつわ》り付く昔も想いも、何もかもだ。だからこそ気を付けられよと申し上げておる。良いか。陰陽の気乱れ、六道四生逆《ろくどうしせいぎゃくじゅん》順の境にある時、モノまた相《そう》剋《こく》の理《ことわり》に乗る。動かぬものが動き、死せる者が生きる。その時は――人形遣いも人形に遣われることになろう。努努《ゆめゆめ》、これに遣われぬよう」

お気を付けなされいと言って、小右衛門は。

首を差し出した。

首は――。

肆

首《かしら》は、完璧《かんぺき》だった。

形も色も重さも艶も、湿り具合も乾き具合も、持ち心地触り心地も、匂いまでもが復元されていた。

これもまた神業のようだと思った。

慥《たし》かに似たモノではなく、同じモノだった。

豊二郎は大いに昂《たか》ぶった。本当に何万両くれてやっても良いと思うた程である。しかし小右衛門は十両で良いと言った。即金で支払った。念のため二十五両を用意して来ていた。

たった一日で。

戻る筈のない首が戻った。

誰もが驚いた。あり得ないことだと唸《うな》った。

しかし、これは現実だった。

一時は中止まで考えられていた此度の興行であったが、この首のお蔭で一切が仕切り直しとなったのであった。結局は稽古日が二日ばかり喰われたというだけで済んだ。

まるで。

生まれ変わったような気分になって、豊二郎は人形を繰《く》った。

巳之吉も負けじと奮い立った。

そして舞台の上が、虚構が真実になった。

初日から大入りであった。

満足行く出来でもあった。

連日連日、客は沸《わ》き、評判は鰻《うなぎのぼ》登りに上がった。

豊二郎は、生きていることに初めて感謝した。自分はこのために、人形を操るために生を享けたのだと、豊二郎は噛み締めたものである。

座元も喜んでいた。座員も満ち足りていた。

ただ。

おかしなこともあった。

夜の楽屋で、音がする。気配がする。

またぞろ人形が争っている。

そんな噂が立った。

八年前と同じだった。

演目も同じ、演者も同じ――それぞれ代は替わったものの、豊二郎巳之吉の顔合わせなのである。しかも八年前を上回る仕上がりであるとの大評判なのである。

人形にも。

魂が籠《こも》る。

無理もないことと、世間は言った。八年前も起きたのだ、この仕上がりで何か起きない方がおかしいとまで言った。

霊が入れば争いもしよう。その仇敵《かたき》同士が同じ楽屋で休むのだ。争うなという方が無理であろう――と。

その噂は瞬《また》く間に広がって、芝居の評判は益々《ますます》高まり、藤本豊二郎の名声は、米倉巳之吉の
それと共に天下に轟《とどろ》いた。

生なき木偶を人より生かす人形遣い――。

そう、謳《うた》われた。

でも。

そんな訳はないのだ。

人形が勝手に動く訳はないのだ。

動く訳がないではないか。人形はモノだ。

林蔵に対しては動くこともあるというようなことを語った豊二郎だが、実のところ、あれは方便である。嘘だ。木作りの首《かしら》と手と、布を纏《まと》っただけのモノが動く訳がない。魂などは入らない。入らないモノは残りもしない。ならば生きるも動くもない。

絶対にない。

人形芝居は、嘘である。人形は、嘘の世界のモノである。そうでなくてはならないのだ。その嘘が、豊二郎の技で真実《まこと》になる。豊二郎が操ることでのみ木偶人形は生きるのだ。そうでなくてはならないのだ。

裏返しの世界を。

裏返す。

生きる価値もない、何もない世の中をまるごと嘘にしてしまう——豊二郎はそのために人形を繰るのである。動くこともあるかもしれぬ——と、そうしておいた方が都合がいいから、だから豊二郎は嘘を吐《つ》くのだ。魂が残るなどというまやかしを言うのだ。

人形の心は、魂は、命は、人形遣いそのものだ。

人形遣いなくして人形はただの木っ端に過ぎぬ。

遣い易い、お気に入りの木っ端が欲しいだけだ。

それでこの世は裏返る。

操る者が居らぬのに勝手に動く人形などは決してない。ある訳がない。それは、豊二郎が一番能《よ》く知っている。だから、天地が引っ繰り返っても——。

人形争いなどない。

八年前も。

そんなものはなかったのである。

夜に音を立てていたのは——。

豊二郎なのだ。

どうしても主遣いになれなかった豊二郎は、人形が操りたくて操りたくて仕方がなかったのだ。左遣いでは駄目なのだ。左遣いは心ではない。

主遣いの手だ。

豊二郎は名人上手の舞台を観て、心底主遣いに憧《あこが》れて、焦《こ》がれ焦がれて堪らなくなって、夜な夜な楽屋に忍び込み、勝手にあれこれ操っていたのである。

それだけだ。

それが八年前の人形争いの正体なのだ。

だから。

此の度もそうなのだろうと、豊二郎は思っていた。

左遣いか足遣いか、もっと下の見習いか、いずれ誰かが為《し》ていることだ。そうに違いない。考えるまでもないことだった。ただ、人形争いにしておいた方が都合が良いから――。

豊二郎はずっと黙って、見て見ぬ振りをしていた。

その方がいいと思った。

案の定評判を呼び、興行は大当たりになっている。

だから、これでいいのだ。そう思いたい者にはそう思わせておけばいいのだ。所詮舞台の外側は、裏返った豊二郎にとっては丸ごと――嘘なのである。

だから放っておいたのだ。

いや――それ以前に、豊二郎は人形を繰ることが楽しくて愉《たの》しくて悦《たの》しくて、仕方がなくなっていたのである。何処の誰が何を為《し》ようと何を言おうと、もう、そんなことはどうでも良かったのだ。

〽惣躰《そうたい》貴様の様な
内に計《ばかり》　居る者を
井戸の鮒《ふな》じやといふ譬《たとへ》が有《ある》
聞ィて置カしやれ
彼《かの》鮒めが僅《わづか》　三尺か四尺の井の内を
天にも地にもない様《やう》に思ふて
不断《ふだん》外を見る事がない
所に彼《かの》井戸がへに釣瓶《つるべ》に付ィて上ります
それを川へ放《はな》しやると
何が内に計《ばかり》　居る奴《やつ》ぢやによつて
悦《よろこ》んで途《と》を失ひ
橋杭《はしぐひ》で鼻を打て
即座《そくざ》にぴり〱〱と死《しに》ます
貴様も丁度《てうど》鮒と同じ事ハ、〱〱と出《で》放題
判官腹に据兼《すへかね》

〽こりゃこなた
狂氣《きやうき》めさったか
狂氣狂氣狂氣めさったか
イヤ氣が違ふたは師直シヤこいつ武士を捕《とら》へて氣違ィとは出頭《しゆつとう》第一の高師直ム、すりや今の悪言《あくごん》は本性よなくどい〳〵又本性なりやどふするオ、かうするか
かうすると
かうすると抜討《ぬきうち》に
抜き打ちに。
〽烏帽子《えぼし》の頭《かしら》二つに切レ
手を取って。
突く。
除ける。
払う。
また斬り掛かる――。
この動きは。
これは八年前の――。
〽抜《ぬけ》つ潜《くゞ》りつ迯《に》ゲ廻る折もあれ

八年前と同じ動きだ。

スゴイ。

スゴイスゴイ。

スゴイスゴイスゴイスゴイ。

それは、千秋楽の一日前のことだった。

巳之吉は突如段取りを変え、豊二郎はそれを自然に受けた。

人形は——。

舞台の上で生きた。

後のことは覚えていない。

豊二郎は完全に消えていた。この世からすっかり消え去っていた。豊二郎は人形の心になった。魂になった。そして人形は生きた塩谷判官になった。

気が付くと幕は引かれていた。

満場の喝采《かつさい》が響き渡っていた。

その夜。

豊二郎は眠れなかった。自分が完全に消失し、人形の魂になった、あの感覚が忘れられなかったのだ。幾度寝返りを打とうとまるで楽にならなかった。身体は火照り顳顬《こめかみ》は脈打ち、寝酒を浴びても一向に酔いもせず、眼は益々冴《さ》えた。落ち着かない。何か足りない。そう——。

自分には姿形がない。

人形が。

嘘の身体が欲しかった。

豊二郎は寝床を抜け出し、そして――。

芝居小屋に向かった。

そうか。この心持ちなのだ。この、何ものにも代え難《がた》い情動《きもち》なのである。八年前、先代もきっとこうだったのに違いない。この高揚感《たかまり》こそが、先代を人形の元へ、夜の楽屋へと誘ったのに違いない。

やっと判った。何故あの時、先代が楽屋に現れたのか――が。

夜な夜な騒ぐ人形の怪、その正体を見極めに来た訳ではなかったのだ。

抑えられなかったのだろう。

間違いなくそうなのだ。それでなくては、あの態度は怪訝《おか》しい。

先代もまた、人形争いなどという馬鹿げた噂を鵜呑《うの》みに信じてはいなかった筈である。ならば、八年前の騒ぎの時も、当然何者か人の仕業と見抜いていたことだろう。

だから。

その犯人を懲らしめるためにあの夜先代はやって来たのだと、豊二郎は今の今までそう思っていたのである。しかし懲らしめるつもりであるならば、千秋楽の前日という日取りは妙なのだ。考えるまでもなく、止《や》めさせようと思うならもっと早くに来るだろう。

どうでも良かったのだ。そんなことは。

先代もまた、あの夜抑え切れぬ情動に駆られて楽屋に吸い寄せられたのに違いない。

人形を操りたかったのだ。

早く。早く首《かしら》を。人形を。

そして豊二郎は八年振りに夜の楽屋に忍び込んだ。

石を打ち行燈に火を入れる。

朦《もう》と浮かび上がる。

人形が。

人形がある。

いいや、この木偶じゃない。こんな出来損ないじゃない。与勘平《よかんぺえ》。鬼一《きいち》。老女形《ふけおやま》。娘。陀羅《だら》助《すけ》、源太《げんだ》。孔明《こうめい》。傾城《けいせい》。金時《きんとき》。蟹《かに》。又平《またへい》、於福《おふく》。若男《わかおとこ》。

違う。

——わっしの人形。

豊二郎の身体。

塩谷判官に拵えた検非違使《けんびし》。

手に取った。その途端に豊二郎の姿は消える。世間は裏返り、嘘が真実になる。

「ああ。わっしの——」

その時。

ぬうと影が動いた。楽屋全体が歪《ゆが》んで見えた。

あれは。

高師直が居た。

「だ――」

誰だ。そうか。今の人形争いの正体か。それならば、それは――。

「誰だ。お前は」

左遣いか足遣いか。それとも真逆《まさか》、巳之吉か。巳之吉も豊二郎と同じ状態《こころもち》なのか――。

「あなたは」

師直は言った。

「豊二郎師匠やないですか」

「だ、誰や。何をしとる。誰なんや。お前が――」

「へえ」

わっしが人形争いの噂の正体でおます――と、其奴《そいつ》は言った。

「わっしは、人形が遣いとうて遣いとうて、こないして夜な夜な」

「解っとる」

そう。あの夜、先代もそう言った。そうなのだ。

八年前――豊二郎が人形を操ろうとこの楽屋に忍び込んだその時、先代は既に楽屋の裡《なか》に居て、このように、正にこのように判官の首《かしら》を手にしていたのだ。

師匠と其奴は言った。

「こらええ機会や。お願いや。わっしは、どうしても首《かしら》ァ操りたいンですわ。頼むで師匠。拝むで師匠。何卒、わっしを主遣いに上げてんか」

「何やとォ――」

「わっしは首が遣いたいんや。ほんまにほんまに遣いたいんや。首でのうてはあかんのや」

手も。

足も。

厭《いや》じゃ。

こんな、泥みたいな、生きてても死んでても変わりない世の中なんぞ裏返してしまいたいのや。わっしは生まれたのが先ずいかん言われて生きた。何故死なん死ね死ねと言われて生きたんや。死んで産まれるべきやったんや。だから、この世はわっしにとってはあの世や。わっしの生はあの世彷徨《さまよ》う亡魂《ゆうれい》なんや。せやから身体が欲しい。主遣いンなって、あの世とこの世と引っ繰り返したいのんや。せやから師匠、その、その首をわっしに呉《く》れ。わっしに、その判官の首を呉れ――。

豊二郎の脳裡《のうり》に、八年前のあの夜の己の言葉が在《あ》り在《あ》りと甦《よみがえ》った。そう。豊二郎はこの、塩谷判官の首が欲しかった。欲しくて欲しくて堪らなかったのだ。

「お、お前なんぞには百年早いッ」

それは――。

八年前の師匠の言葉だ。

「思い上がるのもええかげんにせえ。誰や知らんけどな、お前の芸などまだまだカスや。犬の糞みたいなものや。どうして主遣いなどさせらるるもんかい」

これもそうだ。

そっくりそのまま、言われた言葉だ。そう言われた時、豊二郎は——。

「そんなことおまへんで」

そう。そう答えた。

「どう違うゆうんや」

「師匠——わっしは、名人に負けぬ腕でこの人形操る自信がありまっせ。そや、本日の巳之吉師匠のあの芝居、あの段取り変えた即行芝居、あの芝居を——間合いから動きから、寸分違《たが》わず演《や》ることだって出来るんでっせ」

「何やと——」

まるで同じだ。

この科白《せりふ》。八年前の自分《おのれ》の科白。どうや、どなんやお師匠はん、豊二郎はん、何ですのんその顔は。わっしなんかが上手に演ったらいけまへんか。そら、死にかけの水呑《みずの》みの子ォやからでっか。間引かれ損ねの死に損ないやからでっか。それでも生きてまんねんで。横で左を任されて一緒に演ったやないですか。わっしの技量が見抜けまへんか。それやったらお師匠の目ェは節穴や。それとも怖いんでっか。ほらどうだす生きてますで——。

「でも」

でもわっしがほんまに演りたいな、この高師直やない。その、お師匠が持ってはる——。

「その首《かしら》が欲しい」

「お前——」

誰や。

「わっしは」

豊吉だす。

「な、何やて——それは」

わっしや。

昔のわっしが。

昔のわっしが、わっしを——。

ぐにゃりと楽屋が歪む。乱れている。曲がっている回り燈籠《どうろう》のように巡っている。何処からともなく浄瑠璃語りが聞こえて来る。何や。これは何や。

〽こりゃこなた狂　氣《きやうき》めさったか
かうすると抜討《ぬきうち》に烏帽子《えぼし》の頭《かしら》二つに切レ
抜き打ちに。

そこで手を取って。この動き。

陰陽の気が乱れる時。六道四生逆順の境。相剋の様。

動かぬものが動き、死せる者が生きる——。

「や、止《や》めよ。おのれ」

昔のわっしが今のわっしを。

「殺しに来たんかッ」

――突く。

「やめッ。豊吉、おのれがほんに豊吉ならば、人形の下に隠し持っとるンは、そら、匕首《あいくち》やろがッ」

豊二郎は激しく身を躱した。人形を躱すだけでは刺されてしまうからだ。

「匕首やないで豊二郎はん」

聞き慣れぬ声が後ろから聞こえた。

「人形は、そないな物騒なもンは持ちまへんで」

何だ。何が――。

「そないに刃物が怖いンでっか。あんた、今、消えてのうなってるんやないのんか。そうなら何で逃げはるのやろ。人形は死んでも、あんたは死なないのやないのんか。こら嘘の話、芝居の一幕と違いますのんか」

「お、お前、り、林蔵――」

どうなんや豊二郎はんと、林蔵はまるで叱咤《しった》するかのように言い放った。

「う、五月蠅《うるさ》い。そ、そいつは匕首を隠し持っておるんや。に、人形の仕業に見せかけて、この、この首《かしら》が欲しくって、主遣いになりたくって、だ、だから」

「だから自分の師匠殺したんか」

高師直の人形がすっと下に降りて、その後ろから二代目巳之吉の顔が覗いた。

「殺して親父に——濡《ぬ》れ衣着《ぎぬ》せよったな」

巳之吉は、そう言った。

「豊二郎はん、人形の道具は人形しか殺せまへん。よう見てみなはれ。刃物なんぞ何処にもないですわ。こら——ほんまの人形争いなんでっせ」

林蔵は屈み、豊二郎が手にした首を指先で示した。

塩谷判官の右頰がさっくりと切れていて、その傷から鮮血が一筋流れた。

「うわあああああああああ」

「これで終《しま》いの金毘羅《こんぴら》さんや」

遠退く意識の中に林蔵の声が聞こえた。

惜《お》しいねえとお龍《りょう》が言った。

「ええ芸やったけどねェ」

「仕方《しゃあ》ないわい」

林蔵は帳場に座って帳面を繰っている。

「もう怖《こお》うて人形は触《さわ》れンゆうのやから。人形遣いはでけんやろ。何もかもほかして、摂津に帰って百姓する言うてるんやから――」

依頼人は米倉巳之吉であった。

先代巳之吉が疑いを晴らさぬまま死を選んだことを、息子である巳之吉はずっと悔やみ、且《か》つ怒ってもいたのであった。無実であるなら死ぬことはない、正正堂堂生きて、何としても恥辱を雪《すす》ぐべきだったのだと、巳之吉は公言して憚《はばか》らなかったそうである。

先代巳之吉とはそもそもそうした、堂堂とした人であったらしい。武家よりもなお大義を重んじ、豪胆にして公明正大、礼節を知る人物であったのだという。

それが、あっさりと死んでしまった。

巳之吉は、どうしても納得が行かなかった。

そして、これはもしや――死ななければいけない理由があったのかもしれぬと、巳之吉は考えるようになった。

先代が下手人でないことだけは確実だった。

先代巳之吉はその日、八年前の事件の夜、ずっと自室で起きていたらしい。豪《えら》く興奮していたという。

その日の先代の芸は鬼気迫るものだった。

巳之吉もその日演じられたような三段目など見たことがなかった。普通なら、あのように演じれば目茶苦茶《めちゃくちゃ》になる筈である。しかし相方の先代豊二郎は慌てもせず困りもせず、二人の名人はまるで最初からそうであったかのように演じ、演じ切った。

然《そ》うあることではない。

世間では、巳之吉が芸に精進するようになったのは父親である先代の死が契機だということになっているのだが、実はそうではないらしい。もしも契機があったとするならば、それはあの日の舞台を観たことだろうと、巳之吉は言った。

「亡くなった先代の巳之吉はんは、豊吉の人形遣いとしての筋の良さを豪《えろ》う高《たこ》う買《こ》うてたそうや。何でも豊吉の豊二郎襲名を強く推《お》したんは、実は先代巳之吉はんやったのやそうや」

「そうなんや」

お龍は素《そ》っ気《け》なく言った。

「息子よりも買《こ》うてたん」

「その時分、今の巳之吉はんは、まだまだ駆け出しのヒヨっ子やった。いいや、ぐうたらやったんや」

「アレ、そうなんや」

「そうや。豊吉が豊二郎を襲名し、安心したように親父殿は自死された。そんで、それまでぐうたらやった今の巳之吉はんは発奮したんやな」

「遣り場のない気持ちを芸道修行に向けはった、いうことやろか」

「そやな。巳之吉はんは一念発起、やがて名人と謳われるまでに芸を磨いて、こちらも二代目巳之吉を嗣《つ》いだ——ゆうことやな。ま、そういう意味では親父殿の目論見は功を奏したことになるのやろけどな」

「けど何やの」

「人形遣いとしたらそれでええかもしれん。でも、息子としたらどうや。到底得心の行くこっちゃないわな」

親父は誰かを庇《かば》うたのと違うか——。

巳之吉はそう疑った。

なら誰を庇ったのか。

例えば——親が子を庇うことはあるだろう。それが許されぬ大罪であったとしても、親子の情が勝るようなことはあるのかもしれぬ。

だから——例えば息子である巳之吉が下手人だったというのであれば解らないでもない。しかし、巳之吉は下手人ではない。それは自分が一番能《よ》く知っていることである。父にとって肉親は巳之吉一人であり、その巳之吉は下手人ではないのだ。

ならば。

誰か。

「それで巳之吉はんは——二代目豊二郎を疑うたんやな。親父は、もしやあの男の芸を庇うたのやないかと考えた」

豊二郎の芸を継ぐのは豊吉一人だけやと、先代は何度も言っていた。

先代の巳之吉は生前——。

仮令《たとえ》どんな者であろうとも——。

豊二郎はん亡き今となっては——。

あの芸だけは残さなあかんやろと思うんや——。

そうまで言ったのだそうである。

その、どんな者であろうとも——という父の言葉を、巳之吉は二代目豊二郎の出自に就いて述べた言葉なのだろうと考えていた。二代目は貧農の出だと知っていたからである。

しかし、考えてみれば、否、考えるまでもなく、自分達は芸人。高高《たかだか》芸人なのである。武士ではないのだから、身分も家柄もあるまい。身分云云《うんぬん》を持ち出すならば、百姓よりも下である。

いいや、そもそも芸に身分の上下はないのだ。貧しかろうが卑しかろうが関係のないことである。そんなことではないのだ。

そうであるならば――。

どんな者でもとは、どういう意味か。それはもしや。

「証拠《あかし》は何もなかったんやな。しかし豊二郎が二代目継いだ途端に、先代は口ィ拭《ぬぐ》うように命絶っとる訳やし、こら怪しいと、巳之吉はんは考えた。せやけども本人に尋く訳にもいかんやろ。尋いたって答えンわ」

「そンで頼んで来たんやね。でも、それやったら、この結末はどうなんやろねェ。自白はしたものの自訴させるでもなし、お畏れ乍《なが》らと訴えるでもなし、真相を世間に知らしめるでもなし――」

先代の濡れ衣はちぃとも晴れておらんのやないのとお龍は言う。

「晴れたんやて」

「晴れてへんわ」

「晴れたんや。巳之吉はんの中ではな。それが大事やったんやで。あの人は仇《あだ》が討ちたかった訳やないのんやな。多分――ほんまのことを知りたかっただけや」

豊二郎が凡てを告白しても巳之吉は何もしなかった。

真相を知っただけで満足したようだった。

そもそもそうした依頼だったのだ。

「ま、今更世間に知らしめても、どもならん。一座の評判落とすだけ、いいや、人形芝居の客減らすだけやろ。それに、親父殿が命を賭《と》して守った二代目豊二郎の芸も――護《まも》らなあかんと思うたのやろ」

「でも辞めはったやないの」

「ありゃあ――豊二郎の、いや、末吉自身のけじめなんやて。あの男はな、どっかで道外してた。外したことに気付いてなかった。おのれで大恩あるお方を殺《あや》めといて、毛ェ一筋ばかりも悪いと思うていなかったんや。でもな、気付いてしもたんやな」

「罪を悔いたんやったら自訴せんかいねえ」

「だから、自訴してしもたら何もかも世間に公表することになるやないか。豊二郎本人はそれでええとしても、周囲《まわり》が困るやろ」

「困るん」

「困るで。人形浄瑠璃の看板そのものに泥塗ることになるのやで。そら、亡《の》うなった先代巳之吉の遺志にも反することやろし、己が殺めた先代豊二郎かて哀しますことになるやないか。真相を白日の下に晒しても、誰のためにもならんのや。だからといって今まで通りにはでけんわな。己の罪の重さ、業の深さに気付いてしもたんやから」

　だから人形の所為でええのんよと林蔵は言った。

「そう言うけど林《りん》さん、人形が怖《こお》うなったからもうでけん――て、あないなこと言うたら人形争いの噂は噂やのうなってしまうやない。夜の楽屋には誰も近寄らんようになるわ」

盗《ぬす》っ人除《と》けにええやないかと林蔵は言う。

「それにしてもあの、一文字屋《いちもんじや》の客は大したものやねえ。あんな首《かしら》、よう作らんて。細工もある仕掛けもある、見場もええ、そら立派な首やないの。それ一日で作るんやもの。あのおっさん、何者やの」

あら悪党だと林蔵は言った。

「なあに、種ェ明かせば——あの首はな、本物だ」

「本物て——」

「割れてた方が偽ものなんや。どんなに似せて作っても持つ者が持てばバレるで。一方でざっくり割ってしまえばな、持ち様も変わるし重さも変わる。誤魔化せるわい。予《あらかじ》めそっくりに作っておいて、そっちを割ったんやて」

詐欺《てめ》やねえとお龍は目を円《まる》くする。

「あれはあの首《かしら》ア調べるための狂言や。代えを用意しておかな丸一日持ち出すことはでけんやろ。同じには作れんから割れたの拵えたんや。で、小右衛門はんは昔付けられた頰の傷を見付けた。そしてその古傷から血糊《ちのり》が流れる仕掛けを施したんや」

人形だけは見ていた筈なのだ。

八年前の凶行の現場を。

「あの豊二郎——否、末吉ゆう男はな、人形遣いやない。人形に遣われておったのかもしれんわ」

「人形はモノや。モノには心なんぞない。心のないモノに操られたら、人は狂うで。あの男は人形に魅《み》せられて、取り憑かれて、そんで人の道を踏み外してしもたんやな。どこでどう狂うたのか知らんけど、人形の怖さァ知って、漸《ようよ》う憑き物が落ちて――」

「人形にて――」

やっと末吉は人になれたんだと、林蔵は思った。

溝出
みぞいだし

◎溝出

ある貧人《ひんじん》の死《し》したるを
すべきやうなければつゞらに入《いれ》て
捨《すて》たりしに
骨《ほね》と皮《かわ》とおのづから別《わかれ》て
白骨《はくこつ》つゞらを
破《やぶ》りておどりくるひしとぞ

繪本百物語・桃山人夜話巻第二／第十八

壱

それが自慢だ。

鬼と呼ばれようと蛇《じゃ》と呼ばれようと、寛三郎《かんざぶろう》にはそれが自慢なのだ。

豪胆な訳でも残忍な訳でもない。

無情なのでも冷酷なのでもない。

でも世間はそう見るだろう。

構わない。その結果、今がある。後悔もしていないし、躊躇《ためら》いもない。転向《こころがわり》する気もない。

十年でっせ、と作造《さくぞう》は言った。

「こら、ええ機会なんと違いまっか。区切りもええやないですか。ここでその」

「何を為《せ》えゆうん」

「せやから、その」

「供養か。法要か。十年も経ってか。阿呆《あほ》くさ」

「阿呆て——」

そう言ったまま作造は眉尻《まゆじり》を下げて本当に泣きそうな顔になった。

「阿呆なことありますかいな旦那《だんな》」

「どうしてや。こっちが尋《き》きたいわ。お前の言う法要やらて、そら何をする」

「何をて、供養でんがな」

「せやからその供養ゆうのは何をすんねんな。その、五輪塔《ごりんとう》でも碑《いしぶみ》でも、何でも建てたってでんな、で」

「供養ゆうたら供養でんがな。

坊《ぼん》さん呼んで経《きょう》ォ上げさせるんかいなと寛三郎は蕁蕁《にくにく》しげに言う。

「で、何や。坊主ゥ饗応《もてな》して、一緒になって酒呑《の》んで餅喰《もちく》って、それでどうなる。坊主はええわい。むにゃむにゃ声出して御託《ごたく》並べて、馳走《ちそう》して貰《もろ》うて、仰山《ぎょうさん》お布施《ふせ》貰うて満足やろ。元手も何も要らんわい。でもな、銭出すこっちはどうなるんや。五輪塔でも卒塔婆《そとば》でも、無料《ただ》やないんやで。あの荒れ地均《なら》すだけでも手間や。幕みたいなんも張る訳やろ。用意かて時間掛かるやないか。手ェも掛かるわ。その手ェはどっから持って来るのや。今日日《きょうび》手間賃もなしに働く阿呆が居《お》るんかい。それとも山仕事も畑作もほかして村の衆働かせるんかいな。畑枯らして木《き》ィも伐らんで、飢え死にやで。死人のために手間ァ掛けて、生きてる者まで命がのうなってしまうやないか。どないせゆうんじゃ」

そないに捲《まく》し立てんでも——と、作造は涙声を出した。

「そら、旦那の仰《おつしや》る通りですやろ。そうなんやけどもやね」

「そうなんやけど、何や」

「こら、気持ちの問題ですわ。美曾我《みそが》五箇村に暮らす者《もん》みなの、その——」

「せやから気持ちの問題なんやろが」

「そうだす」

なら気持ちだけでええやないかと寛三郎は言った。

「気持ちゆうのはな、作造。銭の掛からんもんなのと違うか。肚《はら》ン中、胸ン裡《うち》で想うとればそれでええことなんと違うんかい。日日、心ン中で掌《て》ェ合わせて、成仏したってやと祈る、念ずる、それが大事なんやと儂《わし》は思うで。それでこそ故人《ほとけ》さんも浮かばれるゥゆうもんやないのかい。そんな、何ぞ建てたったり、坊さん儲《もう》けさせたったりしたかて、死んだ者はひとつも喜ばんわい」

そもそも。

供養は家家《いえいえ》各各《おのおの》がするものだ。

いや、現にしているではないか。死人の数は増えても減らない。五箇村に檀那《だんな》寺は一つしかないのだから、住職は休む間もないだろう。

尤《もっと》も村人は貧しい者ばかりであるから、お布施も高が知れているのだろうが——それだって仕方がないことではないか。僧侶《そうりょ》は商人《あきんど》ではないのだし、寺院は金儲けのためにある訳ではないのだ。

「何や。不満か」

寛三郎がそう言うと、作造は下を向いてしまった。

「不満て旦那はん。そないに言われてしもたら。そうゆうこっちゃないですけども」

どう言うこっちゃねんと問うと、怖がってますのやでと作造は答えた。

「怖がるて」

「せやから、あの山の土地ですわ」

「まあ、彼処《あそこ》は手付かず手入れせずでそれこそ十年やからな。荒れ放題やし、恐ろしげでもあるやろな。草やら芒《すすき》やらが繁《しげ》っとって見通しも悪いわ。でも彼処はあんなる前から用のない場所やないか。土も涸《か》れておるし、水も引けんし、陽も当たらんし便も悪いわ。誰も寄り付かんやろ」

無駄な土地である。

へえ、と作造は畏《かしこ》まる。

「人っ子一人」

「なら構へんやないか」

「そうやないんです。あの場所に、その」

――出るゆうんです。

作造は眉を顰《ひそ》めた。

「出るて、何がや。山賊か。山賊が出る程の山奥やないやろが。村外れやし山側やけど、まだ里やで。それに街道でも何でもないわ。待ち伏せたかて何も通らんやろが。人っ子ひとり居《お》らん言うたやないか。あないな処《とこ》、山賊も干上がるわ」

「山賊やったら役人でも何でも呼びまんがな。そうやないんだす。その、出るのは」

——冤鬼《ゆうれい》でんねん。

「何と言うた」

「いやその」

ゆうれい——と作造は小声で繰り返した。

「幽霊やと。そら、あの芝居に出て来るような奴かいな。そらまた莫迦《ばか》なこと言い出したもんやなあ。何の冗談や」

莫迦莫迦《ばかばか》しい。

本気でそう思う。

「冗談と違いますがな」

「なら法螺《ほら》や。駄法螺《だぼら》や。何処《どこ》の世にそんな者《もん》が居《お》んねんな」

この世だすがなと作造は言う。

「この世もこの世、この村の村外れの、あの荼毘ヶ原《だびがはら》に居りますねん」

荼毘ヶ原——。

その昔はそんな名前の場所ではなかった。元元名などなかったのである。あれ以来——十年前のあの時以来、そう呼ばれるようになったのだ。

「だから何が居んねん。経帷子《きようかたびら》着た死人が両手垂らして立って居るゆうんか。阿呆らし。ええか、彼処で燃された死人《ほとけ》さんはな、誰一人死に装束《しようぞく》着せて貰《もら》われへんかったんやで。どないして化けて出んねん」

「せやから化けて出るんやないですか」

「何でや」

「きちんと送ってやらへんかったよって、逝《い》き切れんのとちゃいますか」

彼方《あっち》に――。

「死人ゆうのは、作法通りにきっちり送らなあかんのやないかと――いや、庵徳寺《あんとくじ》の和尚《おしょう》さんかてそう仰《おお》せになっとるし、わたいもそう思いますねん。何せ一人や二人やあらしまへんよってな」

「作法て何やねん」

「そら、その、死に水も装束もない、供物も読経も何もない。棺桶にさえ入れられてないのですやろ。三途《さんず》の川渡る銭かて――いや、要は、葬式上げなあかんやろてことですわ」

何で――。

死んだ者に銭やらなあかんねん。

「お前、あの坊主に感化されとるだけや。葬式なんぞ、上げて喜ぶのは坊主だけやど。死人はな、あんな生臭に念仏唱えられたかて嬉《うれ》しくも何ともないわいな。それにな、あの――」

あの惨《むご》たらしい。

「――あの遣《や》り方以外に、どんな弔《とむら》い方があったゆうねんな。儂がせんかったら、ほったらかしやったやないか。腐り放題やで。いいや、オノレかて死んでたに違いないわ、作造。死んだら化けるか。化けて、身ぐるみ剝《は》いで焼いた儂に祟《たた》るかいや」

滅相《めっそう》もないと作造は手を翳《かざ》す。

「旦那のお蔭《かげ》でこの五箇村は、いやこの国は命拾いをしましたんや。そら誰しも解っとォることでっせ。それとこれとは――」

同じことやろ、と寛三郎は言う。

「儂の弔い方がいかんから化けて出たと言うてんのと一緒やないか。十年も経ってから、今更文句垂れるなら、あの時に言えゆうんじゃ。いいや、後からいちゃもん付けるくらいなら、オノレ等《ら》でせえ、ゆうこっちゃがな。この恩知らずどもが」

そう。

何もかも――寛三郎が為《し》た。殆《ほとん》ど一人で為た。

大八車で幾度往復したことか。あの阿鼻《あび》叫喚《きょうかん》の地獄絵図の中で、寛三郎がどれだけ働いたことか。役人も村の者も手を拱《こまぬ》き、何もしなかった。侍も坊主も顔を顰《しか》めただけだ。里の者は怯《おび》えて震えていただけだ。身分の高い連中は近寄りもしなかった。

穢《きたな》い。

汚《よご》れた。

悍《おぞま》しい。

疫病で果てた骸《むくろ》の後始末など。

誰もしたくはなかっただろう。

いやそれは違いますわと作造は言った。

「寛三郎旦那には、村人の誰もが感謝しとります。十年経った今かて、その気持ちに変わりはありまへんわ。足向けて寝る者《もん》は一人としてあらしまへん。皆、拝んどりまっせ。何ちゅうても、皆が頼るべきお庄屋《しょうや》は——スタコラ逃げてしもたんでっからな」

旦那だけやでと作造は言う。

「親身になって、それこそ体張って命懸けで村ァ救ってくれたやないですか。そんなお方にいちゃもんなんかつけまっかいな。旦那が居てくれはらへんかったら、今はないゆうことは誰もが承知してまんがな。こら真実《ほんま》でんがな。せやからこそ、いの一番に旦那に御相談に上がったのやないでっか」

「いの一番て——そら嘘やろ」

旦那に嘘言うてどないしますんやと作造は泣き声を出す。だが、嘘は嘘である。考えるまでもないことだろう。

作造は竹森《たけもり》村の組頭である。

五箇村の総意なりと陳情に来ている以上、先に話し合いが持たれているのだろう。

「お前等《ら》、儂とこ来る前に村村の組頭で寄り合いやったのと違うんか」

「そらまあ」

「まあそれはええわ。それで——ははあ、あの腰抜け庄屋ン処《とこ》に行く前に儂の処に来た——とゆう話やな。いの一番ちゃ、そういう意味なんやろ」

「へえ。お庄屋は、まあ、その」

「あら、役立たずや。年貢のごたごた一つ纏《まと》められんわ。通行手形ァ書くくらいしか役に立たんわ」

それに。

庄屋の又右衛門《またえもん》――あの若造は、結局のところが親と一緒だ。役人と繫《つな》がっている。そもそも領主からお手当てを貰っているのであるから、庄屋というのはあちら側の者なのだ。宗門《しゅうもん》人別《にんべつ》改《あらため》を仰せつかっている以上、檀那寺とも繫がっている。

侍や坊主と繫がっているような奴は――。

信用出来ない。

へえ、と作造は畏まる。

「村の外のことは兎《と》も角《かく》も、こら、村の中のことでっしゃろ。村の中のことやったら、こら寛三郎旦那がウンと言わな、縦のもの横にもでけんのです。お庄屋が何を言うたかて、どもならん。せやから、五箇村の総代としてでんな。この美曾我の長たる旦那に――」

それはええがなと寛三郎は言う。

「あんな若造のことはええのんじゃ。あのな作造。察するに、その組頭寄り合いの座には、あの庵徳寺の和尚も居《お》ったのやないか」

「そら――」

居たのだ。間違いない。

「居ったのやな」

作造は首肯《うなず》いた。

「さよか。なら、お前等《ら》みな、その場ァであの坊主に丸め込まれたんやろが」

「丸め込んだて」

随分と嫌いはりますなあと作造は言う。

「カスやからな」

「ご住持《じゅうじ》はんはええ人でっせ。そないな悪心はない思いますがなあ」

「儂は坊主は嫌いなのじゃ。額に汗して泥に塗《まみ》れて働いて働いて、やっとこ飯《まま》喰うてる者《もん》だけしか——信用せんのじゃ」

本当に信用出来ないと思う。

耕しもせず育《はぐく》みもせず、何も作り出さず何も生み出さず、それで立つ暮らしなど、あってはいけない。地を耕せば泥が付く。生き物を育てれば糞《くそ》に塗《まみ》れる。何かを作るためには何かを壊さねばならぬし、何かを生み出すためには何かを失うしかない。

世の中とはそういうものだし、そうであるべきだと思う。

武士と僧侶は、そうではない。

奴等《やつら》は何も作らない。何も生み出さない。売り買いさえしない。盗《と》るだけだ。盗るだけ盗って威張り腐っている。

寛三郎は武士と僧侶が大嫌いなのだ。

そら解りますと作造は言った。

「まあ、わたいなんぞは喰うや喰わずの百姓ですわ。額に汗して土捏《こ》ねて、それで生きてまんねん。皆そうでっせ」

「そやろが」

「でも旦那、こらあ――坊《ぼん》さん儲けさすゆう話とちゃいますねん。その、喰うや喰わずの村人が、旦那が信用される方の者どもが、困ってる、怖れてるゆう話ですねん」

「困ってるて――供養せな化けると坊主に吹き込まれただけやないんかい」

「せやから、真実《ほんま》に出るんですて」

声が聞こえますのやと作造は言った。

「声なんぞ、なんぼでも聞こえるわ。小さな村やないかい。夜中なら屁《へ》ェかて聞こえるわ。誰ぞが夫婦喧嘩《みようとげんか》でもしとる声が響いて来よったのやろ」

「違いますて。怨《うら》めし怨めして、そら恐ろしげな声がしますんやわ。毎晩毎晩、あの茶毘ヶ原から――」

茶毘ヶ原。

「あないな、あないな処《とこ》から聞こえるかい」

村からは遠い。

彼処《あそこ》は、五箇村の何処からも離れている。そんな声が届く訳もない。

せやからこそ恐ろしいのですわ、と作造は言い、両手で己が肩を摑《つか》んだ。

「思い出しても震いが来ますわ」

「お前も聞いた、ゆうんか」

「き——」

聞きとうなくても聞こえますのやと言って作造は身を縮めた。

本当に震えている。

「ひと月ばかり前のことでっしゃろか。そう言い出す者《もん》があったんやそうで、最初は花里《はなさと》の者やったようでっけど。でも最初は旦那と同じく、笑《わろ》うてましたんや。そないなもの聞こえるかいて。阿呆らして。でも」

段段に広がりましてん、と作造は上目遣いで言う。

「花里から畑野《はたの》、それからわての居る竹森と」

「何が広がった」

「聞いた、ゆう者《もん》ですわ」

「あのな、作造。慥《たし》かに美曾我は狭いで。狭いゆうたかて、村ぁ五つもあんねん。村と村は離れておるわ。村村に行き渡る程に大けな音なんか。そら、何か、狼の遠吠《とおぼ》えか何かか。それとも、唐土《もろこし》の虎か何かか。それやったとしても端から端までは聞こえんやろが。大体、それやったら儂とこにも聞こえとって良さそうなもんやないか。あのな、この屋敷も花里やで。この家は五箇村の丁度真ん中にあんねん。彼方《あっち》で聞こえて其方《そっち》で聞こえて、此処《ここ》で聞こえんゆう道理はないのと違うか。そもそも、この屋敷でじゃんじゃん銅鑼《どら》鳴らしたかてお前処《とこ》には聞こえんやろ」

「聞こえまへん」

「せやったら、銅鑼より大けな声か。半鐘《はんしよう》宜《よろ》しく五箇村に響き渡るような大声で泣くか。そないな大砲《おおづつ》みたいな声で泣きよるんか、その幽霊たらゆうものは」

「違いまんねん。蚊ァの鳴くような、か細い声だんねん。それが、こう耳許《みみもと》で聞こえまんねんて。怨めし怨めし、骨は骨、皮は皮、ゆうて」

か、っと寛三郎は息を吐《は》く。

「それは何か。それやったら門付けのようなもんか。村村家家廻《まわ》っておるのんか。一軒一軒訪ね歩いて軒下でめそめそ啼《な》くのんか」

「そんなもんと違いますのや」

作造は顔を上げた。

眼が血走っていた。

「事実《ほんま》なんですて旦那。耳許で啜《すす》り泣くよな声がして、オヤと思うて見ても、何もない。そンでも矢《や》っ張《ぱ》り聞こえるよってに、こら何処から聞こえるのやろて思いまっしゃろが。で、声のする方する方に行くのやけども、誰も居《お》りまへんねん。どうも家の外から聞こえる気ィがしまんねん。で、出てみるとでんな、どうもその」

山の方から。

風に乗って。

「山――か」

「へえ。みな、そうゆう話でんねん。で、もう、木山《きやま》竹森花里畑野川田《かわた》、五箇村全部に行き渡りましてな、恐ろし噂で持ち切りになったんですわ。そこで、一番茶毘ヶ原に近い木山の伝兵《でんべ》衛《え》が——あれは豪胆な男やから、何処から聞こえて来るのやろと、声のする方する方に、ずんずんずんずん、行ったゆうんですわ。ほたら、その」

村外れに。

山際に。

その。

「だ、茶毘ヶ原に至った」

「それで茶毘ヶ原から聞こえるゆうことになったか」

「いや、その、其処《そこ》に」

居たんですわ、と作造は言った。

「居たとは」

「はあ、あの、叢《くさむら》ゆうか芒《すすき》原《はら》ゆうか、彼処は、まあ背後は山でっしゃろ。夜中ァ誰も居りまへんて。昼やって居らん。其処にでんな、こう」

男と。

女の。

「二人連れですわ。それが、こう、ぼっと立っておるゆうんですわ」

「男と女なんかい」

「へえ。月明かりもない、提燈《ちょうちん》なんかで照らせるような広さやない、それなのに、こう、燐《りん》でも塗《ぬ》たくったように、ぼうと見える、ゆう」

「二人しか居らんのか」

「二人ですわ」

「おかしいやろ。儂が彼処で焼いたのは」

百人越しておんのやで。

百人以上の屍《しかばね》を焼いたんやで。

儂はこの手で、叔父《おじ》を、叔母《おば》を、甥《おい》を姪《めい》を、朋輩《ほうばい》を、骨になるまで焼いたんや。焼き尽くしたんや。鬼になって焼いたのや。蛇《じゃ》になって燃したんや。燃して燃して骨まで焦がして、それで――。

「二人か」

そうなのか。いいや、そんなことはない。決してない。ある筈《はず》もないのだ。幽霊だの亡魂だの、そんなものはない。全部焼いてしまったのだから――。

弐

十年前。

美曾我五箇村を、疫鬼《えきき》が襲った。

美曾我郷《ごう》は、木山、竹森、花里、畑野、川田の五つの集落から成り立っている、所謂《いわゆる》山村である。

最初に病人が出たのは木山だった。

木山は、五箇村の中では一番山側にある。

斜面を切り刻むようにして僅《わず》かな田畑を作るが、恒常的に収穫は少なく、三十数戸の殆《ほと》どは木挽《こび》き柴刈《しばか》りなどの山仕事を食の活計《たつき》となしている。

先《ま》ず、六蔵《ろくぞう》という年寄りが斃《たお》れた。

血の気が引き、泡を噴き、熱が出た。

ものも喰えなくなり喰っても吐いた。

やがて肌が青黒くなり、瘧《おこり》にでもかかったように痙攣《ふるえ》が止まらなくなって、凡《およ》そ三日で六蔵は死んだ。

六蔵は齢《よわい》七十になんなんとする高齢であったし、最初村の者は寿命が来たのだと思ったそうである。

ところが。

次に童《こども》が斃れた。しかも斃れたのは一人ではなかった。八人だったそうである。幼い者達は六蔵と同じ症状を見せて——次次に死んだ。

続いて女達がやられた。

この病は——。

感染《うつ》る。

その段階で、木山の者はそれを察したのである。

そして、幾人かが逃げた。いや、体力のない者を避難させた——つもりだったのだろう。木山から少し下った竹森、そして川田に、それぞれ十名程の年寄りと女子供が移った。残った者は病人の看病にあたった。

しかし。

これがいけなかった。いけなかったのだと——思われている。

竹森と川田でも同じ症状の者が出たのである。感染した——のだろう。のみならず、一番里に近い花里と畑野にも感染者が発生するに至り、事態は矢庭《やにわ》におおごとの態《てい》を成したのだった。これは恐ろしい疫病なのだと——そう判断せざるを得なくなったからである。

五箇村を束ねる大庄屋の又兵衛《またべえ》は、急ぎ各集落の組頭を集めて協議をし、先《ま》ずは木山との行き来を禁じた。続いて各村の病人を竹森に集めて隔離し、五箇村を挙げて事態の改善に努めたのだが——こと既に遅く、状況は悪化の一途を辿《たど》った。

治す術《すべ》がなかった。

医者も居なかった。薬もなかった。

看病のしようもなかったのである。

感染する者は跡を絶たず、また治療も儘《まま》ならず、ばたばたと村人は死んだ。

最悪の事態であった。

打つ手を失った又兵衛は代官所に助けを求めた。

当然の成り行きであったろう。

ところが、援助を願い出た又兵衛は、酷《ひど》く叱責されたという。

疫病は国全体——否、隣国隣藩にまで影響を及ぼす大災厄である。疫病発生が事実であるならば、それは天下国家を揺るがす危機、国難と考えねばなるまい。そうであるなら——。

又兵衛の報告は遅過ぎたのだ。

事態は代官の知るところとなり、即座に領主の耳に届いた。早急に手は打たれた。

だが。

美曾我には医者も来なければ薬も食料さえも届かなかった。

領主の打った手は、美曾我五箇村の封鎖だったのだ。

孤立した五つの小さな村は——。

地獄と化した。

五箇村併せて百八十数戸、四百人から居る村人のうち、既に五十人を越す者が命を失い、生き残った者の三分の一以上、百二十数人が病魔に冒されていたという。感染していない者も皆弱っていた。封鎖された村内には、何の備蓄もなかったのである。

そこに。

寛三郎は戻ったのだ。

酷《ひど》い——。

有り様やったでと寛三郎は言った。

「一寸《ちょつと》待っておくんなはれ」

林蔵《りんぞう》という名の取り澄ました男は、細い眉を歪《ゆが》めて寛三郎の話を止めた。

「何や」

「いや——そら、流行病《はやりやまい》だっしゃろ。伝染《うつ》りまんのやろ。しかも、罹《かか》ったら死んでまう、コロリみたいなものやないですか」

「そや」

「そないな処《とこ》に戻らはったんでっか」

「そないな処て、此処やで」

そう言うと林蔵は、両手を畳に突いて少し腰を浮かせ、辺りを見回した。

「阿呆。十年前の話やないかい。ええか、地獄になっとったんは何処でもない、この村や。儂はな、この花里を束ねる組頭、大庄屋まで務めた寛次《かんじ》の惣領《そうりよう》やで。まあ――そうは言ったもんの、野良に出たこたないわ。若い時分に家捨てて、泉州《せんしゆう》の侠客《きようかく》の身内んなってな、長く暮らしてたんや。博徒《ばくと》、渡世人、そういうものやな。まあ」

半端者やってんと寛三郎は言った。

「お前《ま》はん、大坂《おおさか》やろ。なら蓑借《みかり》の杉蔵《すぎぞう》いう名前聞いたことないか。堅気でも知っておると思うが」

「蓑借て、そら――もしかしたら蓑借一家の親分さんやないですか。いや、そやないな。親分さんは慥《たし》か」

「今は千蔵《せんぞう》はんやろ。杉蔵はんは先代や。あのお方はそら立派な侠客やったで。儂は、その杉蔵親分の世話ンなっとったのや。でも――親分は十年前に亡《の》うなってしもた。で――まあ、儂もな、これが潮時やと思うた訳や」

いや。

そうじゃない。

寛三郎は追われて逃げたのだ。

杉蔵の死は、突然過ぎたのである。

杉蔵亡き後、蓑借一家は二つに割れた。盛大な葬式法要を済ませた後、若頭《わかがしら》の万吉《まんきち》と千蔵が跡目を争うことになった。寛三郎は万吉側についた。

そして負けた。

万吉は殺された。右腕だった寛三郎は。

――逃げたのだ。

それで里帰りでっかと林蔵は言った。

「まあ、それは解りまっけど、でも寛三郎はん、こら、ただの里帰りと違《ちゃ》うやないでっか。その、此処は――」

「塞《ふさ》がれてたで。村境《むらざかい》は封鎖や。お前《ま》はんも通って来たやろ。あの畑野に入る口。彼処《あそこ》が美曾我の入り口や。彼処ォ通らな、残りの四箇村には行けんのや。あの道の口がな、竹矢来《たけやらい》で塞がれておってな。小役人が突っ立っておったわ」

「入れないやないですか」

「入れたわい」

「ほたら、何でっか。関所破り宜《よろ》しく、お役人やっつけはったんでっか」

そうではない。

あの腰抜け役人は――ただ立っていただけだ。

腰抜けらしく腰が引けていた。病に罹るのが怖かったのだろう。いや、それ以前に、中から出て来る者を防ぐためだけに連中は彼処に立っていたに過ぎないのだ。中に入るような者など――どうでも良かったのだ。

そうに違いない。

「この村の者だとゆうたら、あの三一《さんぴん》侍め、三尺ばかり飛び退《の》きよったわ。村ン中から出て来た訳やないゆうのにな。入るんじゃゆうたったら勝手にせえ吐《ぬ》かしよったわ。ま、中から出ようとした者は——突き殺されておったけどもな」

「突き殺されて、て」

「槍《やり》や。竹矢来の外からひと突きや。二人死んでおった。酷《むご》いこっちゃが——余程怖かったんやろな」

「中の人がでっか」

中も。

外も。

「この村に関わる者は、何もかんも穢《けが》れて見えておったのと違うか。触ると死ぬるゆうような顔しくさっとったで。祟りやないんやから阿呆かと思うが、ま、怖かったのやろな」

「旦那はんは怖《こお》うなかったんでっか」

怖くはなかった。

度胸があった訳ではない。

死ぬ気——だったのだ、寛三郎は。

寛三郎は。

自分《おのれ》は。

——本当の腰抜けは儂や。

逃げ切ることも、争って勝つことも、否、争うこと自体が多分無理なのだと寛三郎は思っていた。

ならば、殺されるだけである。

寛三郎は、荒くれではあるが強くはない。腰に長物は差していたけれど、好んで抜くことはなかった。抜いても嚇《おど》すだけで、それまで人を斬ったことなどただの一度もなかったのだ。斬り合うにしたって、寛三郎は剣術のけの字も知らぬのである。出入りの時も、見様見真似《みようみまね》の喧嘩振りで乗り切っていただけだ。

周囲からは腕っ節が強いと思われているし、実際腕力だけはあるのだけれど、二本差しと遣り合って敵《かな》う訳がない。得物も手斧《ちような》や鋤《すき》の方が馴染《なじ》む。

外連《けれん》とハッタリだけで俠客をやっていただけなのだ。

跡目争いとて、だから強そうな方についたというだけだった。万吉には義理も恩もない。ただ万吉が勝っていたなら、寛三郎は若頭くらいにはなっていただろう。そうだったなら――。

でも。

万吉はあっさりと、死んだ。

葬式も出せなかった。万吉の手下《てか》は散り散りになり、寛三郎もまた逃げた。

でも行く処などなかった。頼れる者も居なかった。寛三郎はそれまで、過去を切り捨てるようにして生きて来たのだから。

だから、仕方がなかった。しかし。

殺されるくらいなら——。

故郷で死のうと、そう思ったのであった。

生家のある美曾我が大変なことになっているという噂は、既に寛三郎の耳にも届いていたのである。だから戻った。そうすれば死ねると思った。でも。

寛三郎は死ななかった。

「死ぬるか——とは思うたわい。いや、死んだろと思うとったんや。でもな、思うに儂が戻った時分、もうその疫病は収まっておったのや」

「そう——なんでっか」

「儂は罹らんかったよってな。せやけども、や。ええか、喰いもんはない。家の中も外も、そこいら辺中ゴロゴロ屍が転がっておんねんで。しかもな、もう時候は夏前やった。みな腐っておるわ。蛆《うじ》が涌いて蠅《はい》が集《たか》っておんねん。ど豪《えら》い臭《にお》いやったで。生き残った者《もん》かて、もうくたくたに弱っておって、しかも村から出られへんのやで。まともな者でも病になるわい」

それは——酷《ひど》い有り様だった。

腐臭と、汚物と、蠅《はえ》と蛆と、肉と汁と骨と、弔われない死者と、生きることが出来なくなった生者と。

「悍《おぞま》し。酷《むご》し。他に言葉がなかったわ。儂は村境越えて直《す》ぐに胸が悪ぅなって、何度も反吐《へど》ォ吐いた。地獄や修羅場やと能《よ》く謂《い》うけどもな、この村はあの時、喩《たと》えやなしに、真実《ほんま》もんの地獄やったんや」

村人はもう死に絶えている──と、最初はそう思った。

しかし、そうではなかった。誰も皆、口も利けぬ程に弱ってはいたのだけれど、相当数の村人はまだ生きていたのだった。

生きてはいたが、そう長く保《も》つとは思えなかった。腐った死骸《しがい》に囲まれて飲まず喰わずで震えていれば、疫病ならずとも普通ではいられまい。助けは永遠に来ないのだ。

寛三郎は──。

「儂はな、先《ま》ず死骸を──集めた」

「集めたんでっか」

「あのな、生きとる者《もん》と死んだ者との区別がつかへんかったんや。せやからな、揺すって叩《たた》いて動かん者は、みな除《よ》けた。息のある者は庄屋の屋敷まで担いで行って、畳の上に寝かせたわさ。看病した訳でも何でもないわ。寝かしただけや。まあ、助けたろとかゆう慈悲深い気持ちやなかったんやて。どうせこっちも死ぬると、そう思うておったんやからな──」

畑野の生き残りを集め、死骸を積み重ね、比較的体力のある者に取《と》り敢《あ》えず後を任せて、それから寛三郎は生家のある花里──此処に向かった。

同じことをした。

竹森、川田と寛三郎は同じことを繰り返した。

木山には殆《ほとん》ど生き残りは居なかった。

それでも三人、息がある者がいた。

寛三郎は山に入り、喰えるものを僅かばかり調達し、三人を連れて花里に戻った。ものを喰わせると、幾人かはやや精気を取り戻した。

こうなると――。

何だか放ってもおけなくなった。

いや、そもそも死のうと思って戻ったのだから、他に為《す》ることもなかったのだが。とはいえなら何を為べきなのかは判らなかった。薬も何もない。

だから。

「掃除をしたんやな」

「掃除でっか」

「掃除や。穢《きたの》うしとったら治るものも治らん。動ける者《もん》は無理して働かせたわ」

「そんな、死にかけの者働かせたんでっか」

だから鬼やと謂われるんやと答えた。

「どうせ、放っておいたら死ぬんや。動けるんやったら苦しゅうても辛《つろ》うても、動いて死んだ方がええやろが。無理して働いておッ死《ち》んだかて、そのまま寝とって逝《い》ってもうたかて、死ぬのは一緒やないか。働かされたかて文句は言われへんやろ」

井戸水は腐っている――ような気がした。だから水は川に汲《く》みに行かせた。

薪《たきぎ》や柴《しば》だけは山のようにあったから、火を起こさせて、川の水は煮立てさせ、湯冷ましにしてから飲むようにさせた。

村の外ではそうするようにというお令《ふれ》が出ていたからだ。

「何で病ンなるのんか、疱瘡神《ほうそうがみ》やら瘧《ぎやくき》鬼やら、そうゆうもんが取り憑《つ》くんか祟るんか、そうゆうことは解らんけども、いずれ穢《けが》れたもんはあかんのやろと、そう思うただけや。儂は」

積み上げられた死体を――。

「大八に載せて、山の方に運んだ。そんなもんがあるよって病なんぞが蔓延《はびこ》るんやと、そんな気ィがしたのやな」

それは嘘ではない。

穢れたものは、村の境界から外へ出す。流すか焼くか、兎《と》に角《かく》清めなければいかんと、そう思ったのである。

「虫送りゆうのがあるじゃろ。あの要領や。どんな因果なんか禍《わざわい》なんか知らんが、何であれ追い出すしかない思うたんじゃ儂は。運んでも運んでも、村中骸だらけやったわ。腐っておったし、もうわややな。女も童も爺《じじ》も婆《ばば》も、もう何もかも一緒や。木山のな、村外《むらはず》れに人の行かん悪所があんねん。其処に全部捨てたわ」

「捨てたんでっか。葬られたんやなし」

「一人やで」

何が出来るか。

「墓穴なんぞ掘れるか。棺も何もないわ。捨てたんや儂は。せやから――」

鬼でっか、と林蔵は言った。

「鬼に見えたのやろ。ずるずるに腐れた骸ォ車に積んで、捨てて、積んで捨てて繰り返しとんのやで。絵ェで見る地獄の鬼と同じやろが。しかも、や。こんな小《ち》さい子ォも、可愛いらし娘も、お構いなしやで。こら、鬼の所業なんやろな。人のするこっちゃないやろ。心があったでけんて。儂は、それを日に何度も何度も――」

茶毘ヶ原に――。

人の骸が堆《うずたか》く積まれた。

「捨てる時にな、身ぐるみ剝いだった。死んだ者に銭は要らん。財布も帯も足袋も、何も要らんわ。死人は腐るだけやけどもな、使えるものは捨てることはないと思うたんやな」

そら穢れてまへんのかと林蔵は尋く。

「死人《ほとけ》さんが身に付けとるもんなんか、わっしはよう触りまへんけどな。何や、気色悪くありまへんか」

「そら、おまはんが間違《まちご》うとる」

死は穢れではない。

死体が腐るだけだ。

「あんな、物ちゅうもんは生きておる者《もん》のためにあるのんじゃ。此の世にあるもんは、何もかも、生きてる者が使うために作られたもんなんや。せやから生きてる者が使う。死んだ者は何も使われへんがな。あの世で使えるな六文銭くらいじゃ。地獄の沙汰《さた》も金次第謂《い》うけどな、六文が十文になったかて、待遇は変わらへんやろ。でもな、生者は」

十文あったら腹を膨らますことが出来る。

「病で突然死んでもうた者《もん》は哀れや。せやけどな、林蔵はん。その死んだ者等《もんら》がな、まだ生きとる家族やら朋輩やらを道連れにしたいと思うかの。オノレも一緒に死ねや、死んだれやと思うか。儂が死人やったらそうは思わん。情け知らずの恩知らずのと罵《のの》られ、鬼と怖れられたこの儂でもな、そんな無体な考えは持たんで。残った者は生きて欲しいと思うやろし、係累家族にはせめて少しでも長生きしてくれろて、そう思うんが普通なのと違うか。生きて行こうと思うなら金でも物でも、要りますのやで」

「生きよう――と、思われたんでっか」

「そやな」

朝から晩まで何日も何日も、腐った死骸を運び、身ぐるみ剥いでいるうちに。

「死ぬのが阿呆らしゅうなった。いや、忘れとった。それよりも――死ななかったんや」

いつか感染《うつ》る。

そうしたら死ぬ。

そう思っていたのに。

「儂は裸に剝《む》いた屍を捨てて、それから山に入って喰えるものを探した。その繰り返しや。生きておる者《もん》に山で採って来たものを喰わして、二三日様子みとったら、幾人かはまあ、元気になったんや。要するに弱っておっただけやってん。生きておる者は皆、そのあかん病には罹っておらん。そう――気づいたんやな。儂は」

生き残った者どもは疫病に罹っていない——寛三郎はそう確信した。

症状が違っていた。

殆《ほとん》どが飢餓によるただの衰弱と思われた。

発熱も食中《しょくあた》りから来るもののようだった。

後から村に入った寛三郎は、全く何ともなかった。

疫鬼は去っていたのだ。

新しい鬼——寛三郎が追い遣《や》ったのだ。

「儂はな、そこんとこを祭したからこそ、運んで捨てた骸の山を焼いたんや。それこそ虫送りやな。あら、最後に燃やすのやろ。その骸の山から、また悪いもんが涌《わ》きよったら、今度こそどないもならん。だからもう、徹底的に幾度も幾度も焼いた。何日もかかったで。腐肉の焼ける臭いがな、この美曾我五箇村を覆ったわ。立ち昇る煙は遠く京大坂からも見えた謂うで」

正に、地獄の獄卒だ。

故郷《ふるさと》の、村の仲間達を火にくべて。腕や、脚や、頭や腸《はらわた》や、子供も大人も老人も、焼いた。

煤《すす》が飛び骨が爆《は》ぜ脂が滴《したた》った。禍禍《まがまが》しき黒煙が天に届き紅蓮《ぐれん》の業火が渦を巻いた。

その前に半裸の寛三郎は立っていた。

鬼だったろう。

でも。

それが自慢だ。

「そう、鬼になったんが自慢や。ええか、それでこの村ァ救われたのや。今、生き残っとる二百何十人は」

儂が救った。

「謙遜《けんそん》はせえへんで。志《こころざし》は兎《と》も角《かく》、仮令偶偶《たとえたまたま》そうなっただけやったとしても、や」

そう、これは偶偶に他ならない。そうであっても。

「この儂が鬼になったからこそ、二百人からの者《もん》が助かったんや。それは間違いない。骸は汚い気色悪いと言うとったら、皆その骸になっておったんやで。次から次へ死人の身ぐるみ剝いで、その屍ェ燃してや。衰弱しとォる連中の尻《けつ》叩いて働かして、正に地獄の獄卒やで。それでもな、死骸から剝ぎ取った着物も死骸が持っておった品物も、死んだ者が住まっておった小屋も、全部生きてる者の役に立ったわ。死骸が持っておった銭も生き残りが生きるために使《つこ》うたんや」

「そう――なんでっか」

「そうや。儂が着服《ちゃくぶく》した訳やないわい。そないな状況で泡銭《あぶくぜに》ィ懐に入れて何になるかい。ええか、この村は、美曾我五箇村は、鬼になった儂と、亡者の銭で生き永らえたんじゃ」

侍も。

坊主も。

里の者も。

何も為《し》てくれなかった。

大騒ぎして慌てて、臭いものに蓋《ふた》をするように、目を逸《そ》らしただけだ。自分達に累が及ばぬように、遠ざけただけだ。隠して遠ざけて見殺しにしただけだ。猫が糞《ばば》に砂を掛けるようなものではないか。病に罹ったからといって――。

――糞扱いだ。

そうや、と林蔵は言った。

「その、そン時のお庄屋さんはどないしはったんでっか。もう先《せん》にお亡くなりになっとったんでっしゃろか」

「庄屋――か」

「へえ。あの、今のお庄屋の又右衛門はん――あの方の親御さんなんでっしゃろ、その頃のお庄屋さんとゆえば。その、お上のお達しに諾諾《だくだく》と従っておっただけなんでっか。村の惨状考えたら、お畏《おそ》れ乍《なが》らと訴えてもええと思いますがな」

「庄屋は」

又兵衛は――。

「儂が戻った時はもう居らんかった」

「居らなんだ」

「そや」

「村境が封鎖される前に逃げた――ゆうことでっか」

「さあな」

――いや。

知らん。

「まあ、前の庄屋はどうしたのか知らん。ただ、村ン処遇の交渉したのは儂や。死骸を焼いた煙を見た役人が村境まで来たのやな。それ捕まえて、もう疫病はないと、感染《うつ》る虞《おそ》れはないんじゃと、そう捲《まく》し立てたったんじゃ。この儂が証《あか》しや。役人は、まあ何やかやと協議しくさって、十日後には封鎖が解けたわ」

そう。そして――。

参

責めておる訳やないのじゃと和尚は言った。

「あんたの功績は讃《たた》えられるべきものやろ。それは承知しておりますわい。この暮らし向きがその証《あか》しやないか、寛三郎はん。暴れて悪さして村ァおん出て、あんたは博奕《ばくち》打ちにならはった。普通やったら戻れまへんで。戻ったかて住まわれへんやろ。それがどうや。村役人でもない、百姓でも鉄砲撃ちでもない、杣人《そまびと》でもないあんたが、こんな大けな屋敷に」

「こら元元親父の屋敷じゃ。それを儂の裁量で造作したんじゃ。村の者なら兎《と》も角《かく》、あんたなんぞに恩着せがましくどうのこうの言われる筋合いはないわい」

困ったお人やなあと和尚は禿頭《とくとう》を掻《か》いた。

「迷惑はかけんて。金も取らんわ。何じゃ、あんたは拙僧《わし》が銭儲けのために村人を唆《そそのか》しとるようなことゆうてるらしが、それこそ言い掛かりやて。ええか、あんたが村の者のこと深う思うてはることは承知や。でもな、怖がっておるのは、その村の者なんやで」

——幽霊か。

「幽霊なんぞ、居《お》るか」

「居るか居らんか、拙僧は知らん」

「知らんのかい」

「仏の教えに亡魂なんぞない。生《い》き生ける者は悉《ことごと》く六道を輪廻《りんね》するだけや。お清めやらお祓《はら》いやらは神職の仕事やろし、釜祓《かまばら》いやら憑き物落としやらも僧侶の仕事とちゃう」

「せやったら何をすんねんな」

「ええか、迷うのは仏さんやない。仏は迷ったりせんのじゃ、寛三郎はん。死人はな、きちんと手続きして送ったらな、仏さんになれんのじゃ。死人が仏にならんとな、生きとる者が迷うのじゃ」

「ふん」

詭弁《きべん》だ。

そう言うと和尚はそうや方便や、と言った。

「嘘、ゆうことやろ」

「嘘や。嘘やけど、現実《ほんま》や。迷った者《もん》はな、何でも見えるし何でも聞こえるんじゃ。見とる者聞いとる者には、こら現実のこっちゃないか。恐ろしのや。怖いのや。せやから、坊主が要るのやないか」

仏法は生者のためにあるのんやと和尚は言った。

「ちゃんと生きて、ちゃんと死ぬ、そのための教えなのや」

「よう言うたわ」

寛三郎は腕を捲った。

「生きとる者のために、あんた何を為《し》た」

あの。

地獄の中で。

「寺に籠《こも》って念仏でも唱えておったんか。仏拝んで誰か救われたか。それで病が癒《い》えたゆうのか。死人が生き返ったか」

オノレは侍と一緒じゃと寛三郎は悪態を吐《つ》く。

「何もせんで人から盗る。泥棒やないか。まあ、あんたの言う通り、儂は親捨てて村捨てて畑捨てた博奕打ちや。ろくでなしやった。それでもな、この」

寛三郎は二の腕を突き出す。

「腕一本で喰うて来た。他人の施しで生きておる訳やないど。慥《たし》かに村の者は皆、儂とこに芋《いも》やら葱《ねぎ》やら持て来るわ。米でも何でも、要るもんに不自由はないわい。でもそら、あの時のお礼や。儂が」

鬼になったお礼や。

解っておると和尚は苦い顔をする。

「拙僧もあの時は針の筵《むしろ》に座っておるようやった。駆けつけて何でもしたかったわい。せやけども、寺は村の外にあんねん。入れん。何度も粥《かゆ》を炊いて持って行ったがな、追い返された」

「儂は入れたで」

「あんたは入ったきり出て来んと思われたからこそ通れたのやろ。入って出ることは罷《まか》りならん、差し入れも無理やと断られた。手渡しは出来んと言われた」

「ふん」

言い訳だ。

「なら——もう出て来んと言うて入れ。ほんまに救う気ィがあったなら、そう言っておった筈やろ」

それは無駄なんやと和尚は言った。

「何が無駄や。そやったら何かい。儂の為たことは無駄やった言うんか」

「そうやないて。拙僧はな、お庄屋の又兵衛はんと約束しておったのや。このままでは必ず物資《もの》がのうなってしまう。ただでさえ村人は衰弱しとった。喰うものがのうなったら終《しま》いやないか。せやから、何でもええから届けてくれゆうてな。いや、言い訳するようやが、村境に関所がでけるまでの間、拙僧は此処に留まって病人の看病をしておったのやて。それでもどないにもならんようになって、で、又兵衛はんと拙僧がお代官所に向こうた。それで、沙汰《さた》を待つ間に拙僧は喰いものを調達しに寺に帰ったのや。ほたら封鎖や」

「又兵衛——か」

あの男は。

クズやと言った。

「クズか」

「ああ。あの男はな」

儂から何もかもを奪った男だ。

「それでもな、又兵衛はんはこの村のために出来る限りのことをしたで」

「何を為《し》た言うんや。ええか、この村であの男のことを良く言う者は誰も居らんど。せやから息子の又右衛門かて肩身を狭《せも》うして過ごしておるのやないか。庄屋いうても、誰も頼りにはしておらん」

そやな、と和尚は首肯《うなず》いた。

「ま、あんたが若い頃、又兵衛はんと悶着起こした一件はあんたの親父さんから聞いておるわい。せやけども、あの人かて悪いお人やない。あの時かて、下っ端の役人では埒《らち》が明かんよって、願い出て代官と直談判《じかだんぱん》したのやで。地べたに頭擦《す》り付けて頼んだのやで。救ってくれ助けてくれて」

「言うだけなら誰でも出来るわい。それで結局、何も出来ひんかったやないか。あの男は」

――三十年前に。

又兵衛はんのことはええのやと和尚は言った。

「逃げたんか亡《の》うなったんか、そら判らんて。代官にきつう叱られとったよって、それで怖《こお》うなられたんかもしれん。病が広がったのは己の所為やと思われたんかもしれん。でも、拙僧が最後に会《お》うた時の又兵衛はんは、骨のある立派な庄屋やったで。今の又右衛門はんかて、まだ若いゆうのに頑張ってはるやないか。それはそれでええねん。今日相談に来たのはやな」

「せやから幽霊やろ」

「そう――じゃな」

「そんな、居るか居らんかよう判らんもんをどないするゆうねんな。お前《ま》はんにもどうも出来んのやろ」

そうやないてと和尚は顔を歪めた。

「死人が迷うておるかおらんか、そら拙僧には判らんことや。せやけども、今、迷うておるのはこの村の者なんやて。あんたを除くこの美曾我五箇村の者全員が怖れ戦《おのの》いておるんやて。それを何とかせなならんと、拙僧はそうゆうてるのや。その相談に来てるのやないか」

「葬式あげればそれは直るんか」

あんなもの。

蓑借の杉蔵の葬儀は盛大なものだった。坊主も大勢来た。花も供物も沢山あった。

でも――杉蔵はあれで満足したのだろうか。可愛がっていた万吉を千蔵に殺されて――その万吉の葬式は結局出されることがなかったのだし。

「葬式だの法要だの、そういうもんはな、和尚。無駄やろ。やってもやらんでも変わらん。なら、そんなもんに金掛けるなァ、阿呆のするこっちゃ。細《ささ》やかでもええねん。悼《いた》む気持ち慕う情があるのやったら、心の奥で、死んだ者のこと想うとればそれでええのとちゃうか」

「そやな」

あのな寛三郎はん――と、和尚は少し砕《くだ》けた口調で続けた。

「死霊が仏の教えと関係ないのと一緒での、仏道修行と葬式は関係ないねん。戒名《かいみょう》与えて無理矢理ィ仏弟子《ぶつでし》にして、仏やから祀《まつ》るのや経文聞かすんやと、後講釈《あとこうしゃく》ばかりが先に立っておるがの、そんなもんはそれこそ方便や。墓かて位牌《いはい》かて仏壇かて、あないなもんはみィな飾りやよってな、関係ないわ。あら、檀家の頭押さえとくための方便なんやて。其処ンとこはあんたの言う通りじゃ。でもな、此処が肝心なんやで寛三郎はん。葬式はな」

生きておる者どものためにすんねんで――と、和尚は言った。

「どういうこっちゃ」

「だから、けじめ、みたいなものやがな」

「けじめて」

「けじめはけじめや。お父《とん》はもう戻らん、お母《かん》はもう生き返らんて――そういうけじめは中中つけられんもんなんやて。せやから、金掛けてでもお祀りすんねん。卒塔婆でも何でも立てよるねん。もう死人じゃ、二度と会えんと、そう思うためにすんねんて。それしとかんと、もしや思うやろ。その、もしやもしやが迷いになんねん。そうなると――」

化けるんやろなと和尚は言った。

「幽霊《ばけもん》見るんはな、生きとる者《もん》やで。坊主かて迷えば何でも見るわ。だからな寛三郎はん。亡魂死霊が居るか居らんか、そら坊主の与《あずか》り知らぬこっちゃけど、檀家がそうしたもん見んようにしたったるのは檀那寺の仕事なんや。拙僧はそれをさせてくれ、言うとる」

「けじめが――」

ついてないと言うか。

「供養のし方ゆうのはな、せやから色色なんや。宗旨に依《よ》って違うやろ。せやから、あんたの為《し》たことは、まあ悪鬼羅刹《らせつ》の所業なんやろけども、それも立派な供養やで、寛三郎はん」

供養——。

あれが供養か。身ぐるみ剝いで投げ捨てて火を掛けて。

立派な供養やと和尚は言った。

「疫病で腐り死んだ者を、火ィで清めて天に昇《のぼ》したったんやから、こらな、その辺の生臭坊主にはでけん、それは見事な供養やで。あんたが供養したったんやから、あの病で亡《の》うなった者は皆、往生しとると思うわ。一方でな、村の者はな」

何もしておらん。

「何もしておらんわ。でけんかったのや。何も。身内が、親が子が、苦しんで死んで、それを目の当《ま》たり《あ》にしとるいうのに、何も施《ほどこ》してやれなんだんやで。せやからけじめがついておらんのやろ。十年経って、十年目に、その迷うた心が形になり音になっとんねん」

「そのけじめつける、ゆうことかい」

そうやと言って、和尚は前に乗り出した。

「寛三郎はん。あんたがな、拙僧を良く思うておられんことは承知や。あんたの言う通り、拙僧は畑耕す訳でもない。狩りして来る訳でもない。民草《たみくさ》から施しを受けて暮らしておる。乞食《こつじき》のようなものや。それが何を偉そうなと、そう思われておるのやろ」

そう——。

思うておると答えた。和尚は何度か首肯《うなず》いた。

「だがな、侍は威張るのが仕事なんや。そして坊主もそうや。侍が政《まつりごと》せな、どれだけ百姓が作物作っても国は国にならん。政ゆうのは威張っとらんとでけん。下下《しもじも》を有無を言わさず従わせな、成り立たんもんなんや」

「だから黙って従っておれゆうんか」

そやないと和尚は言った。

「民百姓が黙して従《したご》うてまうような政をせなあかん、ゆうこっちゃ。一揆《いっき》も打ち壊しも悪政が招くもんやろ。名君は威張らんでも自然と崇められるわ。皆が奉《たてまつ》りよる。でもな、どないな名君であっても、や。その殿さんが及び腰やったり、下下《しもじも》に媚《こ》び諂《へつろ》うておったりしたらどや。民草は不安にならんか。侍はな、威張れてなんぼ、威張ってなんぼなんや。坊主も一緒や。同じように拙僧が迷うておってはな、誰も救われへん。幽霊《ばけもん》みたいな下等なもんは、有《あ》り難《がた》い法力で収めたる鎮めたるゆう、恰好をつけなあかんのじゃ。恰好がついておらんと、妖物が涌《わ》くのじゃ。だから寺は飾る。法要も飾る。袈裟《けさ》も着るし——威張るんや」

それが仕事やねん、と和尚は言った。

「今、この村の者は怖がっておる。もしかしたらと疑っておる。誰を疑うんでもない、自己《おのれ》を疑《うたご》うとるのや。あんたを疑うとるんでも、死人疑うてるんでもないで。可哀想やろ。違うか」

「村の者《もん》、騙《だま》す——ゆうことかいな」

「騙すのが仕事やゆうてんねん。それでこの村ァ収まるんやゆうてんねん。ええか、身内が死ぬゆうのはな、そら大事《おおごと》なんやで。あんた処《とこ》は——あんたが家出とる間に親父さんも亡《の》うなってしもたけども、そら、婆が死ぬ爺が死ぬいうだけで大変なんやて。逆縁なんぞはもう、親御はんの気持ちは生半《なまなか》なことでは収まらんわい。十年前にはな、百人以上死んだのや。頑是《がんぜ》ない童《わらし》も乳飲み子も死んだ。親を失《うしの》うた者も連れ合い亡くした者も居《お》るのんじゃ。その骨が、あの茶毘ヶ原に散らばっておるんやで。可哀想や、悲しい虚《むな》しい思うやろが。己のこと怨んどるかもしれんと思うやろが。それが」

人情と違うか——。

鬼に人情などない。

「儂はどうも思わん。鬼やからな」

「あんたは鬼になれたかもしらん。せやけど他の者はそうはいかんて。悲しいんじゃ。恐ろしいんじゃ。だから、この老《お》い耄《ぼ》れに方便遣わせてくれ。皆の心を鎮める法要させてくれ」

老僧は頭を下げた。

「あんたが首ィ縦に振ってくれん限り、庄屋や拙僧が何をしたって意味がないのや。あんたはこの村の恩人やからな。あんたが参加してくれてこそ、騙しは方便になる。嘘が真実《まこと》になると、和尚は禿頭を畳に擦《す》り付けたままの姿で言った。

寛三郎は今まで一度もこの老僧に頭を下げられたことがない。それもこれも——。

——恰好がつかぬから。

恰好をつけられねば、檀那寺の住職は勤まらぬのだ。それ故にこの老いた僧侶は今まで頭を下げなかったのだ。この坊主は、だから今、肚《はら》を割って話してくれているのだろうとは思う。

この——鬼に。

「まあ——」

寛三郎が言葉を発する前に、後ろの襖《ふすま》が開いた。

和尚は顔を上げた。驚いたようだった。

振り向くと、林蔵が其処に居た。

「ご住持様。ご高説ご尤《もっと》もや。そこまで本音ェ吐かれる仏法者を、わっしは他に知らん。さぞや修行を積まれた高僧やとお見受け致しまするがな」

「な、何を仰る。拙僧はただの田舎坊主や。生臭やからこないなことが言えるんや。本山《ほんざん》の者《もん》に聞かれたら破門されるわ。それより——あんたは」

「これはな」

「口寄せだす」

林蔵はそう言った。

「口寄せて——」

「何とゆうたらええのですかな。神降ろし——やないな。死人を呼び出す咒《まじない》をする、外法《げほう》使いとでも言うたらええですか」

「外法——て」

「反魂の術——謂いまんのやろか。黄泉からの声を聞く者でおます。いや、こら仏法者のご住持様なんぞには決して認められん、邪《よこしま》な法ですわ。世の倣《なら》いに逆らう行《おこな》いや。せやから、外法でんねん」

「その外法使いが——何故、此処に」

「頼まれましてん」

「頼まれた——何を」

「化け物退治や」

何と、と短く声を上げて、和尚は身を起こし寛三郎の顔と林蔵の顔を交互に見比べた。

「寛三郎はん。あんた」

「違《ちゃ》うわ。儂はこんなもん呼びゃせん」

鬼が化け物退治など頼むか。

わっしはお庄屋に頼まれましてんと林蔵は言った。

「今此奴《こいつ》が言うた通りや。これ呼び寄せたなぁ、あの又右衛門の奴やて。あの腰抜けめ、余程化け物が怖いのやろな。こらあ笑える話やが、お前《ま》はんの寺で法要だ供養だするよりはマシや思うたからな。話を聞く気ィになったんや」

「そうでんねん。わっしは、又右衛門さんに呼ばれてこの村に来たんですわ。あの方ァ、そらもう、怖がってますわ。畏れてまんねん」

死霊を——。

「ああ、そら拙僧も知っておる。あの人は屋敷に籠って一歩も出て来ん。拙僧も暫《しばら》く顔を見てないわ。この間の寄り合いにも出て来んかったよって」

なる程、それで作造が来たのだ。

腰抜けじゃ、と寛三郎が言うと、そうでんなあ、と林蔵が継いだ。

「そうでんなて、あんたその又右衛門はんに頼まれた人と違うんか」

「そうでんねん。いや——呼ばれて来たんはええけれど、又右衛門さんは怖い怖い震えとるだけでさっぱり要領を得んもんやからね。いったい十年前に何があったのか、それすらも判らへんのです。それでは退治も何も出来しまへんよって——五箇村巡ってあれこれ尋ね廻《まわ》っておったのですわ。ほたら——」

林蔵は寛三郎に目を向ける。

「どうも様子が違うよって」

「様子て何が」

「いや、どう聞いても誰に尋いても、この村の実際《ほんま》のお庄屋は——」

こちらの寛三郎旦那ですやろと、林蔵は言った。和尚は苦苦しい笑みを浮かべる。

「まあ、そういうことになるかもしらん。どれ程のことを聞き廻られたのか知らんけども、十年前この村を救うたのはこの、鬼の寛三郎はんや。それ以来、この美曾我五箇村の者一人残らず、この寛三郎はんを心から信頼しとるし、崇《あが》め奉っておるわいな。又右衛門はん——お庄屋は、まあ、親の跡目を引き継いだだけ、村役人としての仕事をしておるだけやからな」

「へえ。そのようでんな。わっしは、それで此方《こちら》にお邪魔さしてもろて、詳しくお話ィ伺《うかご》うておったのですわ。そこに——ご住持様がお出《い》でになったたんですわ」

「さよか。そらご苦労なこっちゃが——しかし」

わっしは靄船《もやぶね》の林蔵だす、と若造は名乗った。

「林蔵はんか。林蔵はん、あんたの仕事盗るようで心苦しいがな、お聞きの通りや。こら、憑き物荒神《こうじん》の類いではないのや。誰かから何か落とす、化け物退治するゆう話やないのです。村人の心の安寧を取り戻すのが第一や。せやから——」

そらどうも違うようでんなと林蔵は言い、そのまま寛三郎の横に座った。

「そや。違うのや。悪いがあんたの出番は」

「いや、逆だんねん。ご住持様」

「逆——逆てなんだんねん」

こら、わっしの領分やと林蔵は言った。

「どう言うこっちゃ」

「へえ。慥《たし》かに村人は畏れておりますわ。せやから檀那寺のご住持様には是非とも皆皆様方の平穏を、お亡くなりになった方方のご供養をして戴《いただ》かなあかんのやろと思いますわ。でも」

「でも——」

「今出ておるのは、そうゆうものと違う」

「違うて——意味が解らんて林蔵はん。何が出ておると言うんや」

「溝出《みぞいだし》や」

林蔵はそう言った。

「そ、そら何や」

「化け物《もん》ですわ。きちんと葬られずに山野に打ち捨てられた死骸は、骨は骨、皮は皮に分かれて踊り出すんですわ。六道のどの道にも進めずに現世に留《とど》まり、怨みごとを声に唄《うた》い無情を踊る――それが溝出」

そないな阿呆なもんがあるかいと和尚は言った。

「のう、寛三郎はん。聞いたか。骨が踊るて」

「どうなんや。こないなこと言うてまんねんで」

「聞いたで」

「けど儂にとっては幽霊も、その溝出も変わらんもんのように思えるがな、和尚」

「いやしかし」

「幽霊も居るか居らんか知れんのやろ」

「そらまあ、そう言うたけども、そないな化け物は明らかに居らんやろ」

ええ居りまへんと林蔵は言った。

「仏法者にとって幽霊は居らん。でも村人にとっては居る。だから居ることにして鎮める。そういう話でしたな、ご住持様。それと同じでんねん。ただ、わっしは仏弟子やない。出家も得度もしておらん。わっしら外法使いには、そういう妖物《ばけもの》が方便だんねん」

「方便て」

「五箇村に流れる怪しい話と、こちらの寛三郎旦那に聞いた話を併せて計ってみれば判ることですわ。どう考えても、祟っておるのは病で亡くなった方方ではないんですわ」

「違うゆうのか」

「出て来るのは男女二人。しかも病の態《てい》やない。百人以上が亡くなって、二人だけて」

二人。

二人だけ。

「こらおかしいのと違いますか」

作造もそんなことを言っていた。

「骨は骨、皮は皮、怨めし怨めしと、その妖物は言うのやそうです。病で亡くなった方がそないなことを言いますやろか。こら——」

溝出やと林蔵は言った。

「貧しい者は葬式法要もようでけまへんわ。だからといって、ぞんざいに扱《あつこ》うたらあかんのです。それこそけじめがつかんようになってしまう。その昔、葛籠《つづら》に入れて捨てられた貧乏人の骸《むくろ》が、骨だけ外れて葛籠を破り出《い》で、踊り狂うたゆう話があるんですわ。それから供養されんことを訴える死人を溝出と呼ぶんだす。身分が卑しかろうと銭がなかろうと、死んだ者は粗末にしたらあかんゆう話でっけどな。ま、ご供養はお寺さんの仕事なんやけど、一旦《いったん》妖物になってしもたら、退治すんのは——わっしら下衆《げす》の領分や」

「退治――出来まんのか」

「へえ」

出来まっせと林蔵は言った。

「出来まっけども――まだ幾つか判らんことがありますのや。それさえ詳《つまび》らかになれば、必ずや溝出は消せまっせ。こらお約束しますわ」

「消すて、ほたら」

「いや――わっしが消せるのは怪異《あやし》だけや。そないな如何《いかが》わしいもの扱うな、ご坊のお仕事やないですわ。しかし、最前ご住持様が仰せになっておった、村の方方の安寧は、また別の話でっしゃろ。そちらはわっし如きには荷が重い話で。わっしが溝出を退治すれば怪異は止みますよって。然《しか》る後に」

「ふん」

盛大な法要を――と林蔵は言った。

寛三郎は抹香《まっこう》臭い老僧と胡散《うさん》臭い若造を見比べた。

「どっちもどっちや。そんなな、死人が化けるの祟るの、化け物が涌くのなんてことは、ないわい」

「ないやろね――」

ないけどありますのんやと林蔵は言う。

「意味が解らんわそれ」

「ないもんが見える、ないもんが聞こえる――これが化け物でんねん。元元ないもんなんやから、こら簡単に消せまんねん。手続きさえすれば――でっけどな」

「手続きて何や」

「へえ。ご住持様が仏具法具を整えられ、仏典経文を唱えられるのと一緒で、わっしら外法使いにもお膳立《ぜんだ》てが要ります」

「お膳立て――か」

「へい。そこで、此処はひとつ、寛三郎旦那の手ェをお借りしたいと思いましてな」

「儂の――」

何をする。

「寛三郎旦那ァ、鬼になられたお方ですやろ。そんな強いお方の前に妖物なんぞ出ェしまへんわ。一方で、この村で一番怪異《あやし》を畏れとんのは、わっしに頼んで来た又右衛門はんや。このお二人に、今宵《こよい》茶毘ヶ原に揃うてお越し戴きたいのですわ。ご住持様には是非とも――お見届け役を、と林蔵は結んだ。

肆

館を出ると。

皆が頭を下げる。中には拝む者も居る。

村の者誰もが寛三郎を敬《うやも》うてくれる。花里に限ったことではない。畑野の者も同様だ。川田の者もそうである。川沿いに上り、竹森を抜ける。

威張るつもりはない。

偉振《えらぶ》る気もない。

だが寛三郎は、この美曾我五箇村の中では庄屋より誰より偉い。誰よりも強い。外の者には鬼と囃《はや》されるが、裡《なか》の者にとっては神である。

陽が暮れて来る。

山間《やまあい》は、陽の落ち方がまちまちである。山の蔭森の蔭、樹の蔭草の蔭。刻《とき》の流れにむらがある。薄暮と暗闇、誰彼《たそがれ》と夜陰が、其処此処に得手勝手に潜む。

顧《かえり》みれば夕陽が紅《あか》い。なのに行く先は暝《くら》い。

行き交う年寄りが畏まる。

わざわざ小屋から出て来て掌《て》を合わせる者も居る。

竹森を過ぎれば、もう山道だ。

この先には木山の村と——。

——茶毘ヶ原。

あれ以来、一度も行っていない。用もない。行く気もしない。誰も近寄らぬ。荒れた、使い道のない、悪所である。元からそうだったのだ。

木山の外れに——。

燈《あかり》が群れていた。提燈《ちょうちん》に、松明《たいまつ》。

木山の衆が集まっている。作造始め、各村の組頭も居るようだった。村人達は寛三郎を認めると、揃って頭を下げた。

奥に庵徳寺の和尚が居た。

その横に——。

火明《ほあか》りに照らされて猶《なお》、蒼く白い庄屋の又右衛門。

震えるその身体を押さえるようにして林蔵が居た。

林蔵は寛三郎に一礼すると和尚と目を合わせ、それから又右衛門を抱えるようにして藪《やぶ》を掻き分けた。

又右衛門は足が竦《すく》んでいるようだった。

和尚が続く。

寛三郎は無言で村人の垣根を抜けた。

村人どもは――。

鬼を除けるように道を空け、村外れに留《とど》まって背後から不安の視線を寛三郎の背中に投げ掛けた。

――何。

茶番だ。嘘ッ八だ。方便だ。

何も――起こりはしないだろう。

死人には何も出来ぬ。

出来なかったではないか。あんなものは破れた皮と腐った肉と涸れた骨と、穢《けが》らわしい汚物でしかない。

だから乱暴に打ち捨てて、堆く積み上げて、全部燃やしてやった。骨の髄まで燃やし尽くした。雨に浸り風に曝《さら》され灰も残っていないだろう。

――そう。この道だ。

この道を幾度も幾度も往復した。

幡《はた》も樒《しきみ》も線香もない、たった一人の葬送だ。

経帷子も死に水もない。鉦《かね》も鈴《りん》もない。そんなものは要らない。

まさに――野辺送りだ。

藪を抜け、林を抜ける。

既に夜の帳《とばり》はとっぷりと降りている。

そう、此処だ。

この、原だ。

寛三郎は息を呑《の》んだ。

「こんな に――」

なっていたのか。

悍《おぞま》しい。草。草の塊。小山――否、塚だ。これは天然自然が造った墳墓だ。

「そうでんねん」

林蔵の声が聞こえる。この、荼毘ヶ原の何処かに居るのだろう。

「ご覧の通り――こらあもう塚や。立派な古塚でっせ。十年の歳月が、亡くなった方方を立派に葬ってくだすったんや。せやから――」

祟ってる筈もおまへん。

「寛三郎旦那ァ打ち捨てたと言う。鬼になって、地獄の獄卒となられて、業火で焼いたと仰せや。こらあ病で亡くなった方方にとって、何よりの供養やったのやないですか――」

せやから誰も怨んでない。

怨んでない筈や。

「そうでっしゃろう、又右衛門はん」

又右衛門――。

「流行病《はやりやまい》は誰の所為でもない。あら、疫鬼がばら蒔《ま》くものやないですか。謂わば通り物に当たるようなものや。己が不運を嘆《なげ》いても、誰を怨むことも出来ん。そうでっしゃろう、又右衛門はん」

震えている。

その振動が闇に伝わる。

松明の明りが又右衛門の顔を浮かび上がらせた。

「ち、違う。違うんや」

又右衛門は声を搾《しぼ》り出すようにそう言った。

「や、病で死んだのと違うのや」

「ほう。では、何で死んだんやろ」

林蔵の顔が半分だけ見える。

「そ、それは──」

「又右衛門さん。あんた、何でそんなに怖がるんですやろ。最前より何度も言うてるやないですか。病で亡《の》うなった百数十人、怨んではおらんて──」

「病で死んだ者《もん》と違うんや。ふ、二人ですやろ。化けて出るのは。その二人は──」

何を。

「何をごじゃごじゃ言うてるんや又右衛門。病で死んでないて、どういうこっちゃッ」

この若造──。

「わ、儂が何かしたとでも言うんかっ」
「そ、そやないんか寛三郎はん。あんたが——誰よりも能《よ》く知っておることやないのんかッ」
「何をッ」
寛三郎が二三歩前に出たその時。
林蔵が松明を掲げた。
「なら——尋《き》いてみればええんだす」
「尋く——」
右の眼はえんどう仏
左の眼は中大仏《なかおおぼとけ》
右の御手が釈迦如来《しやかにょらい》
左の御手が普賢如来《ふげんにょらい》
右の御足がくりから不動
左の御足が八社の観音
謡《うたい》か。呪文《じゆもん》か。それとも祝詞《のりと》か。
朦朧《もうろう》と。
瞑《くら》き闇夜に古塚が浮かび上がる。死骸を積んで、積んで燃して、骸の残滓《ざんし》が凝《こご》った塚が、小山のようなその輪郭を茫漠《ぼうばく》と見せ始める。
寛三郎も、竦《すく》んだ。

塚の真上に。

何かが立ち上がった。

あれは——。

骨は骨。

皮は皮。

うらめしうらめし。

あれは、あの——。

男と女だ。あの影は、あれは——。

「お、おのれ、迷うておったはオノレらかッ」

寛三郎は怒鳴った。

「今更、十年から経って、何を怨めしく思うかい。おのれ又兵衛、おんどれは儂から志乃《しの》を寝盗っておいて、何が庄屋じゃ。志乃、オノレもじゃ。そんな腰抜けに体ァ開いて、この売女《ばいた》めがッ。お前等《ら》夫婦は、揃って儂を邪魔にしたんや。お前等《ら》が儂を悪者に仕立ててこの村から追い出したのやないか。そのお蔭で、親父は大庄屋の役を退《ひ》いたのやろが。みんなお前等《ら》が悪いのやないか。何もかもお前等《ら》の所為じゃ。自業自得じゃ」

骨は骨。

皮は皮。

怨《うら》めし恨《うら》めし。

「お、おいッ。寛三郎。今、おんどれ自分で何言うたか解っておるんか。又兵衛は、わての親父や。志乃はお袋や。病怖れて、村ァ捨てて逃げ出した筈のその二人が、何でこの荼毘ヶ原で迷うておんねんな」

「し、知るかそんなもん。お前の親はな、揃って人でなしじゃ。人でなしには人でなしに相応《ふさわ》しい後生いうのがあんのんじゃ。村人捨てて逃げ出した腰抜け、卑怯《ひきょう》者《もん》、臆病《おくびょう》者《もん》、それがお前の親に相応しい評判やないか。オノレはその子ォじゃ。腰抜けの卑怯者の臆病者の子ォとして生きるんがオノレに合《お》うた生き方や」

「おかしいわ」

「何がおかしいか」

「ずっと――おかしい思とったんや。疫病が流行ってたんやで。十年前、わてはまだ十二やった。十二の息子だけほかして逃げよる親が居るか。逃げるなら一緒に逃げとるわい」

「ほたら、お前は捨てられたんじゃ。それだけのことやろが」

「そやない。親父もお袋も、ちゃんと此処に、この村に居ったんじゃ」

「ふん。なら病で死んだのやろ。儂が此処で燃した死体は、みな腐っておったわ。どろどろで誰が誰やら判らんかったわい」

「それも違うわ」

親父もお袋も病に罹る訳はないのんじゃ。

「殺したな。寛三郎」

殺したな。

殺したな。

殺した——。

「悪いかい。殺したわい。儂はな、あン時、死ぬつもりやったのじゃ。でも死ぬ前に、又兵衛と志乃を殺したろ思うて此処に戻ったんや。人を虚仮《こけ》にしくさって。あン餓鬼《がき》ィ、ぶち殺したろと思うて帰って来たのじゃ。そしたら此処は——地獄になっておった。それなのにあの餓鬼め、あれは二人とも病に罹っておらなんだ。元気やった。儂の身内はみな死んだで。叔父も甥も姪も、従兄弟《いとこ》も、全部死んだで。それなのに——」

だから。

だから頭かち割ってやってん。

「誰も気づかんかったわ。皆、口も利けん、足腰も立たん。そないな中では何したって判りやせんわい。そこいら中、屍だらけなんやで。ひとつ二つ増えたかて、どうちゅうことはないのんじゃ。天誅《てんちゅう》じゃ」

「寛三郎お前——」

和尚の声だ。

「へん。今になってガタガタ言うたかてどうにもならんぞ和尚。慥《たし》かに儂は又兵衛と志乃の二人をこの手で殺したで。それでも儂は、その同じ手ェで二百人以上を救うたんやで。そら変わらへんがな」

「な、何人救うたかて、その手で二人殺しとるやないか。わての親を殺したのやろが。どんだけ善行積んだとてそれなら一緒じゃ。おんどれは鬼じゃ。鬼じゃ鬼じゃ。この人殺しめッ」

人殺し。

そう。

初めて斬った。斬れなかった。なまくら刀に見様見真似の素人剣術で、人などは斬れぬ。

だから叩き割った。

先《ま》ず又兵衛の頭を。そして志乃の頭を。何度も。何度も。皮が剝げて、骨が割れて。

その死骸を――。

最初に此処に運んだのだ。

その死骸を隠すために他の骸も運んだ。骸に骸を重ね骸で骸を埋めて、骸で骸を隠した。途中で止《や》めることは出来なくなった。だから、全部運んだ。

骸の山。

そう。

寛三郎は、人殺しだ。

人殺し人殺しと又右衛門は叫んだ。

「この、人殺しめ。何が花里の旦那じゃ」

「人殺し――ねえ」

林蔵の声がした。

南無呪詛《すそ》神か
地奪い口論境の論たい申した
南無呪詛神
縁類縁者の仇《かたき》に付いた
南無呪詛神
杯遺恨の仇か
言葉言葉の遺恨
銭金銀の仇
五穀八木貸借遺恨の仇
一代一生の仇
七代しのねの仇
字文法文仇に付いた南無呪詛神て――。
塚が。
ごとごとと、鳴った。
「人殺し。人殺し。人殺し。人殺し」
これは――又右衛門の声ではない。
声は、塚全体から響いているように聞こえた。
「人殺し。人殺し。人殺し」

又右衛門。

又右衛門よ。

「お、お父《と》っつぁん、わてや。この、寛三郎の鬼めが白状したで。此奴《こやつ》がお父っつぁんとおっ母《か》さんを殺したて、此処で言うたで。この、人でなしの人殺しが」

白状したで。

又右衛門。

お前か。

お前に。

この男を責めることが出来ようか。

「お、お父っつぁん、わ、わては――」

どうして。

どうしてわてらが病で死んだのではないと。

お前は知っておったのや。

「そ、それは――」

「そや。何で判った。又右衛門はん」

「それは――」

轟轟《ごうごう》と。

塚が鳴った。

「な、何や。林蔵はん、こら」

「こら──祟ってるようやなあ」

「た、祟ってるて、その、その鬼めに祟っておるのやろ。あら、お父っつぁんとおっ母さんやろ──」

人影は消えていた。

その代わりに古塚が、寛三郎が築いた死骸の山が、蠢《うごめ》いていた。

「そやないわ。こら──あんたのご両親やないで」

「何を言うてますのや林蔵はん。あんた」

祟ってないて言うたやないでっか。

「あんな、毎夜化けて出ておるのはわての両親に違いない、せやから両親殺した下手人を挙げて、それをお役人に突き出せば霊も鎮まるやろて──そのために、こんなことォしたんやないか。巫山戯《ふざけ》たらあかんで。祟っておるのはお父っつぁんとおっ母さんやで。あの鬼めに無惨に殺されたお父っつぁんとおっ母さんが、彼奴《あいつ》に、彼奴に祟っておるのやろが」

又右衛門は寛三郎を指差した。

轟。

轟轟。

「な、何やねんこの音ォ。あんた言うたやない。祟ってはおらんて。死んだ村人は誰も怨んでないて。そういう話やから」

「なら——何でそんなに怯《おび》えてまんのや。あんた」

「お、怯えてて」

「どうしてあんたのご両親は疫病で死んだのやないとあんた断言出来るのや。どうして殺されたと思うたんやろか——又右衛門さん」

「それは」

轟。

轟轟。

轟轟轟。

「この塚は祟っておるで。死んだ者が怒っておるで」

「な、何でや。何で怒るのや。そうか、その鬼の所為やな。そないな人でなしに葬られて、人殺しに弔われて、それが判ったから、それで怒ってるのやな。百何十人もが、おんどれを祟っておるのじゃ。ええか、寛三郎。何が旦那じゃ。大して働きもせず、村人から何やらかにやら巻き上げてのうのうと暮らして、そのうえ威張り腐って。おんどれは村の壁蝨《だに》じゃ。目障りなんじゃ。人の親殺しておいて。何が旦那じゃ。いま死ね。この場で死んで詫《わ》び」

「な、何やと——」

そら違うで又右衛門さんと林蔵が言った。

「違うて、何がや。此奴は人殺しやで。今、自分で白状したのやで。あんたかて聞いておったやろ」

「慥《たし》かに——あんたのご両親殺したんは、この寛三郎さんなのやろ。でもな、この塚が今まで鎮まっておったのは矢張《やは》りこの寛三郎さんのお蔭やで。この人が弔《とむろ》うてくれたから、皆は溝出にならんで温順《おとな》しゅうしておったんですわ。ただ二人——あんたのご両親だけは、弔われた訳やなかったのや。そら、隠されただけやった。せやから溝出になられたのやろな」

「せやったら——」

「せやから言いましたやろ。これが病やったら誰も怨むことは出来ん——て。でもな、又右衛門さん。病やなかったなら、こら怨みますわ」

「病やないて——」

「あんた、自分で言ったんやで。ご両親は病で死んだ筈はないて。疫病でっせ。罹る罹らんは運みたいなもんや。いいや、こないな狭い村ン中で、罹らん訳はないのんや。でも、寛三郎はんも罹ってない。いいや——ここの病は感染《うつ》るもんと違《ちや》うんやろ。発病するまでの刻《とき》に個人差があったゆうだけのこって、最初に罹った者だけが死んでおる——そうなんやないのか」

「それは」

どういうことやと寛三郎は尋いた。

「どういうことなんや又右衛門ッ」

轟。

轟轟轟。

轟轟轟轟轟。

又右衛門。お前か。お前なのやな。

骨は骨皮は皮、怨めし恨めし憾《うら》めしうらめし。

「そうや」

又右衛門は大声で言った。

「わてや。わてが——井戸に毒を入れたのじゃ。みんな死んでしまえばええと、そう思うたのじゃ。全部、全部わてが殺したったのじゃッ」

そう叫ぶと、又右衛門は塚に駆け登った。

「これで終《しま》いの金毘羅《こんぴら》さんや——」

林蔵は静かにそう言った。

後

で、どうなったんやと横川《よかわ》のお龍《りよう》が尋いた。

「どうもこうもないわ。大体お龍、お前あの場に居たやないか」

「居たゆうても、うちはあの小山からすぐに下りて、藪の中に隠れておったのやもの、何も見ておらんし」

損な役回りじゃねえかと言ったのは六道屋《ろくどうや》の柳次《りゆうじ》である。

「あんな小汚《こぎたね》ェ塚——聞きゃあ、ありゃ骨《こつ》の山なんじゃねえかよ」

薄《うす》ッ鬼魅《きみ》悪《わり》いぜと柳次が言うので、お前が言うかと林蔵は返した。

「骨かて元は人やで。死骸やったらお前の商売道具やないかい」

「あのな、林の字。慥《たし》かに俺ァ、死人還《かえ》すが商売だがな、屍が好きな訳じゃねえやいな。況《まし》てあんな煤《すす》けた古骨の山ァ、誰が喜ぶかい。大体夜の夜中にあんな死骸の山に潜んでよ、チョイと出ちゃ引っ込んで、雨夜のお月さんじゃねェんだよ。それで手間賃一両ぽっちかよ」

「しゃあないやろ。五両しか貰《もろ》てないんや。祭文語《さいもんがた》りに塚ァ鳴らす仕掛け造らせたよって、それで一両飛んじまったんやて」

あの爺《じじ》イぼったくってるんだろと柳次は言った。

「うんたらかんたら気色の悪《わり》ィ呪文唸《うな》りやがってよ。ありゃ何処の国の言葉だよ」

土佐《とさ》やら阿波《あわ》やらそっちの方やろと林蔵は答えた。

「何たらゆう咒《まじない》らしいで。何とゆうてもあの文作《ぶんさく》は二ツ名が祭文語りやからな、十八番《おはこ》なんと違うか」

気色悪《わる》イぜまったくよと柳次は毒突いた。

「それにあのごうごう鳴るな、どういう仕掛けなんだ」

「鞴《ふいご》やら何やら持ち込んどったからな、塚ァ鳴動《なら》すな大事《おおごと》らしいで。せやからまあ銭は掛かっておるのやろ。それに、文作の爺はオノレと違って銭には鷹揚《おうよう》やで」

煩瑣《うるせ》ェやと柳次は毒突いた。

「上方《こっち》に長く居過ぎたんだよ。それにしても――この度は酷《ひで》ェ話じゃねえかよ林《りん》の字」

「諄《くど》いなオノレも。文句垂れよるなら受けンな」

仕事の話じゃねェよと言って、柳次は道端に屈んだ。

「何や。もう疲れたんか」

「路銀は別に出るんだろな。あの狸親爺め。駕籠《かご》か馬くらい仕立てやがれってんだよ」

うちも疲れたわとお龍は木に凭《もた》れた。

「しゃあないな。遅れれば遅れるだけ損なんやで。それこそ宿代は出ェへんど」

そう言ってから林蔵も路肩の石の上に座った。

「まあな、此度は最初からどうにも嚙《か》み合わせの悪い話やってん。あの庄屋の又右衛門、あれが話の出どこなんやけどもな。おかしいやろ、あの──疫病」

「てめえに言われるまでは気付かなかったがな」

「あの又右衛門、初っ端《しょぱな》から寛三郎が親殺しの下手人やと目星を付けとった。疑《うたご》うてたのやない、あれは確実に知っておったのや。それでいて、十年黙って温順《おとな》しゅうあの村で庄屋やっておった。それが先《ま》ず変やろが。親ァ殺したと思《おぼ》しき男は村を牛耳《ぎゅうじ》る顔役や。一方又右衛門本人は、庄屋ゆうても何の人望もない若造や。寧ろ、卑怯者の息子として小馬鹿にされておったんやで」

まあ、変だわなと柳次が言った。

「知っていたなら何で言わねえって話だな。それよりも、奴《やっこ》さんどうしてそのことを知っていやがった。親が殺《や》られるところを見てやがったのか」

「いいや。それはないのや。あのな、寛三郎が美曾我に戻った時、あの又右衛門は大庄屋の屋敷、つまり畑野の自分の家に居ったんや。でも、当時の大庄屋──又右衛門の両親は、事態収拾のために花里に居った筈やねん。花里の、寛三郎が住んどった屋敷に居ったのやな」

「あの──屋敷か」

「そやな。あの屋敷は寛三郎の生家やそうで、つまりは先の大庄屋の屋敷なんや。寛三郎が家を出て、大庄屋の役が畑野の又兵衛に移った。程なく寛三郎の親父が死んで、それ以降あの屋敷は五箇村の寄り合い所になっとったのやそうや」

「寛三郎が戻るまでは空き家だったってことか」

「そういうことなんやろな。大庄屋の又兵衛夫婦は、其処で五箇村の病人救うためにあれこれ働いておった筈なんや。畑野の屋敷では、川田や竹森から遠過ぎるんやな。寛三郎の屋敷は五箇村のド真ん中にあんねん」

　寛三郎がどのような経緯で村から放逐され、どのような動機で村に帰ったのか、林蔵は詳しく知らない。

　しかし、あの茶毘ヶ原での口振りから察するに、その昔、志乃という女性を巡って又兵衛との間に悶着があり、その結果村に居られなくなるような何かが起きたことだけは間違いないことのようだった。

　寛三郎は、又兵衛夫婦を憎んでいたのだ。

　殺してやろうと思って戻ったのだ——と、寛三郎は口走っていた。本当にそうだったのかどうか、そこは林蔵には判らない。ただ、地獄のような村に戻った寛三郎は、その憎い憎い又兵衛が、こともあろうに自分の生家で、父親の代わりに大庄屋として振る舞っている姿を——目の当たりにしたことになる。

「寛三郎はあの、花里の屋敷の傍《そば》で、又兵衛はんとその女房を殺した。畑野の屋敷に残っていた又右衛門がそれを見ていた筈はない。せやのに又右衛門は、両親が病に倒れたのではなく殺されたんやと、何故か知っておった。普通は感染《うつ》ったと考えるやろ」

「まあな。それよりもだ。その前の庄屋ってな、逃げたと謂われてたんじゃねえのかい」

「そら寛三郎が流した嘘やろ」

殺したと——思われぬよう。

「村人はあの男の言うことやったら無条件に信じた筈やしな。それで——又右衛門は余計に怪しんだのやろうけども」

逃げてなどいないと、又右衛門は知っていたのだろう。

逃げるなら、子供である自分を置いて行く訳がない。それ以前に、又兵衛という人は難儀している村人を捨てて逃げるような、そんな人ではなかったのだろう。

「で、何なのさ」

お龍が体を返す。

「その又右衛門、一文字狸《いちもんじだぬき》に何をどうしろと頼んで来たのさね」

「だからな、寛三郎が己の親を殺した証《あか》しが欲しいと、そういう依頼やってん。下手人であることだけは確実なんやけども、証拠がない。親ァ殺した男が村の中ででかい面して威張ってある、もう我慢ならんと」

慥《たし》かに、又兵衛夫婦が子供の又右衛門を残して出奔するというのは考え難《にく》い。しかし、逃げたというのが両親を貶めるために寛三郎が吹聴した嘘なのだとしても、殺されたというのはどうなのか。逃げたのでなかったとしても、普通なら感染して死んだと考えるのではないか。又右衛門の中で、病死という選択肢は最初から排除されているのである。村中が流行り病に冒されている状況で、看病している両親にだけ感染しないと何故に確信が持てるのか。

「おかしいやろ」

「おかしいな。じゃあ狸親爺もそう思ったのか」

「そや。そこで――文作の出番や。あの爺がな、美曾我に潜《もぐ》って、あれこれ調べた。まあ、寛三郎と又兵衛の悶着は三十年から前のことやし、関わりある者《もん》は皆死んどってよう判らんかったようやけど、十年前のことは大方判った。寺のな、過去帳やら庄屋の人別やら細かく調べよってな。ほたら――」

疫病は。

感染していないようだった。

「伝染病やなかったんや」

「でも、おかしいやん。広がったんですやろ」

「そや。広がったんや。しかしな、広がったな病やない。毒や」

「毒って――そういやあ、あの表六玉《ひょうろくだま》は井戸に何か入れたとかほざいてたようだがな。そりゃまあ、井戸に毒入れられちゃ堪《たま》らねえが、どっかの井戸に毒入れたとして――それがどうして広がるよ」

「あのな、美曾我五箇村はな、水源が一緒なんや。水脈が地下で繋がっておるんやて」

「井戸がか」

「井戸がよ」

一番上の、木山の井戸に毒は入れられた。

木山に住む者は多く山で仕事をしている。

その間に又右衛門は毒を投入したものと思われる。

だから先ず、山仕事をしていない者達が毒を飲むことになったのだ。隠居した老人、そして子供、女達が、相次いで倒れたのはその所為なのである。体力のない者が病に罹った訳ではなかったのだ。

「あんな、何もない山の村やで。井戸水に毒が入ったると疑うような者《もん》が居るかい。そうでなくとも毒だとは思わんわ。疫病やと思うわな。そこで下へ逃げた。上は山なんやから、こら仕方がない。しかし、毒も地べたの底ォ伝《つと》うて、下へ下へと流れたのやな。竹森、川田、それぞれの井戸まで——」

毒が広がった。

人の移動と毒の拡散が、ほぼ同じ速度だったことが勘違いを助長したのだ。

毒はやがて、花里や畑野にまで達した。

「その段階で毒性は大分薄まっておったのやろとは思うけどもな。どんなに濃くて強い毒やったとしても、そんなに保《も》ちやせんわい。そうやとしても、真逆《まさか》飲み水に毒が入っておるとは思わんわ。飲んで死なんでも具合がおかしゅうはなるやろ。その時点で、村ン中はわやになっておるからな、一度おかしくなってしもたらば、治るもんも治らんやろ」

不潔そうやしねえ、とお龍が言う。

「うちやったら、そないな処《とこ》によう居らん」

「追い討ちィ掛けるよに、村ァ封鎖されてもうてん。医者も居らん、薬もない。喰いものもない。人がバタバタ死んでおる。死骸も片付けられん。もひとつおまけに、薄まっとるとはゆうものの、水には毒が入っておるんやで」

だから酷《ひで》ェと言ってるんだよと柳次が言った。

「こんな酷ェ話聞いたことがねェぜ」

「そやな」

百人以上死んだ。

毒で死んだのが何人なのかは判らない。食中毒や餓死、衰弱死した者もあっただろう。その方が多かったのかもしれない。

それにしたって――。

「何で毒なんぞ入れたンだよ」

「それは――判らん。判らんけども、毒入れたのが又右衛門やないかゆうことだけは判ったんやて」

「けど、奴ァその頃まだ子供《ガキ》だったんじゃねえのか。何考《かんげ》えてやがったんだよ。それにそんな猛毒、一体《いってえ》何処で――」

「まだ十二やな。どないして毒手に入れたんか、何で井戸に入れたんかも判らん。けども、あの又右衛門以外に――下手人は考えられんかった」

だから。

「寛三郎は人を二人殺《あや》めとる。そら、事実なのかもしれん。しかし、その殺しを暴いてくれと頼んで来た男は、百人以上殺しておるかもしれないのや。こら、どうなんや。片方だけ罪を暴いて指弾して、それで済むゆう話なんやろか。そこで」

「双方一挙にって話かよ」

面倒臭《めんどくせ》ェ仕掛け考えやがって、と言って柳次は立ち上がった。

「あの、溝出の噂、ありゃ頼み人にも知らせてなかったんだろが。俺とお龍が化け物振りしてたと――あの野郎は気付いてなかったようだけどな」

「教えなかったわい。あのな、この依頼、どうにも骨と皮とがバラバラやねん。骨皮合わせてみんことには何も見えんと思たんや。せやから、又右衛門には本気で怖がってもろた。そやないと、十年黙っておって、今更自白はせんやろ」

だからさ、とお龍が声を上げる。

「自白したのはええのんや。その後どうなったか尋いておるんやないの」

「知ることないわい。わっしが頼まれたんは、この村で過去に起きた旧悪罪業を暴くことやからな。だからそこまでや。その後のことは――どうでもええのや」

そう。どうでもいい。

あの後。双方が茶毘ヶ原で罪業を吐露した、その直後。

鬼が。寛三郎が塚に駆け上がり、又右衛門を――。

そして自分も、鬼自身も――。

死んだ。

「後は、あの和尚が何とかしてくれるやろ。あの人は弁《わきま》えた人やで。あの和尚はんやったら嘘でも方便でも何でもええ、村に安心を与える術《すべ》を心得ておるやろ。思うに、盛大に葬式でも上げるのと違うか」

寛三郎があの時、何故又右衛門を殺したのか、林蔵には解らない。憎い又兵衛の子だったからか。百人殺した男だったからか。それとも、寛三郎が鬼だったからか。なら、その鬼は何故自らをも殺したのか。罪を悔いたのか。何かに絶望したのか。

それとも。

塚に眠る大勢の死人が、そうさせたのか。

「せやから、もうどうでもええのんじゃ。人ゆうのはな」

所詮解らんもんなんやと言って立ち上がり、林蔵は夏の空を見上げた。

豆狸《まめだぬき》

◎豆狸

小雨《こさめ》ふる夜《よ》は
陰嚢《ゐんのう》をかつきて
肴《さかな》を求《もと》めに
出《いづ》るといふ

繪本百物語・桃山人夜話卷第二／第十

壱

マメダ違《ちや》いますのと善吉《ぜんきち》が言った。

「マメダというと——」

何だろう。

イヤやなぁ狸《たぬき》ですがなと善吉は呆《あき》れる。

狸——なのか。

「おいおい、こんな街中に狸が出るかね。狐狸《こり》なんぞというものは山野荒僻《こうへき》に棲《す》まうもの。まあ、喰《く》い物がなくなれば人里に出て来ることもあるだろうが、此処《ここ》は山からも遠いし、林もない。狸のようなものが」

「親方はん、江戸のお方やなあ」

善吉は笑った。

「またそれを言う。儂《わし》は慥《たし》かに江戸者だが、江戸を出てもう二十余年、上方に腰を落ち着けてもう八年も経つのだぞ。お前さん方から見れば他所者《よそもの》に違いはあるまいが、儂の方はもう、此の地に骨を埋《うず》める気でおるのだよ。だから」

そやないんですわ、と善吉は言った。

「わてら親方はんを他所者やなんて思とらしまへんがな。水臭《みずくそ》うていかんわ。や、その辺が江戸者や言われる理由なんやありまへんか」

「まだ言うか」

与兵衛《よへえ》が真顔でそう言うと、善吉は破顔し、大声で笑った。

「いやいや、親方はんを江戸者やとゆうんは、ま、大方は初対面の者《もん》でっしゃろ。知っとる者はだぁれもそないなことは思てまへんて。ま、親方はんのことォ知らん人は勘違いしてまうかもしらんね」

「どうして」

言葉でんがなと善吉は言う。

「上方の物言いと違いまっしゃろが、親方はん。その言葉がなぁ」

慥《たし》かに。

何年経っても江戸弁が抜けない。

「ま、しゃあないわ。坂東《ばんどう》のお方ぁ上方の言葉ァキツイキツイ言いまっけども、わてらに言わせれば逆ですわ。阿呆《あほ》ゆわれてもそうでっかゆう話ですけどな、莫迦《ばか》ゆわれたら、何じゃコイツと思いまっせ。何や叱られとるような気ィになるんですわ」

そんなものだろうかと与兵衛は思う。

「言葉遣いがいかんのかい」

「ですから、そやないんですわ、この度は。マメダゆうたら此方《こっちゃ》の者は皆知ってまっせ。特にな、酒扱《あつこ》うとる者で知らん者は居らんのやないですか」

「儂は酒屋を八年しとる」

「へえ。上手に商売《あきない》して貰《もろ》てます」

「だが知らんぞ」

「まあねえ」

別に知らのうてならんことと違《ちゃ》いますわと善吉は言う。

「知らいでもいいが、皆知っておるのか」

「ま、そうでんな。あら、狸ゆうてもその、何ちゅうんですかな、東の方で謂《い》う。ム——ムジ」

「何だろう。貉《むじな》のことか」

「それそれ」

善吉は我が意を得たりというような顔になって茶碗《ちゃわん》になみなみと注いだ酒を一気に空けた。

善吉は泡番《あわばん》である。己《じぶん》達の仕込んだ酒は、本当は全部己で飲み干したいと豪語する程の酒好きだ。

「ムジナゆうたら、狸のことなんでっしゃろ」

「いや、どうかな。違うような話を聞いた気もするが、比べて見たことはないな。貉であれ狸であれ、街中で見掛けるものではないだろう。獣は動きが素早いし、出て来るのは暗くなってからだ。接《まじ》と眺《なが》めたことはないな」

　呼び方が違うだけなのか、別の生き物なのか、その辺りのことは与兵衛も知らない。土地に依《よ》って同じものに別の名を与えているだけなのかもしれないし、姿形の似た別種の獣《けもの》なのかもしれない。出世魚のように大きさで呼び方を区別するような場合もあるだろう。そうなのだとしたら、基準が判らない。

　ただ、いずれ混同されてはいる。

　狸も貉もそう変わりはないもんだろうよと与兵衛は答えた。

「区別はつかん」

「さよか。ほたら、そのムジナなんかと違《ちご》うてね、マメダゆうんは、小さいんですわ」

「小さいというのは――」

　豆の狸と書いてマメダやねと善吉は言う。

「まあ、豆ゆうたら小さいゆう意味やね」

「仔狸《こだぬき》ということかな」

「いやあ、子供たァ違《ちゃ》う。まあ見た目は狸の子供に見えるんかもしらんけども――あれはそうやないのと違うかな。どれも小さいよってに」

「つまり、普通の狸とは違う種類の獣――ということなのかね。狗《いぬ》でいうなら、柴犬《しばいぬ》と狆《ちん》のような違いがあると」

　種類ゆうかねえと善吉は茶碗を見詰めて言う。

「獣は、獣なんやろね。ま、どれも仔狗くらいの大きさやと聞きますわ」

「聞くって――」

「わてかて」

見たことなんかないわいなと善吉は言う。

「何だ。誰でも知っておるなんぞと言うておいて、自分は見たことがないのかね」

「知ってるンと見るンは違いまっしゃろ」

「違《え》う《べ》が《つ》――」

「恵比須さんは誰でも知っとるけども、わてはお会いしたことがない。そら親方はんかてそやろ。大黒《だいこく》さんも弁天《べんてん》さんも、わては見たことがない」

弁天さんだけには是非ともお会いしたいものやけどと言って善吉は笑い、再び酒を注ぐ。

「せやけど、何方《どなた》さんかてご存じやないでっか、福の神は。そうゆうこっちゃね」

「そうした――神仏のようなモノなのかね」

「ま、マメダゆうンもそうしたもんや。せやから、まあ、現実《ほんま》の狸とは違うんやろね。神仏ゆうか、もののけとも違《ちゃ》うし」

化け物の仲間、ということだろうか。

そう言うと、化けると善吉は答えた。

「化けるんですわ。せやけど、狸かて貂《てん》かて化けますやろ。せやから、まあそらそうなんやけども、化け物《もん》かァゆわれるとピンと来まへんわ。どちらかゆうたら、まあ、そやねえ――」

善吉は暫《しばら》く土間の其処此処《そこここ》を見回し、ああ、と言った。

「ほれ、狐やなんかの仲間で、なんや小さいのが居るのんと違いまっか。あれは何と謂うのやろ。わて、前に見たことがあるんですわ。大道で、修験者《しゅげんじゃ》みたいな恰好《かっこう》のオッサンが竹の筒から出したり入れたり」

「管狐《くだぎつね》かな」

「それや」

善吉は膝《ひざ》を叩《たた》いて、親方はんは何でもよう知ってはるなあと言った。

「しかし豆狸は知らなかったぞ」

「そらしゃあない。何でもゆうたかて、全部ゆう訳にはいかん。その、管狐ゆうのは」

「あれは所謂《いわゆる》獣とは違うのじゃないかね」

憑《つ》き物《もの》――つまり護法式神《ごほうしきがみ》の類《たぐ》いだろう。

「あれは、何というのかな。人に取ッ憑いて悪さをしたり、反対に富を齎《もたら》したり、先のことを占ったりするモノだろう。いやまあ、まやかしなんだろうけどもな。お前さんが見たような見世物でしている連中は兎《と》も角《かく》、詐欺《さぎ》だ」

「いや、マメダも取り憑くようでっせ」

「そうなのかい」

「いや、誰にでも憑くゆう訳やない。マメダに悪さしたら憑くンですわ。わてはね、この蔵に来る前、ご存じやろうけども、伊丹《いたみ》で修業してましてん」

伊丹は有名な酒処《さけどころ》である。

「其処《そこ》のね、まあ夏居《なつい》が、ある日行方知れずになってしもて。こら不便やからね。でも何処《どこ》探しても居《お》らしまへんのや」

　夏居というのは酒蔵の雑用をする者のことだ。

「で、まあ仕事に飽《あ》いて遁《ふ》けたんやろと思とったらばね、四日目にひょっこり見つかった。親方はん、其奴《そいつ》が何処に居ったと思われます」

「さあな」

「それがあんた、蔵の奥にある、使《つこ》てない空桶《からおけ》の中に居ったんですわ。しかもでっせ、こう口開けて、眼ェは虚《うつ》ろでね。もう、阿呆や。腑《ふ》抜けですわ。でもって、しゃあないから引き摺《ず》り出したところ」

　瘤《こぶ》があるんですわ、と善吉は言う。

「瘤って、どこかに頭でもぶつけたのか」

「そうゆう瘤と違いますねん。肌の下にね、何か居るんですわ」

「何か」

「へえ。あれは、毛穴から入るんでっしゃろか。口や鼻から入ったんやったら尻《しり》に抜けるしかありまへんもんな。ほたら喰《く》たのと変わらん。ほれ、童《わっぱ》が蒲団《ふとん》に潜《もぐ》って遊びまっしゃろが。あんな感じで動き回りよる」

「瘤がかね」

「瘤がですわ」

それは奇態なことである。

「膚《はだ》の内側にかい」

「膚、ちゅうか、皮の下に何かが居って、それが動き回るんですな。こら困ったとゆうことになった。でもって原因をね、まああれこれと考えたんですわ。医者喚《よ》ぶんか坊主喚ぶんか、薬飲ますかご祈禱《きとう》かね、判らんから。で、能《よ》く聞いてみたらばね、そいつ、船場《ふなば》で唾《つば》吐きよったらしんですわ」

「それはいかんなあ」

船場には醪を搾る酒槽がある。

もし酒槽に唾が入ってしまったりしたら台なしである。

「あかんでしょ。そらあかんわな。で、まあ原因はそれや、ゆうことになった」

「瘤の――原因だというのかね」

「へえ。それより他に考えられへん。そこでこう、平謝りですわ。すまんすまん、もう二度とさせんよって赦《ゆる》してくれと」

「待て」

それが酒蔵で働く者として決して為《し》てはいけない行いだ――くらいのことは、与兵衛にも十二分に解る。やってしまった当人は叱られて当然である。しかし、だからといって当人以外の者が――。

「誰に謝る」

「マメダですわ」

「何故そうなる」

「マメダゆうのはね、親方はん。酒蔵の守り神みたいなもんですのん。マメダが居ると、良い酒が造れるゆうくらいで」

「そう――なのか」

「さあ。迷信ゆうてしもたらそれまででっけど、灘《なだ》の方なんかでもそう言うようでっせ。せやからね、まあ獣なんか何ものなんかは知りまへんけどもね、わてら酒に関わる者《もん》は、マメダ大事にしよりますねん。で、そん時もね、祠《ほこら》作って祀《まつ》りますとゆうたらね」

すっと瘤が消えたと善吉は言った。

「ま、瘤が消えた時、夏居の指ン先から何かが染み出て、土間に溜《た》まって狸になって遁《に》げたとか、まあそないなこと語る者も居ったんやけども、わてはそんなんは見ておりまへん。そんなですからね、只《ただ》のけだもんとは違うんでっしゃろな。マメダゆうんは、まあ山に居る獣の狸とは別物なんですわ」

「酒蔵に居るのか」

祀られてる場合はね、と善吉は言った。

「ま、祀るゆうてもね、ほんまもんの神さんゆう訳やないんですわ。そやから、何やそのケツネの、クタ――」

「管狐か」

「そうそれ。そんなんやないのんかぁ、と思た訳でんねん。憑くゆうしね」

そう言われると、慥《たし》かに近いモノなのかもしれない。

「そんなこともあったもんやからね。せやけども、実際は、まあ街中の何処ぞに棲んで居る小《ち》さい獣――なんやろね。ま、酒蔵に棲み付くこともあるンかもしらんけども――悪戯《いたずら》するて話もありますしね」

「何か喰うのか」

「喰うちゅうより、訳の判らん妙な音立てたりするそうでっせ。これも伊丹に居た頃の話でっけどな、戸を開けたり酒樽《さかだる》の栓抜いたり、半切り《はんぎ》転がしたり」

「そりゃ大ごとじゃないか。そんなことされちゃ商売上がったりだ」

音だけなんやと言って善吉は笑った。

「そうゆう音がする――だけなんですわ。でも、まあ行ってみれば何事もない。せやから悪戯でんねん」

難儀な話である。そう言うと、それでも居た方が良い酒が出来るゥ謂《い》いまんねんと泡番は真顔で言った。

「だから、まあ悪戯くらいは勘弁したろ、ゆう話なんやろね」

「だがなあ」

俄《にわか》には信じられない。

親方はん信じてまへんな、と善吉は見透かすように言った。

「親方はん苦労人やからね、そんな怪しげな話は中中《なかなか》信じひんやろけども。わてかて別に丸ごと信じとる訳やおまへんで。でもな、皆、それで上手にやってますねん。灘かて伊丹かて、日の本一二を争うような酒処やないでっか。其処《そこ》の酒蔵がそれでやってるのやから、そら違《ちゃ》うやろだの、そないなものは居《お》らんやろだのゆうな、野暮ですやろ」

「いや、まあ――」

否定する訳ではないのだが。

「まあ、居るのは居るんでっしゃろな。小狸みたいなもんが。山やのうて、里の何処かに。ほんまの狸かて里にようけ出ますやろ。街中では見掛けんけども、そら狸が昼日中からのこのこ往来歩いてへん、ゆうだけのことですわ。あれは、親方はんの言う通り夜に動きますねん。マメダかて同じやと思うんですわ。でね、あれは、蒸し米喰うのと違いますかな。ほれ、甑《こしき》を使うンは冬の最中《さなか》でっしゃろ。丁度喰い物がのうなった時期に米を蒸す訳やから。それ喰いに来るんやないか。で、温《ぬく》いしね、鼠《ねずみ》ィみたく蔵に棲み付くことかてあるのと違いますか」

そういう話ならば、あるかもしれない。

「棲んでおったら音も出しまひょ。音がすれば勘違いもしますやろ。そうゆう積み重ねやないんですか」

そうなのだろう。

鼠にしろ猫にしろ、小動物は家の中で様様な音をさせる。それを何か別の音に聞き違ってしまうことは、ままある。要は勘違いである。

また、敷地内に蛇が棲んでいると銭が貯まるなどと謂う地方はあるし、怪しげなものを屋敷神として祀り上げたりするような話も耳にしたことはある。狸にしても、四国辺りでは多く祀られているようだし、この辺りでも芝居小屋には某大明神とかいう狸の宮が設《しつら》えられていたと思う。だから、そういうことはあるのだろう。

善吉の言う通り、その小型の狸は里の近くに棲んでおり、餌を求めて酒蔵に寄り付き、棲み付く場合もあるのだろうと思う。それをして、害獣と退けず、祀り上げるなりして共存していくこと自体は、あり得ることだろうし、悪いことでもないだろう。

しかし。

「あのな善さんよ。その話は能《よ》く呑《の》み込んだ。豆狸という、まあ幾許《いくばく》かの通力を持つと思《おぼ》しき小さな獣が居って、それが酒造に携わる者の守り神のように親しまれておる——と、まあそれはいいさ。灘にしても伊丹にしても、いずれ西の方の話だ。江戸の生まれの儂が知らなんだとしても仕方があるまい。わざわざ説明することでもないわいな。だがな、その話とこの度の話と、どうも繋《つな》がりが見えんのだがなあ。儂には」

「そこはそれ」

善吉はにやりと笑い、酒を注いだ。

どれだけ飲んでいるのだろう。全く以《もっ》て笊《ざる》である。

善吉は平素より赭《あか》ら顔であるし、敷地内は何処も彼処《かしこ》も酒臭いから、酔っているかどうかもまるで判らない。

「あのな親方はん。この酒蔵な、わては自慢に思うとりますねん。ま、自分で言うのも何なのやけど、少なくともこの蔵の酒は美味《うま》いで。伊丹に負けはせん。米かて水かてええのんや。此処の井戸から涌《わ》く水は軟《やわ》らこうも硬《かと》うもない。酒造りにはまさにぴたりのええ水や。勿論《もちろん》、腕もええで」

善吉は二の腕を見せた。

「ただな、どうも、品はええのに商売《あきない》が下手や。先代は人徳のあるええ人やったけど、それだけにな、慾《よく》がない。こう、前に出たろゆう気概に欠ける。わてらは皆、先代の多左衛門《たざえもん》はんを慕《しと》うておったけども、一方で歯痒《はがゆ》く思うてもおったんですわ」

善吉はきゅう、と酒を空ける。

与兵衛は今日は一杯も飲んでいない。

「で、親方はんが跡を継がれた。ほたら、売れますやろが。京からも、江戸からも、買いに来まっせ。うちの酒、評判やもの。こないだ越後《えちご》の人が来はったでしょう。あの時わて、居ったんですわ。新竹《しんたけ》はええ酒や、一度飲んだら忘れられんて言われての、わては涙が出た」

親方はんのお蔭《かげ》や、と善吉は頭を下げた。

「待て待て、善さんや。その口振りだと、儂がまるで慾ッ集《たか》りで人徳がない男のように聞こえるがな」

「へへへ」

そらこの際横ちょに置いといて——と言った後、善吉は嘘や嘘やと手を振った。

「親方はんかて徳はあるがな。そやなかったら先代が跡目に決める訳がないですやろ。店も蔵も何もかも譲らはったんやで」

「それは――」

已《や》むを得ずそうなっただけだ。

「否、誰も反対せえへんかったやないか。こらあ立派な徳や。せやからね、親方はんは慾ッ集りやのうて、向上心があんねん。人徳がないのやなくて、商売上手なんや」

豪《えら》く持ち上げるなあと言うと、上げてなんぼですがなと言われた。

「お蔭でな、うちの酒を買《こ》うてくれる人は増えた。伊丹程ではないにせよ、大坂近郊ならずとも、新竹の名は知れたでっしゃろが」

「まあなあ。一人でも多くの人にうちの酒を飲んで貰《もら》いたいと儂はそう思っておる。何と言っても――酒屋《さかや》者《もん》の腕が良いからなあ」

「持ち上げ返しまっか。まあ、謙遜《けんそん》はせんでおきますがな。でな、親方はん。この蔵には、今までマメダぁ居らへんかった訳やん」

まあ、主《あるじ》である与兵衛が知らなかったのだから居なかったのだろう。

「最前も言いましたけどもな、マメダぁ美味い酒蔵にしか居着きよりまへんねん。で、此処の新竹は美味いゆう評判を聞きつけてやね」

「やって来た、と言うのか」

来はったのと違いますかなあと言って善吉は再び破顔した。

「もう、二月から続いてますのやろ。いま、通《かよ》って利《き》き酒しとるのと違うかなあ」

「利き酒って——善さん。その豆狸が忍び込んでうちの酒飲んで吟味しとると言うんかね」

「忍び込むゆうか、通いでっしゃろ」

「狸がかい」

「マメダですって。飲んでみて、ま、不味《まず》かったらそれまでやけど、美味かったら棲み付いたろ——つまり繁盛さしたろゆうね」

「あ、阿呆臭《くさ》」

何年住んでも言葉は変わらぬのだが、与兵衛も阿呆だけは口にするようになっている。

「阿呆違《ちゃ》いますよ」

「いや、善さんを阿呆と言ったのではないさ。そもそも減っているのは酒じゃァない。豆狸の仕業なんて」

ありえないと、与兵衛は思った。

弐

マメダやろうねえと林蔵《りんぞう》は言った。

「あんたもそう思うのかね」

「思いますわ」

林蔵は大坂の何処《どこ》かで帳 屋《ちょうや》を生業《なりわい》にしているという男である。

つるりとした面《かお》の優男《やさおとこ》で、半年ばかり前から月に一二度顔を見せるようになった板看板《いたかんばん》の客である。調子も良く人懐《ひとなつ》こいので店の女どもにも人気がある。

与兵衛もいつの間にか親しくなってしまい、最近では碁など打つまでの仲になった。

林蔵は来る度に新竹は美味い、絶品だと言う。舌触りが堪《たま》らぬなどと言う。世辞かもしれぬが、他の酒は飲めぬと言ってわざわざ買いに来るのだから、強《あなが》ち嘘でもないのだろう。尤《もっと》も林蔵は商用とやらで方方を回るらしく、近くに来る度に立ち寄るのだという話である。帳屋というのがそんなに彼方此方《あちこち》ぐるぐる歩き回る商売なのかどうか与兵衛は知らないが、別に怪しむ謂《いわ》れもないから突っ込んで尋《き》くこともない。

与兵衛は、何とはなしに尋いてみたのだ。

店で起きた怪事に就いて――。

否、怪事という程のものでもないのだが。

「しかしなあ」

「他に説明はでけまへんやろ」

「そうなのかな」

「そやかて勘定が合わんゆう話ですやろ。なら――そら他に考えられまへんやろ」

「此方の――上方ではそうなのかいな」

上方てことはありまへんわと林蔵は言った。

碁石を片手に抓《つま》んだまま、長考の途中である。目は碁盤に向けられている。

「わっしはこれでも暫く江戸に居りましてん。江戸でもこうゆう話はありましたで」

「そうかな。儂は――十四の時に江戸を出ておるからなあ。朱引きの外を渡り歩いて、それから美濃《みの》に居ったのでな。その豆狸というのは能《よ》く知らんのだ」

マメダばかりと違《ちゃ》いますわと林蔵は言う。

「違うって」

「ほれ、酒買いの小僧や。雨のそぼ降る夜に、酒買いに来る小僧がおって、ま、それが人やないゆう話、聞いたことありまへんか」

「小僧――かな」

童《わらべ》ですわと林蔵は言う。

童——か。

「ま、お遣い小僧の正体は人やないゆうことだけは決まりでっけど、では何かゆうたらば、そら土地土地で色色ですわ。川獺《かわうそ》やったり狸やったり。ほれ、最近では豆腐《とうふ》小僧なんてのも居りますやろ」

知らんと言った。

「蔵元はん黄表紙《きびょうし》なんぞは読まれまへんか。ま、上方では余り目ェにせんものやったかもしらんけど、一時《いっとき》豆腐小僧ゆうのが流行《はやり》ましてん。それは豆腐なんやけども、酒ェ買うんは、まあ狸公《たぬこう》やね。この辺りやとマメダでっしゃろ。それだけのことですわ」

「同じものなのかな、それらは」

同じでしょうなと林蔵は上の空で言って碁石を置く素振りを見せたが、考え直したらしく出した手を引っ込めた。

「いや、違うといえば違うんやろうけども、することは一緒やちゅう。ほれ、ご覧になったことないでっか。あの通帳と酒瓶持って、笠被《かさかぶ》った狸の絵」

「絵——か」

何となく覚えはあるが、能《よ》くは判らない。

「まあ、姿は人の子供なんやけども、その、化けておるから何処か妙竹林《みょうちくりん》なんですわ。衣は彼方此方破れておるし、笠も襤褸《ぼろ》やね。それに、獣やからね。狸の場合は、仔狸とはいえ、こう、そのナニがやね」

「ナニって何のことかね」

「ほれ、まあ有り体に言えば、その八畳敷きですわ」

「睾丸《きんたま》のことか」

「睾丸いうより陰嚢《ふぐり》ですわ」

「しかしな、本物の狸はそんな陰嚢を持っておらんだろう。作り物ということだろう」

「へえ。そら、作りもんでしょうな。あら、どういうんですかな。聞くところに依れば、金箔《きんぱく》ゆうのは狸の皮で包んでのめすんやそうですな。叩いて延ばすんやろうけども、金の粒を狸の皮で包んで叩く。で、薄く薄く延ばして行くと」

「八畳になるというのか。金が八畳とは能く出来た話だが——だが林蔵さんよ、そら、どの位の量の金を入れるかで変わるだろうよ」

そうでんなあと林蔵は答え、漸《ようや》く石を打った。

「後、狸の皮いうのは鞴《ふいご》ォ作るのに向いておるらしいでんな」

「鞴——ああ、能くは知らんが、箱の中の板に毛皮巻くのか」

「そうですわ。あの、鞴に使う毛皮は狸の毛皮なんや。気ィが通らんようにするのに一番ええ謂うらしですわ」

「それが何だね」

与兵衛は次の一手を打つ。

林蔵は顔を顰《しか》めて敵《かな》わんなあと言った。

「鞴も、あれ鉄《かね》を精製《つく》るのに欠かせまへんやろ。鉄溶かすンは足で踏むずっと大けな踏み鞴やけど、あれも狸の皮で目張《めば》りしまんねんて。狸の皮ゆうのは、伸びて縮んで、縮んで伸びてする、丈夫なものなんやね」

「そうかもしれんがな」

「その、伸び縮みするゆう処《とこ》が肝心でんねん。あの鞴ゆうのは、あれ、元はもっと簡単な仕掛けやったんですわ。ま、こう押して戻して風送るゆうのは変わらんのやけど、風溜めとく処は只の袋なんやね。革袋ですわ。それも狸の皮が良かったらしですわ」

「解らんなあ。だからどうなんだね」

「袋やったら膨《ふく》らみまっしゃろが。脹《ふく》れて、萎《しぼ》めて風を出すんやから。狸の皮はよう膨らむんですわ。こう、ぷうぷうと膨らむ。それが、八畳敷き」

「いやいや、陰嚢は膨らまんだろ」

「普通は膨らみまへんな。膨らんだらえらいこっちゃけども——こら、疝気《せんき》の病やね」

「ああ」

そうした疾病はあるらしい。

陰嚢が何倍にも腫《は》れ上がると聞く。

「疝気ゆうのは、まあ——どないになって罹《かか》る病なんかわっしは知りまへんけどもね、普通は困るんやろけども、物乞《ものご》いなんかにね、それを売りにしてた者も居ったそうでんな」

「売り——とは」

「まあ、見世物ゆうかね。腫れたもん見せて稼ぐのやろね。ま、病でも何でも、銭になれば利用しますねん。下卑た話でっけどな」

「それが狸とどう関係する」

「関係はありまへん。でもな、そうゆう連中は、こう、汚い恰好《かっこ》で物乞いしますねんで。襤褸の笠ァ被って破《や》れ衣《ごろも》着て。そら、まあ人ではあるけども」

「人じゃないもんにも見える、ということかね」

「見えるゆうかね。見立てなんやろね。人なら病でっけどもね。人でないなら、まあ」

「狸か」

タヌキでんなあ、と林蔵は謡《うた》うように言って、碁盤の目をひとつ埋めた。

「まあね、そのマメダも狸は狸でっからね、これも土地によって違うもんなんやろけど、その八畳敷きを引き摺ったり、頭に被ったりしとる、謂いまんな」

「頭に被るか」

与兵衛は笑った。

「そりゃあ滑稽《こっけい》だなあ」

「へえ。戯《ざ》れ絵でんな」

なる程。

与兵衛が見た覚えがある狸の絵は、戯れ絵だ。

慥《たし》かに通《かよ》いの帳面を提げて、笠を被っていた。

「つまり何かな、林蔵さんよ。その豆狸という奴もまた、作り物、戯れ絵——ということなのかな」

「そうしたもんはみな、作り物でっしゃろな」

林蔵は微笑む。

まあ、誰が考えたってそうだろう。

「しかしな、うちで起きてるこたぁ事実だ。実際に起きておることだ。作り物の戯れ絵がしたことではなかろうよ」

「いやね」

林蔵は座り直した。

「まあ、八畳敷きの狸は作り物でっしゃろ。せやけど先にも言いました通りね、そういう話は諸国諸藩、津津浦浦《つつうらうら》で語られてますのやで。何かは起きておる訳や。起きとるからこそ、怪談《おはなし》も出来ますねん。正体を鼬《いたち》とするか狐とするか処《ところ》処《どころ》でまちまちなんは、そら、何やよう判らんからですやろ。この辺りではマメダとされてるちゅうだけのことですわ」

「ああ、そうか。だから」

マメダや申し上げたんですわと林蔵は言う。

「この地で起きたならマメダの仕業。でも、正味《しょうみ》マメダかどうかはどうでもええ、ちゅうことですねん」

「何と呼ばれているのかはどうでもいい、という意味かな」

「へえ。どうでもええのと違《ちゃ》いますか。猿でも河童《かっぱ》でもすることは一緒なんやね」

お遣いですわと林蔵は言った。

「中でも」

酒買い——か。

「そうでんな。人でないモノが酒買いに来る。買いに来る時は」

こどもですねん。

「子供——か」

「へえ。頑是《がんぜ》ないお子が、親に頼まれた言うて酒買いに来る訳でんな。何にせよ幼い童でっから、多少様子が怪しゅうても売ってやりますねん。それに何升も買う訳やない。提げとる酒瓶に入るなァ、精精一合二合やしね。ところが、どうも怪訝《おか》しい。その子が来るようになってから——銭勘定が合わん」

そう。

足りない。

「小額ですわ。何両も合わん訳やない。でも、高が一文二文でも毎日合わんとなれば話は別ですわ。で、或《あ》る日気が付く。あの子供に売った分だけ——」

銭が足らん。

同じである。

「それは子供——なのかな」

「子供――でんな。まあ、子供やからこそ、化けの皮剝《は》がれたらみな小さな獣やった――いうことなんやないですか。狸やったとしても小狸や。川獺かて鼬かて小さいやないでっか。マメダかて小さいゆう話やないでっか」

仔狗程の大きさ――だったか。

「お遣いに来るんは――」

「そこはね、まあお約束やろうと思いますわ。何処《いずこ》も同じ。せやから此方《こちら》さんも」

小僧なんですわと林蔵は言った。

「こどもが――」

子供が酒を買いに来ているというのか。

「いやいや、待ってくれ林蔵さん」

なんでっかと言って林蔵は石を弄《いら》う手を止めた。

「そら、全部《みな》、作り話なんだろう。お前さんもそう言ったじゃないか」

「諄《くど》いなあ蔵元はん。わっしが言ってるな、正体は作りやろ、ゆう話やないですか。どこの国かて同じ話やねんから、その正体がまちまちゆうのは眉唾《まゆつば》もんでっしゃろに。でも、起きとることは別でんがな」

「それは――本当だというのかね」

此方さんかてほんまに起きてはるのやないでっかと林蔵は笑った。

そうなのだが。

「何か、そうゆうことはあるンでしょうな。実際に。それにまあ、あれこれと後講釈《あとこうしゃく》ゥ付けとるンですわ」

「そういうこと——か」

子供ですわ子供と、林蔵はまるで追い討ちをかけるように言った。

子供は——。

子供は苦手だ。子供は。

「子供はなぁ」

「いや、そうですねん。まあ、如何《いか》なる時もお子は見逃されがちやて。何たってほんまもんの子供の遣いやからね。銭かてなんぼ掛かるのか己《じぶん》がなんぼ持ってるのか判ってないわ。握らされた分で言い付かったもん買いに来るだけですやん。売る方かて、多少の額やったら負けてもやるし、目ェかて瞑《つむ》りますわ。幼いお子は可愛いもんやからね」

そう——。

可愛いものだ。だから。

「海千山千《うみせんやません》の商人《あきんど》やったら兎《と》も角《かく》、若い売り子やったら見逃してしもたりしますわ。でも、まあそんなんは勘定が合わんことの事訳《ことわけ》にはなりまへんわな。可愛い子ォやったから負けてやりましたァとは言えんし、言うたかて理由になりまへんやろ」

「まあ——」

ならないだろう。

叱られまんな、と林蔵は言った。

「蔵元はんかて叱りまっしゃろ。子供やろうと年寄りやろうと、値切りもせん者《もん》に安ぅ売ったりしたらあかんがな。商人は坊主と違う、施ししとんのと違《ちゃ》うでと言いまっしゃろが」

言うだろう。

「一度くらいやったら間違いで済むかもしれまへんけども、幾度も続いたなら――こら只では済みまへんわなあ。かと言って自腹切って酒代払うゆうのも嫌やろうし、阿呆らし話でっしゃろ。そこで、まあ――」

化かされたゆう話にしてしまいますのやろと林蔵は言う。

それは、納得出来ないでもない。

「つまり、あんたが豆狸だと言うのは」

「そやね。此度《こたび》のことはマメダの仕業としか思えんような話なんでっから、その裏にはそうゆう事情があるのやないか――と、まあそう思たちゅう次第ですわ」

「なる程なあ」

「銭箱に何か入っとるちゅう話は聞きまへんか」

「何かって――どういう意味かな」

「いや、狸の仕業に見せ掛けようとすンならば、化かされた振りせなあかん。なら――そうやね、木の葉やとか木の実やとか、そうゆうもんやないですかな」

「ああ」

化かされた振りでっからなあと林蔵は言った。

「能《よ》くありまっしゃろ。ほれ、一分銀が団栗《どんぐり》で小判が枯葉やったとか」

「あれかな。風呂《ふろ》と思うて浸《つ》かったら肥溜《こえだ》めだったとか、牡丹餅《ぼたもち》だと思うて喰うたら馬糞《まぐそ》だったとか」

それやそれでっせと林蔵は笑った。

「そうゆう話はないんでっか」

それは聞いていない。

と――いうか。

「まあ、儂は売り上げの勘定が合わんということしか聞いておらんのだが――」

「此方《こちら》のような造り酒屋ゆうのは、卸《おろし》が殆《ほとん》どなんやろし、取り引きも大口が多いんやろと思いますわ。せやから、どうしてもそっちの方に目ェが行くのやろけども――ほれ、わっしのような客かて居りますがな」

あんたは何升でも買ってくれると言うと、飲んでまうもんは仕方がないと言って林蔵は大いに笑った。

「小口の客かて飲む客かて客は客でっせ。買《こ》うても飲んでも銭は払《はろ》うて帰りますわ。慥《たし》か、先月と今月、同じ額の不足が出ておるゆう話でしたな」

「そうなんだ。その額がまた半端でな。その半端な不足がきっちり三月《みつき》続き、しかも端数まで同額で出たものだから、これは変だと思ったんだが――」

「月で勘定せんと日で割ってみなはれ。多分、一合か五合か、小振りの徳利《とつくり》か酒瓶に入るくらいの酒代になるんと違いますかな。その――」

半端な額――。

実のところ、新竹の小口の商売《あきない》は少ない。

少ないけれど、それなりにはある。しかも増えている。

評判を聞きつけて遠方から訪れてくれるような客は最初から大量に買い付けたりはしない。

晩酌用だお祝い事だと、その都度徳利を提げて来る近隣の住人も居れば、ふらりと立ち寄ったと思《おぼ》しき一見《いちげん》客も居る。そういう客が大量に買い付けてくれるようなことはまずないけれど、林蔵の言う通り、それも大事なお客様である。

また一杯引っ掛けたいから店先で飲ませろという者も居る。

勿論断ったりしない。飲ませる。そのために店先に茶屋仕立ての板看板も設《しつら》えた。この頃は割りに賑《にぎ》わっている。手間も掛かるし儲けは少ないが、そうした客が化けることもある。

与兵衛の濃《こま》やかな気配りと惜しみない尽力のお蔭だと言ってくれる者も居る。

慥《たし》かに。

努力はしている。懸命に働いている。しかし特別なことをしているつもりはない。売る側の敷居は高くしろ、買う側の敷居は低くしろというのが先代の口癖であったのだ。何があろうと売り物の質を落とすな、どんな客に対しても真摯《しんし》に奉仕せよ――それが、先代多左衛門の教えだ。与兵衛はただ愚直にその教えを守っているだけである。

「蔵元はんの客あしらいは分け隔てなく上等でっからね。わっしのようなヤクザ者《もん》の客もこうして——座《ざ》ブ猫《ねこ》の常連ですわ」

「座ブ猫とは能《よ》く言ったもんだが——いや、慥かに店売りは余り気にしておらなんだ。でもまあ、額面を見る限りは、小売りの不始末と考えた方が良いのかもしらんな——」

尋いてみなはれと林蔵は言った。

「蔵元はんは下の者にもよう目を掛けはって、好かれとるやないですか。せやからこそ、わっしもこうして碁敵《ごがたき》になれた訳やし。ほれ、そういうこと尋くなら、番頭はんやないですわ。丁稚《でっち》やら、そういう——」

「いや、判った」

林蔵の言う通りだろう。

帳面に書かれた額面だけ見て算盤《そろばん》を弾《はじ》いていても判らぬことなのだ。晦日《みそか》で〆《しめ》て合わぬ足りぬと騒いでも詮方《せんかた》ない話なのである。日日の僅《わず》かな誤差が積み重なって奇妙な金額になっているのだろうし、ならばその僅かな誤差を生んでいる元を探すしかあるまい。

善は急げと謂う。

「林蔵さん。勝ち逃げの案配で気が悪いが、この勝負は預けておくれ。儂は寸暇《ちょいと》——」

行っておくんなはれと林蔵は言う。

「わっしに構うこたありまへんで」

「いや、そのな」

「気になるんでっしゃろ。そういう細かいとこが蔵元はんのええとこやから。いや、商人《あきんど》は細かい方がええんですわ。これでもわっしかて商人の端くれやからね。常日頃見習いたいと思とるくらいや」

ゆるりとして行ってくだされと林蔵に言い残し、与兵衛は立ち上がって店に向った。

暖簾《のれん》を下ろす刻限までは残り一刻程である。

渡り廊下を進み、土間を抜ける。

大きな店である。

いや、造り酒屋としては小振りなのかもしれないが、与兵衛にしてみれば分不相応としか思えない大店《おおだな》である。

任された時は大いに戸惑った。

重圧で気鬱《きうつ》になり、幾日も眠れず、首を吊《つ》ろうかとも思った程である。自分のような半端者に大店の主が務まるか——否、それ以前に引き受けて良いものか。

そんなことが許されるのか。

義兄に、その家族に。

そして妻に。

あの子に。

申し訳が立つのか。

ひと月以上煩悶《はんもん》した。

与兵衛を説得したのは誰でもない、先代多左衛門その人だった。
――もうお前しか居らんから譲る訳やないで。
――お前がええと頼んでおるのや。
――儂が見込んだんやで。
――頼む。拝むで。
嫌でも出来なくてもやるしかなかった。
引き受けた途端に、多左衛門は病み付いて、そして逝った。
もう後には引けなくなった。
与兵衛は、この店を嗣《つ》いだ。
この大きな店を。
緋《ひ》毛氈《もうせん》を敷いた縁台に、顔馴染《かおなじ》みの老人が座っている。寅《とら》の日には必ず来る。
もう三月《みつき》か四月《よつき》は通ってくれているだろうか。
老人は茶碗を手にして往来の方を眺めている。
文作《ぶんさく》、という名だったか。
斜め後ろからどうも毎度ありがとうございますと声を掛けた。
老人は怯《び》く気りとして振り向き、顔をくしゃくしゃにして愛想《あいそ》良く笑った。
「こらこら旦那《だんな》はん」
どうもどうもと老人は頭《こうべ》を垂れる。

「まあ、今日も来てもうた。いやあ美味いなあ、此処《ここ》の酒はねえ」

本当に美味そうに言う。有《あ》り難《がと》うございますと頭を下げると、文作は畏《かしこ》まった。

「いやいや、畏《おそ》れ入りますわ。何の――わたいのような細《こま》い客にまで愛嬌《あいきょう》振るこたないのんに。こうしてちびちび飲まして貰うだけでもう嬉《うれ》しゅうて有り難うておるゆうのに――」

そう言った後、老人は再び往来に目を向けた。

「まあ、旦那はんがそうゆう腰の低いお方やから、この店も繁盛すんのやろけどね。ま、酒の美味いもあるけども――いや、美味いだけではこう評判にはなりまへんて。旦那はんのみならず、丁稚小僧から売り子の姐《ねえ》さんまで、みんな愛想がええものねえ。せやからあんな可愛らしお子まで熱心に通うて来るように――」

「子――子供」

与兵衛は往来の方に乗り出す。日《ひ》除《よ》け暖簾が邪魔で能《よ》く見えない。

「子供がどうしたと」

「どうしたって、ほれ、あの、毎度このくらいの刻限に来はる、あの笠ア被った、五つか六つくらいの、可愛らし男の子ですわ」

それは――。

「そんな子が酒を買いに――」

「あれ、ご存じないか。わたいみたいな偶《たま》にしか来ん爺《じじ》の顔もご存じの旦那はんが。でも、あの童は、あれ毎日通うとるのやないかね。わたい、必ず見掛けるよって」

「毎日――」

「そう言うておったけどね。ほれ、あの」

老人が顔を向ける。

与兵衛がその視軸《しじく》の先に目を投じると、そこにはおりょうが立っていた。

三月《みつき》前から奉公している娘である。

「あの――おりょうが」

「そうそう。おりょうはんやった。あの娘《こ》ォに尋いたんや、わたいは。あまりに可愛らしお子やったし、二度ならず顔を合わせたもんやからね。何度目だったかに尋いた。ほたらあの子は毎日来るんや言うて――」

おりょう、おりょうと与兵衛は呼んだ。

丁稚と話をしていたらしいおりょうは、そのままの笑顔で振り返り、与兵衛の顔を見るなり不安そうな面持ちになった。

おりょうは小走りで与兵衛の側に寄ると、戸惑うようにして胸元に手を当てた。

「あの、妾《うち》、何か」

「いや――」

旦那はんお顔が恐いでと文作が言った。

「そんな恐い顔したら叱られると思うがな。おりょうはん、ほれ、今の子ォ」

「ああ」

おりょうも往来に目を向ける。

ついさっきまで、その子は此処に居た——ということだろう。

「おりょう。その子供というのは」

「へえ、あの」

「毎日来るのかね」

「ええ。毎日——」

「酒を買いにか」

「あの、一番安いお酒を酒瓶に一合だけ——あ、妾その、時には少しばかり多めに入れたったりすることもあった思いますけども、その」

「そんなことはいい。その、お代は」

「お代はいつも紙捻《こより》に通したのを手ェに握って——」

「紙捻に何を通す」

「一文銭を八枚、あ、一合八文のお酒やよって」

「何処や」

「な、何がですか」

貰ったお代は何処にあると与兵衛は質《ただ》した。

「それやったらまだ帳場には運んでまへん。そこの銭箱ン中に——」

「あるのか」

与兵衛は箱の中を覗《のぞ》いた。

小銭が沢山《たくさん》入っている。だが。

「そ、そんなものはない」

「ない訳ありまへん。たった今、そン中に」

「紙捻に通した何だと言った」

「ですから――」

与兵衛は銭の中から――。

紙捻で連ねられた八枚の紅葉《もみじ》の葉を抓《つま》み上げた。

「これが――何だと」

おりょうは眼を円《まる》くした。

「す、すんまへん親方さん、う、妾は――」

娘は言葉をなくしてしまったようだ。

心底驚いているのだろう。

そもそも、おりょうは目上の者に嘘を吐《つ》くような娘ではない。

それは与兵衛も能《よ》く知っている。りょうは山科《やましな》の豪農の娘で、伏見《ふしみ》の酒蔵の周旋で三月《みつき》前に雇い入れた。店先を茶屋仕立てにしてから、何かと手が足りずに困っていたのである。気も利くし能《よ》く働く。縦《よし》んば何か粗相失敗《そそうしくじり》をしたとしても、誤魔化《ごまか》したり逸《はぐ》らかしたりするような性根の娘ではない。

「——貰《もろ》た時はお銭《あし》やったんです。こんな葉っぱやなかったです」

かなり間を空けておりょうはそう言った。

言った後で後ろに飛び退《の》くようにしてへたり込み、土間に手を突いて頭を下げた。

「す、すんまへん、うち、盗《と》ったりしてまへんえ」

「盗るって——儂はそんなことを言うておる訳ではない。謝らんでも——」

ありゃりゃと文作が声を上げた。

「あのお子、マメダやったかい」

「マメダ——」

おりょうも顔を上げる。

「こら騙されたなァ。いや旦那はん、そら仕方がないて。おりょうはん責めたらあかんわ」

「いや、だから責めておる訳では——」

そうじゃない。そうじゃなくて。一体——いったい何に引っ掛かっているのだろう。

「おりょう、その童は——いつ頃から通って来よる」

「妾が奉公に上がってからずっとです」

ずっと——。

なら少なくとも三月《みつき》前からということか。

「もう、疾《と》うから此方に通うてはる子ォかと思てましたけど」

「ど、何処の子か知っておるか」

「さあ——身許尋いたことなんか——いや、ああ、そういえば、そう、紅葉岳《もみじだけ》の麓《ふもと》の沢の、そう盆《ぼん》ヶ淵《ふち》やとか」

ぼ——。

盆ヶ淵だと。それは。それは。

「ど、どんな子供だ。顔付きは。齢《とし》は。身形《みなり》は」

与兵衛はおりょうの肩に手を掛け揺する。おりょうはおろおろとする。

「ど、どんなて——碁盤縞《ごばんじま》の着物に三尺締めた、五つか六つくらいの、丸顔の、あ、こんな風に首からお守り袋提げて」

「碁盤縞——だと」

いいい、いい、いいい、それは豆狸なんかじゃない、ない。

その子は——。

そのこどもは亡魂《ゆうれい》だ。

参

与兵衛は江戸で育った。

親は煮売《にう》り屋だった。与兵衛が赤ん坊の頃はそこそこの羽振りだったらしいが、やがて商売が巧《うま》く行かなくなり、父親は家族を捨て、江戸から消えた。

与兵衛が十歳くらいの頃のことだったろう。

その所為か与兵衛は、父の顔をちゃんと思い出すことが出来ない。

若かった与兵衛は様様な職を転転としたが、渡世は中中定まらず、結局喰うに困って母と共に美濃の親類を頼ることとなった。

宿屋で十年働いた。

八年目に母親が死んだ。

十年目に、客として訪れたさだと知り合った。

さだは酒蔵新竹の先代、多左衛門の娘であった。

美濃へは兄一家とともに訪れたもので、ひと月以上に亙《わた》る長逗留《ながとうりゅう》だった。

さだの兄である喜左衛門《きざえもん》は、当時新竹の番頭として働いていた。

新竹は本来は蔵元が杜氏《とうじ》を兼ねる一人蔵だったようだが、多左衛門はそれを良しとせず、杜氏を別に立てて酒造りを商売と分け、己《じぶん》は杜氏の後見として酒造りを監督し、商売の方を息子の喜左衛門に任せたのだ——ということだった。

喜左衛門は酒屋者《さかやもん》としてのひと通りの修業は済ませていたようだが、父である多左衛門が息子に求めたものは、杜氏としての技巧ではなく、商人としての手腕だったのである。

酒の評価は、どうであれ江戸で決まる。

醤油《しょうゆ》などと違って酒は上方のものだ。

上方から江戸に送られる下《くだ》りものの酒——所謂《いわゆる》下り酒は、江戸者にとっては矢張《やは》り上等の酒なのである。江戸の地回り酒や東国の藩造酒は、質に拘らず一段低いものとして扱われてしまう。将軍家に献上される酒も伊丹酒である。

上方の酒は、江戸で売れるのだ。

上方で板看板——直売店を増やすより、江戸の酒問屋に取り入る方が数倍数十倍の利を得ることが出来るのである。

だが。

下り酒の殆《ほとん》どは伊丹や灘——所謂摂泉十二郷《いわゆるせっせんじゅうにごう》の酒で占められている。それが現状である。特に灘は、海が近いという地の利を生かして攻勢をかけ、今や下り酒の五割を占めようという勢いである。

酒荷は海路で運ばれるのだ。

江戸への輸送は専用の樽回船《たるかいせん》が使われる。大坂から江戸まで、平均二十日はかかる。新酒番船などの場合は十日もかからずに届けられることもあるが、天候に依っては二月《ふたつき》以上かかる場合もある。

これに港までの陸路が加わる。

時間が掛かればそれだけ金も掛かるということになる。港に近い酒蔵は圧倒的に有利なのである。河内《かわち》や山城《やましろ》、丹波《たんば》、紀伊《きい》播磨《はりま》、そして尾張《おわり》三河《みかわ》、美濃などの酒もまた、下り酒として珍重されてはいたのだけれど、どうあれ灘や伊丹に大きく水をあけられていることは間違いなかった。

それは、今もそうなのだ。

喜左衛門は九年前、そうした状況を変えようとしていたのだろう。美濃に幾つかの小さな蔵元が集まって会合を持ったのである。杜氏《とうじ》同士の技術交流もあったらしい。閉鎖的な酒屋者の歴史の中では特異な会合であったといえるだろう。

商談は連日行われた。

その間、与兵衛は宿に残された喜左衛門の妻みよと息子の徳松《とくまつ》、そしてさだの面倒をみた。

徳松はその時まだ三つで、与兵衛は能《よ》く遊んでやった。徳松はあまり泣かず、人見知りもせず、温順《おとな》しくころころと遊ぶ、とても愛らしい子供だった。その頃は——。

その頃は、子供が好きだった。

そして、さだとは——。

さだとは能《よ》く川を眺《なが》めた。

美濃の川は、激しく潔くて、深い。

やがて与兵衛とさだは強く魅《ひ》かれ合うようになっていた。でも、そうした意志《きもち》を言葉や態度に表したことは一度もなかった。所詮さだは旅人。互いに擦れ違うだけの世と知っていた。

ひと月が過ぎ、一行が帰った後。

三月《みつき》程して、多左衛門から文《ふみ》が届いた。

さだの婿になって欲しいという内容だった。

与兵衛は随分と驚いた。驚いて幾度も読み返した。俄《にわか》には信じ難《がた》い、それこそ夢のような話である。そんな上手《うま》い話が世の中にあるものだろうか。担がれているのではないかと与兵衛は思った。

与兵衛は考えあぐね、親代わりである宿屋の主に相談した。主も大いに驚き、書面で多左衛門の真意を質《ただ》してくれた。

その更にひと月後。

多左衛門本人が美濃を訪れた。

威厳に満ちた、立派な人だと与兵衛は思った。

多左衛門は宿屋の主に頭を下げ、与兵衛を婿に貰い受けたいと言った。ただの使用人、しかも縁故を辿《たど》って寄り付いた、半ば居候のような役立たずの与兵衛のために——である。

断る理由など何もなかった。

与兵衛はただ恐縮し、そして多左衛門に問うた。

何故に自分なのかと。

一度も会わぬまま、素性も知れぬ他国者を婿に迎え入れようというその了見が、正直いって解らなかったのである。

その時の多左衛門の顔を与兵衛は今も忘れない。

多左衛門は、笑いもせず怒りもせず、実に穏やかな顔をしていた。そして泰然自若としたまま、こう言ったのだった。

――儂は自《おの》が子ォを信じとります。

さだは与兵衛と添いたいと言った。

喜左衛門も、与兵衛は婿に足る男だと言った。

それだけで充分だと、多左衛門は言ったのである。

こうして――江戸に捨てられ美濃で燻《くすぶ》っていた役立たずの与兵衛は、上方の造り酒屋の婿になったのである。

与兵衛は三十、さだは十八であった。

それからの凡《およ》そ三年、与兵衛は幸せだった。

さだは、良い妻だった。

義兄喜左衛門は、齢こそ下であったが礼節を弁《わきま》えた頼もしい男であり、商才もあった。酒造りに従事する者達もみな、何も知らず何も出来ぬ与兵衛を温かく迎え入れてくれた。

学べることは何でも学ぼう、出来ることは何でもしようと、そう思った。杜氏の仕事も喰い入るようにして見た。多左衛門も能《よ》く指導してくれた。

与兵衛は幸せだった。

二年経って、子供が生まれた。

与吉《よきち》と名付けた。元気な、男の子だった。

嬉しかった。

美濃に居た時分、所帯を持つことすら諦《あきら》めていた与兵衛は、我が子の誕生は何にも代えられぬ幸せだった。天にも昇る程嬉しかった。本当に、泪《なみだ》を流して喜んだものだ。

さだに感謝した。

喜左衛門に、そして多左衛門に感謝した。

この幸せがいつまでも続くように、心底精進せねばなるまいと、そう与兵衛は誓った。

だが。

それは続かなかった。

三年目の秋口のことだった。

寒仕込みに取り掛かる前のことである。

与兵衛親子と喜左衛門親子の六人は、揃って紅葉狩りを兼ねた船遊びに出掛けた。忙しくなる前に水入らずで目の保養でもしておけという、多左衛門の取り計らいであった。

船を仕立て弁当を持って川を溯《さかのぼ》り、紅葉岳の見える沢まで行った。

紅葉岳はその名の通り、紅葉の美しい山である。麓の沢は広く流れも緩やかであり、船上から観る景観は中中美しいのだと――その時に聞いた。

他所者の与兵衛は行ったことがなかったのだ。

そして。

その時に行っているのだけれども、景観は観《み》ていない。覚えていないのではなく、本当に観ていない。それから二度と足を向けていないから、本当に美しいのかどうかは判らない。与兵衛の知る紅葉岳は――。

ただの地獄である。

川を上っているうちは楽しかった。

与吉は安らかに寝ていたし、六歳《むっつ》になった徳松はにこにこ笑っていた。さだも、義兄夫婦も豪《えら》く愉快そうだった。

ところが。

沢に着いた途端に、黒雲が涌いた。

正に一天俄《にわか》に掻き曇り――といった態《てい》であった。

さては俄雨でも降るものかと、そのくらいに思っていた。乳飲み子がいるので濡《ぬ》れるのは困るなと、その程度の気持ちだったのである。しかし――。

それは、俄雨というよりは嵐だった。

天から大粒の雨が注がれ、突風が吹いた。

舫《もや》う間もなく船は流されて、木の葉のように沢を滑った。水面《みなも》は激しい雨に打たれ、幾つもの穴が開いては閉じ、飛沫《しぶき》を上げて波打っていた。与兵衛は、それしか覚えていない。平素は凪《な》いでいるという沢は荒れ、流れに引かれたか風に押されたか、船はあらぬ方角へ進んだ。

川に戻されたのなら良かったのだろう。

しかし船は上流に押し上げられ、そして。

盆ヶ淵へと落ち込む別の水流に乗った。途端に流れは急になった。

水を撥《は》ね上げて船は揺れ、小振りな滝を滑り落ち、落ちる途中で転覆した。

刹那《せつな》の出来ごとであった。

だが与兵衛にとっては永遠にも等しい、長い長い時間であった。

さだが投げ出された。

喜左衛門が、その妻が沈んだ。

ぐるりと景色が回転し、黒い水と、紅《あか》い紅葉とが混ざり合って、ごぼごぼという泡が視界を覆《おお》った。

――ああ。

罰《ばち》が当たった。

そう思った。自分は、こんな幸せになって良い男ではなかったのだろう。分不相応の幸福に浸ってのうのうと生きていたことに対する、これが報いなのだと。

同時にこうも思った。

これは夢だ。

悪い悪い夢だ。このまま目を開ければ、自分は温《ぬく》い蒲団の中にいるのだ。枕元には愛《いと》しいさだが笑みを浮かべており、その横には可愛い与吉がすやすやと寝息を立てているに違いない。

夢でないなら。

化かされたか。

狸か狐の悪戯か。

ならば随分と人の悪い狸じゃないか。

ごぼごぼと。

泡が。

泡と水が。

そして紅葉が。

川面《かわも》に顔を出して大きく息を吸うと、目の前に白い産着と碁盤縞の着物が流れて行く様が見えた。

ああ。

夢ではない。化かされているのでもない。

罰だとしても。

与吉――。

与兵衛は叫んだが、水を飲んだだけだった。

いけない。いけない。

神罰だろうと仏罰だろうと、怨《うら》みでも蔑《さげす》みでも呪いでも祟りでも、何であってもそれは与兵衛が受けるべきものであるだろう。子供には何の罪もない。

幸い泳ぎは達者である。

命に代えても助けなければなるまいと――。

そう思い、与兵衛は流れて行く我が子に手を伸ばした。手を伸ばして――。

戸惑った。

徳松はどうなる。

徳松を見殺しにしていいのか。

新竹の跡取りは喜左衛門だ。その喜左衛門にもしものことがあったなら、跡目を嗣ぐのは徳松である。与兵衛は他所者の入り婿に過ぎない。与吉はその他所者の子ではないか。多左衛門の孫は――。

徳松が溺《おぼ》れている。

与吉が流されて行く。

与吉はまだ幼い。言葉も喋《しゃべ》れぬ赤児《あかご》である。もう、駄目かもしれない。でも、徳松は、今なら助けられるのではないか。

いや待て。

己は我が子を見捨てるのか。見殺しにするのか。そんなことが出来るのか。

産声を聞いた時、あれ程嬉しかったのに。あんなに可愛かったのに。その幼い、まだ一人では何も出来ない赤児を、見殺しになんか出来るのか。目の前で自分の子が死んで行くのをただ眺めているような、そんなことが——。

でも。でもでも。

徳松は。徳松は死んでもいいと言うのか。

己の子さえ助かれば、大恩ある多左衛門の孫が、喜左衛門の息子が死んでしまっても構わないと言うのか。

引き裂かれるような戸惑いが——。

ほんの一瞬のことだったのだが。

その戸惑いが判断を鈍らせた。両方助けよう助けなければと伸ばした手は、もう何も摑《つか》むことが叶《かな》わなくなっていた。

産着も、碁盤縞の着物も、視界からは消えていた。

そしてそのまま、与兵衛も——。

意識を失ったのであった。

与兵衛が息を吹き返したのは、それから二日後のことであった。

結局——。

与兵衛一人が助かったのだ。

投げ出された船頭とさだは岩に打ちつけられて死んでいたという。喜左衛門夫婦は溺れ、それぞれ淵《ふち》に浮かんだ。徳松と与吉は見付からなかった。身体が小さく軽いので、遠くまで流されてしまったのだろうと謂われた。

僅か、四半刻《しはんとき》ばかりの短い嵐だったという。

出発をもう半刻も遅らせていれば、何ごともなかった筈である。何ごともなく、笑っていた筈である。

徳松も。

与吉も。

掛け替えのない子供の命が。

与兵衛は自失した。胸が刃物で抉《えぐ》られたように痛んだ。乱心でもしてしまった方がどれだけ楽だったか知れない。

多左衛門は何も言わなかった。

恩人は息子と娘と、嫁と、二人の孫を一度に失ったのである。それなのに——どうでもいい与兵衛だけが帰って来たのである。

こんな悲しいことがあるだろうか。

多左衛門の無言が、与兵衛を更に責め苛《さいな》んだ。

二度、首を吊った。

二度とも止められた。

飯も喉《のど》を通らず、目が眩《くら》み、頭が痛《や》み、心は死んでしまったかのようだった。

与兵衛は三月《みつき》がところまるで使い物にならなかった。

多左衛門と与兵衛が口を利いたのは、年が明けて暫く経った頃のことである。

死人のように窶《やつ》れた与兵衛は、多左衛門に呼ばれて酒蔵に行ったのだった。やっと、やっと裁きが下されるのだと思った。

死ねと、死んでしまえと言われるか。

出て行けと言われるか。殺してやると言われるか。

否、ただ叱咤《しった》されるだけでも良かった。それでも楽になるように思った。

しかし。多左衛門は黙って、酒を勧めた。

茶碗になみなみと注がれた酒の表面が、何故だか紅葉の浮いた川面に見えて、与兵衛は堪らなくなって――。

それを飲み干した。

口に舌に喉に胃の腑に――。

芳醇《ほうじゅん》な液体が染み渡った。

――出来たばかりの酒だ。

――美味いか。

多左衛門はそう言った。

味はまるで判らなかったのだけれど、それは確実に美味い酒だと思った。

だから与兵衛は首肯《うなず》いた。何度も首を振った。多左衛門はそうか、と短く答え、そして、なら新竹を嗣いでくれと言った。

──もうお前しか居らんから譲る訳やないで。

──お前がええと頼んでおるのや。

──儂が見込んだんやで。

──頼む。拝むで。

返事は出来なかった。

また、化かされているのではないかと思った。

或《ある》いは夢ではないのかと。

そんな莫迦な話はない。

与兵衛は、自分の子を見殺しにした男だ。

多左衛門の孫を見殺しにした莫迦者だ。

二人の頑是《がんぜ》ない童を殺したのだ。

子供を──。

産着を着た与吉と。

碁盤縞の着物の徳松が。

泣き叫び乍《なが》ら奈落の底に吸い込まれて行く。

どちらも。

どちらも助けたかったんだよう。

与兵衛は大声でそう叫びたかった。しかし、声は出なかった。

与兵衛の心は与兵衛から抜けて、空の茶碗を手にして愚か者のように呆《ほう》けている己を、蔑むように見ていたのである。抜け殻《がら》の与兵衛は何も考えることが出来なかった。抜けた与兵衛はただ虚空に向けて声を立てずに叫ぶだけであった。与吉と。徳松と。抜けた己はその二人の名を同時に呼び続け、抜け殻の与兵衛はそれを心の中で聞き続けた。

抜けた己が与兵衛に重なるまで、ひと月掛かった。

多左衛門は本気だったのだ。

——儂も辛《つら》いが、お前も辛かろう。

——この辛さァお前と儂にしか分かち合えぬ。

——ゆっくり考えや。ゆっくりとな。

——辛さが拭《ぬぐ》えんようやったら。

——此処を出てもええ。

そう言われた。

ひと月後、与兵衛は新竹を嗣ぐことを承知した。

忘れることは出来ないと思ったのだ。否、忘れられる訳もない。そして、忘れてはいけないとも思った。耐えられぬ辛《つら》い気持ちを抱えたまま、耐えて生きて行くことくらいしか、与兵衛に出来る償いはないと考えたのである。

多左衛門は大層喜んでくれた。

これでこの酒蔵も安泰やと言った。

血縁者は絶えてしまっているというのに。

間もなく多左衛門は逝き、新竹は名実共に与兵衛のものとなった。他所者の、素人の、子供殺しの人でなしの与兵衛が、まるで乗っ取ったかのようだった。そう思われても仕方がないと思った。

でも、そんなことを謂う者は一人もいなかった。いなかったのだけれど——。

それでも。

肆

「それはマメダなんかじゃないッ」

与兵衛は叫んだ。

「それは、その子供は」

徳松だ。

与兵衛が見殺しにした徳松だ。

紅葉の浮いた、黒い黒い川の濁流にぐるぐると吸い込まれて行った、あの徳松だ。義兄の息子の徳松だ。徳松が——。

与兵衛は往来に躍り出た。

親方さん旦那はんと呼ぶ声がする。

違う違う違う。

この店は、この酒蔵は、本当は徳松のものじゃないか。

あの時、迷わず徳松を助けていたなら。いや、与兵衛が死んでいたなら。与吉を見殺しにしても徳松を助けていたなら。

喜左衛門の息子である徳松こそが、この酒蔵を嗣ぐべき者ではないか。迷うことなどなかったのだ。大恩ある多左衛門のためにも、徳松を救うことを第一に考えるべきだったのだ。そうするべきだったのだ。

でもでもでも。

与吉も。

与吉も助けたかったんだよ。

どうしても助けたかったんだよ。

結局二人とも助けられなかった。

二人とも殺してしまった。

ころしてしまったんだ。

与兵衛は往来を駆けた。

こんな己《じぶん》が。

こんな己が、親方だ蔵元だと謂われて、煽《おだ》てられて祀り上げられて、はいそうですかと、のうのうと生き永らえていて良い訳がない。殺したのだ。子供を殺してしまったのだ。

ころしてしまったのだから。

人殺しだ。

——徳松。

あの徳松が。

美濃の河原で笑っていた幼い徳松。

駆けっこをして転んで泣いた徳松。

船の上でにこにこ笑っていた徳松。

どこかに流れて行った——溺れている徳松。

怒っているのだろうか。

怨んでいるのだろうか。

淋《さみ》しかっただろうな。悲しかっただろうな。

苦しかっただろうな。冷たかっただろうな。

与兵衛は走った。

紅葉岳の麓。

沢を越えた小さな滝の下。

盆ヶ淵。

——あんな処《ところ》に家はない。

子供が恐い。

嫌いなのではない。恐い。

どの子もどの子も、溺れて、奈落《ならく》に流れて行ってしまうように思える。そして与兵衛は誰一人助けることが出来ないのだ。みんな泣いている。辛《つら》いよ苦しいよと泣いている。今は笑っていたって、すぐに。黒い雲が涌けばあっという間に。

死んでしまうじゃないか。

子供は。

ごめんよごめんよごめんよ。

みんな儂が悪いんだ。今、今逝くよ。

与吉。

徳松。

死骸《しがい》も上がらなかったものなあ。

まだ彼処《あそこ》に居るのだろうさ。一度も行かなかったものな。この五年。さだも、義兄《にい》さんも義姉《ねえ》さんも、みんな死んだのに。儂だけが残って。

今だ。今逝く。儂が——。

儂が今度こそ。

与兵衛は草履《ぞうり》が脱げてしまったことにも気付かずに往来を駆けた。夕間暮《ゆうまぐ》れは人の顔の判別も出来ぬ程に世間を暈《ぼやか》し、既に与兵衛も半分は梦に融《くらがり》けていた。

逢魔刻《おうまがとき》に、鬼《ばけもの》が駆けて行くようだった。

夜が来る少し前。

与兵衛は紅葉岳の麓に到着した。

紅く染まっている筈の山は月明かりに黒黒として聳《そび》え、緩やかな筈の沢は夜を映して墨壺《すみつぼ》のようだった。

――此処で。

此処で、夢と現実《うつつ》が反転したのだ。

喜びは悲しみに、楽しさは苦しさに、それは見事に裏返ってしまったのだ。

沢伝いに歩く。

ごめんよごめんよと念仏のように称《とな》え乍《なが》ら、与兵衛は草を土を砂利を踏み締める。

やがて細い流れに当たる。その流れに沿って下る。

どうどうという瀑布《ばくふ》の音が聞こえ出す。

此処で――。

さだが死んだ。

その先で。

喜左衛門夫婦が死んだ。

胸が焼けるように熱くなった。

どうしてあの日だったのかなあ。

ほんの、一寸《ちよつと》したことなのだろうな。

さだの笑顔が浮かぶ。喜左衛門とその妻の笑い声が甦《よみがえ》る。さだの胸には――。

与吉。

そしてその横には――。

「とくまつッ」

与兵衛は叫んだ。

「とくまつよう」

声は谺《こだま》することもなく、淵の水に吸い込まれた。

「徳松。徳松なんだろう。寒くて悲しくて淋しくて辛《つら》くて、それで、毎日通って来ていたのだろう。気付かずにいてすまなんだ。あの娘はお前のことを知らぬのだよ。いいや、誰も気付かなんだとしても、儂だけは気付くべきだったんだな、徳松。徳松よう」

返事はなかった。

「そうか。怒っているのか。そうだろう。なら、儂も逝く。今すぐに其処に行く。責めるなら責めてくれ。思う存分責めてくれ。だから、今行くから、もう迷うな」

与兵衛は滝の上から半身を乗り出した。

「徳松――」

「与兵衛――」

声だ。

「与兵衛よ」

この声は。

滝の音に交じり、対岸の藪《やぶ》から、与兵衛を呼ぶ声が聞こえた――ような気がした。

気の迷いか。幻聴か。

「あ、あんたは――」

「吾《わし》や与兵衛」

三度目の声は瞭然《はっきり》と聞こえた。

竹藪に、もうと人影が浮かんだ。

「よう来た与兵衛。待っておったで」

「あ、あんた——に、義兄さん。喜左衛門さんか」

能《よ》く似ている。

声も、背恰好もそっくりだ。

それでは——。

月明りに顔が浮かび上がる。

矢張り喜左衛門に間違いなかった。

「に、義兄さん。義兄さんも——」

仕方があるまい。無念なのは喜左衛門とて同じだ。

「すまなかった」

与兵衛は手を突き、地べたに額を擦《す》り付けた。

「すまなかった義兄さん。儂は、儂はこうして生き残ったというにも拘らず、あんたの子供を助けることが出来なかった。助けられた筈なのに見殺しにした。それなのに、こうして無様《ぶざま》に生きておる。生き恥を晒《さら》しておる。あんたが嗣ぐ筈だった新竹を、まるで横取りするように嗣いで、それで何ごともなかったように生きておる」

すまないすまないと与兵衛は額を何度も地べたに擦り付ける。

「許してくれとは言わん。迚《とて》も言えん。儂を――怨んでおらるるのだろ。他所者の儂があんたを差し置いて蔵元を嗣いで――いや、儂は徳松を」

徳松を見殺しにしたんだよう。

与兵衛は泣いた。

おうおうと咽《むせ》び泣いた。

すまぬすまぬと、徳松徳松と泣き叫んだ。

「怨んでくれ。儂に祟ってくれ義兄さん。そうでなくては徳松が――」

徳松が浮かばれない。

「そうやない」

喜左衛門はそう言った。

「お前は心得違いをしておるぞ与兵衛」

「心得違い――とは」

「お前は怨まれたいのかもしらん。だがの、そら怨まれた方が楽やからやろ」

「楽――」

「楽やろ。お前は、オノレの失敗《しくじり》ィ、オノレで尻捲《けつまく》ることが出来ひんから、そうやって誰かに悪ゥ言うて欲しいだけやないのか。そやけどな、そう上手《うま》くはいかん。誰も――誰もお前を怨んどりゃせん」

「いや、だが」

「それに」

喜左衛門は顔を下に向けた。

途端にそれはまた影に戻った。その影はぬう、と伸びた。

「吾《わし》は喜左衛門と違う」

「ち——違うのか」

与兵衛は顔を上げた。

影は——。

影は伸びて伸びて、遂《つい》には藪を越す程に大きくなってしまった。

影を見上げ続けていた与兵衛は、背《うしろ》に倒れて尻餅《しりもち》を突いた。腰が抜けた。

「な、何だ。ど、どうなっている。あんた、義兄さんではないのか」

「違うで。喜左衛門は死んだ」

「そうだ。そうだが——」

「死んでしもたんや。ええか、喜左衛門はもう、疾《と》うに死んどおる。吾はな、与兵衛。喜左衛門の姿と声を借りておるだけや」

「借りる——って」

「そや。化けておるのや。あれは、此処で死んださかいな。吾の目の前で、溺れよったさかいな」

「目、目の前って、それじゃあ」

「吾《わし》もあの日、あの天狗風《てんぐかぜ》の吹いた日、此処に居ったんや。いいや、吾はずっと此処に居るんやで。そしてずっと観ておるんや」

「観ている――」

何を。

何を観ているというのだ。

影は笑った。笑ったように与兵衛には思えた。

「お前さん方をや。ずっと観ておる。この山に棲まいこの藪に潜み、ずっと、ずうっとな」

「そ、そんな、そんな」

「信じひんか。無理もないわ。ええか、与兵衛。生きるの死ぬのとお前達は騒ぐがな、そんなことは――騒ぐようなことやないで」

「な、何を言うか。い、命は」

そう命は大切にせなあかんと影は言った。

「せやけどな、生きとるもんはいずれ必ず死ぬ。早いか遅いか、それだけの差ァや。その生が慶《よろこ》ばれるかどうか、嬉しく思う者が居るか否か、その死が悼《いた》まれるかどうか、悲しむ者が居るか否か、それだけが肝心なんやで」

「肝心――」

「要は、生き死にやない」

凡《すべ》ては生きとる者《もん》の心持ち次第——。

そうやろと、既に夜の闇そのものになってしまった影は言った。

「吾《わし》はな、この世の悲しいことも嬉しいことも、此処に居って、ずっと、みんなみんな観てますのやで。何年も、何十年も、何百年も——」

「そ、そんな」

「阿呆なことと思うか。そやろな。せやけども、吾は死なへんからな。吾は——」

豆狸やと影は言った。

「ま、豆狸——」

これが。

「マメダだとッ」

「いや、豆狸と呼ばれておる——モノや。誰に何と呼ばれようと構わへんけどもな。ただ覚えとき。吾は幽霊とは違う。亡者とは違うで」

「そ、そんな。それなら、あの」

あの徳松は——。

いや、酒買いの子供は——。

あれも吾やと豆狸は言った。

「吾は酒が好きでな。お前とこの酒は」

美味いよって。

「そんな──」

「仕方がない。酒を買ウンは、小僧が相場や」

「ふ、巫山戯《ふざけ》るな。それなら何故、わざわざあんな恰好で来た。あれは──あれは徳松の」

「そや。徳松も此処で死んだ。淵《ふち》の底に沈んでおる」

「う、煩瑣《うるさ》い。そんな戯言《たわごと》聞く耳は持たぬぞ。儂は」

儂は。

償いに来たのだ。

戯言やないやろと影は言った。

「死んだものはもう戻らん。泣いても笑《わろ》うてももう帰らん」

「そんなことは承知しておる。だから、だから」

儂は。

「お前も──死ぬる気ィやな」

この淵に身ィ投げるかと闇は言う。

「そうだ。その気だ。さだを殺し義兄夫婦を殺し、徳松と与吉を呑んだこの淵で──死ぬ。死んで、詫《わ》びる」

「誰に詫びる」

「だから──」

「誰も怨んではおらんぞ。誰に詫びる」

「せ、世間にだ。溺れている子供を見殺しにするような、流れて行く赤児を、自分の子供さえも救えぬような、そんな、儂のような人でなしは、生きておったらいかんのだ。儂は——」

「そら困るなあ」

「困る——だと」

酒はどうなると影は言う。

「酒など——」

「お前は多左衛門に託されたのではないのか。あの酒蔵を」

「わ、儂など居らんでも酒は造れる。先代はきっちりと杜氏を仕込んだ。あの蔵の、新竹の杜氏達は、儂など居らんでもちゃんと——」

そうはいかんでと豆狸は言った。

「何を知ったような」

「知ったような口利いとんのはオノレや与兵衛。吾《わし》を何だと思うておる。吾は——」

豆狸やで。

豆狸は。

——美味い酒蔵にしか居着きよりまへん。

——酒蔵の守り神みたいなもんですのん。

善吉はそう言っていたか。

「吾《わし》は、お前などよりずっと長《なご》うお前ら酒屋者を観続けておるのやで。ええか、与兵衛」

声はいつの間にか川を渡り、与兵衛のすぐ側から聞こえていた。

「お前の蔵はな、ようやっと——まともな酒造れるようになったんやで。一人蔵であった頃の新竹ァ、矢張《やは》りただの田舎蔵やった。こらな、下り酒としての自覚を持った先代が工夫に工夫を重ねたお蔭や。それもこれも、商売を喜左衛門に任せることが出来たからこそ、出来た工夫なんやで」

「しかし、その先代の工夫は——もう成っておるではないか」

そう。酒造りの手法自体はもう完成している。造るのは杜氏達だ。与兵衛ではない。

「儂は——要らん」

「阿呆」

背後から声が聞こえた。

与兵衛は振り向いた。

真っ暗である。ただの闇だ。背後は月明りも届かぬ真の闇だ。

闇は言った。

「お前が居《お》らんで、どないして酒を売るいうねん。売れない酒を造って誰が飲む。酒は生き物や。飲んでくれる者が居って、初めて酒は酒になるのやで」

「でも——でも」

ええ加減に目を覚ませと——。

豆狸は言った。

「オノレは多左衛門に凡てを託されたのや。託して多左衛門は死んだんやで。どうなんや。オノレは生きておるやないか。生きておる者《もん》として、喜左衛門夫婦の分も、さだの分も徳松の分も、死んだ者の分、まるごと引き受けなあかんのや。そやなかったら——」

それこそ死人は浮かばれんのと違うか。

「それは——」

そう思っていた。思うようにしていた。いたのだけれど。

「与兵衛。オノレは新竹の酒を売り、護《まも》り、次の世に伝えなあかんのや。そうすることが死んだ者に対する唯一の供養なんや。それ以外に何がある」

「いや——しかし」

でも。

突如、笑い声が響き渡った。

「与兵衛——」

お前に悔いがあることは能《よ》く判る。

そら、悔いても悔いても悔い切らん悔いやろう。

それは誰にも癒《いや》せぬ深い傷やろ。せやけどもな。

お前はその傷を抱え乍《なが》ら酒造りに精進して来た。

これからもお前に美味い酒を造って貰うために。

この豆狸がひとつ——お前に褒美を呉《く》れてやる。

「ええことを教えてやる。今まで酒買いに行っとった小僧は吾《わし》やけども、本日店に行った童だけは、吾やない」

すう、と闇が切れた。

月明りが差したのだ。

藪の中に、碁盤縞の着物の子供が横たわっていた。

「あ。と、と、徳松──」

「そら徳松やない。能く見や。そら、お前の子ォの与吉や」

「よ、与吉──だと」

「提げとる守り袋を見てみ。そら、お前が呉れてやったものの筈やで」

与兵衛は這《は》うようにして童に近寄った。

「安心せえ。それは豆狸やないで。豆狸は──」

吾やと言い残し、黒く小さい鼬のような影が──。

与兵衛の横を擦り抜けて。

消えた。

「褒美──とは」

後

「ほんまに与吉《よき》っちゃんやったんか」

お龍《りょう》が問うた。

「そや。あら、与兵衛はんの息子や」

林蔵がそう答えると、まあ慥《たし》かに今年で丁度六歳《むっつ》になる勘定だわなぁと六道屋《ろくどうや》の柳次《りゅうじ》が継いだ。

「そう。従兄弟《いとこ》の徳松坊が——亡くなった時の齢《とし》だ」

何処に居ったんとお龍が問う。

「なんや煩瑣《うるさ》いな。もう済んだ仕事なんやから、細かいことはええやないか」

「ええことないて。あんな、林《りん》さんは月に一二度来て酒飲むだけ。文作のおっちゃんかて寅《とら》の日に来て、これも酒飲むだけ。六道屋は最後に一度化けて出ただけ。そやのに、妾《うち》だけは三月《みつき》の間、住み込みでみっちり真面目に奉公させられたんえ。しかも、毎日毎日小銭ちょろまかして、や。おまけに居もせん子供を見たとか嘘言うて。それで同じ受け賃ゆうのは得心のゆかん話や思うけども」

「ちょろまかした銭ィ懐に入れたんやろが。日に八文でも三月で七百文近くなるで。それでええやないか」

　ええもんかとお龍は頰を膨らませた。

「そんなこそ泥みたいな真似させられて、横川《よかわ》のお龍サンの名が泣くわ。こそっと小銭抜くンも苦労しますのやで。それにな、お暇貰う時に全部返しましたわ」

　返したのかよと柳次が言う。

「貰っておけばいいじゃねえかよ」

「そんな真似はでけんわ」

　吐《ぬ》かしやがるぜと林蔵は笑った。

「給金はきっちり貰《もろ》うとるんやろが。それも返したんか」

「そら、働いた分やから」

「ならちゃらやろが。あんな、文作もわっしも、酒代は自腹やど。それに、もう金は一文も出んのや。あのな、この仕事、頼み人は亡くなった先代の多左衛門はんやからな」

「へえ。そらまた珍しいこともあったもんやねえ。ほんまに化けて出はったんか。それともこの六道屋が死人《ほとけ》さん踊らしたんか」

　するかンなことと柳次が毒突く。

「生きてるうちに頼まれた——ってことだろよ。それじゃ何か、いや、能《よ》く解らねェな。その先代、大坂の狸親爺《おやじ》に何を頼んだ」

「簡単なことや。先代の多左衛門はんは、一文字《いちもんじ》狸とは昵懇《じっこん》の仲やったんやて。それでな、まあ、先代は子孫《こまご》一度に失わはって、しかもどうやら己の死期も悟っていらしたんやろな。気ィも弱なるやろ。でな、狸のとこにお出《い》でンなって――」

後を頼む――。

「そう言わはったんやて」

「ハァ」

お龍は眉《まゆ》を顰《ひそ》めた。

「何やの、それ」

「そのマンマやて。あの、与兵衛いう人はな、まあ真面目なんや。何でも背負《しょ》い込む。背負い込んで、背負い込んで、それでどうにもならんようになる。多左衛門はんは、まあその実直な人柄を買ったんやろうけども、何と言うのかいなあ。その」

不器用なんだろと柳次が言った。

「あの藪で話してみて能《よ》く判ったぜ。あらァ、餓鬼《がき》の時分から誰にも頼らねェで生きて来た男だろ。でも、他人を怨むこたァしねえ。他人の所為にしねえ。だから良いことは全部他人のお蔭、悪いこたァ全部自分《てめえ》の所為と、そう思い込む質《たち》だあらぁ」

「判ったような口利くやないけ六道の」

林蔵がそう言うと、俺が昔そうだったんだよと柳次は答えた。

「齢はずうっと上だがな、あの男――昔の俺に似ていたんだよ」

「けッ。そらまあ随分と宗旨替えしたもんやないか柳《りゅう》の字よ。今のおんどれは、何でもかでも他人の所為にするやないかい。ま、おんどれのことなんかはどうでもええねん。与兵衛はんのこっちゃ。あの人は、ええ婿やったそうやで。嫁はんも子供も大事にしてな、そらもう絵に描いたような——」

それ以上言わんといてとお龍が止める。

「そんなええ親子が——酷《ひど》い目ェに遭って、おかみさんは死なはって、お子までも——と思うと、遣り切れんようになるわ」

「そやな。端《はた》で聞いておっても哀れな話や。しかし与兵衛はんは当の本人やで。見とうない聞きとうないゆうたかて無理やろが。こら、放っておいたら絶対駄目ンなると——先代はそう思わはったのやろな」

しかし。

実際のところ、多左衛門の死後、与兵衛は巧くやっていた。

悲しみ苦しみを忘れるためがむしゃらに働いていたのだろうと、見守っていた一文字屋はそう思っていたらしい。

「でな」

「そうや。子供は——与吉さんはどないしたん」

「ま、生きておったんや。生きておったんやけども」

「けども何や」

流された与吉と徳松は物乞いに拾われた。

徳松は既に息がなかったが、与吉は生きていた。瀕死《ひんし》というよりも仮死状態だったものと思われる。水を飲まなかったので溺れずに済んだということだろう。

「それ、いつのことだよ」

「勿論、船が引っ繰り返った日のことや」

「それならどうして――」

「すぐに報《しら》せなかったか――と、そう言いたいんやろけども、そら仕方がない。あのな、与吉は喋《しゃべ》れんのやで」

赤児やからねえとお龍は言って、それからぴくりと顔を上げた。

「でも騒ぎになってたのと違うの」

「なっておったやろな。まあ大騒ぎやろ。ただ、流れ着いた場所ォいうのが随分と離れておったんや。それに、助けたンはわっしら同様の――」

「身分のねェ者か」

「そう。百姓でも町人でもなかったんや。色色と通じ難《にく》いやろ。せやからそれが酒蔵新竹の与吉やと知れるまでには暫く時間がかかったようやで」

「だがよ林の字。物乞いがそんな一文にもならねェもの拾うか。拾ったらそれこそ金せびりに行くぜ。大事な坊の命料だ、安い額じゃねえわいな。せびる相手が判らなきゃ、九分九厘《くぶくりん》売ッ払うぜ」

丁度己の子供が病で死んだ直後だったそうやと林蔵は答えた。

「おいコラ、死んだ我が子の代わりに育てようって了見だったってのか」

「阿呆か。物乞いにそんなゆとりがあるかい。ちゃんと返すつもりやったそうやで」

「返してねェじゃねえか。五年も経ってるぜ」

「せやから」

「何だよ」

「死骸拾うたなら、そらまあええわい。弔うも返すもすぐに出来たやろ。でもな――」

生きて拾って死骸で返す訳には行くまい。

「死なれたらあかんと思たんやそうや。兎《と》にも角《かく》にも生かさなあかんと、それだけを考えとったんやろな。拾うた物乞いは、与吉の看病に感《かま》けておったんやな」

そら難儀なこったなァと柳次が言う。

「薬も持ってねェだろし医者坊《いしゃぼん》に診《み》せる金もねェだろ」

「オウよ。そんなこんなで、素性が知れた時には葬式やら何やらすっかり済んどった訳や」

「そらまあ返しづれェわな。それで――ずっと隠してたってのか」

「隠したりするかい。ま、赤児ゆうのは可愛いもんやから、世話ァすればしただけ情も移ったやろし、時機外してしもたなら返し難《にく》いな確かや。時が経てば経つ程返し難うなるわい。それでも、まあ返しに行ったんや、その物乞いは」

しかし。

取り合っては貰えなかった。

何で、とお龍が声を上げる。

「鉦《かね》や太鼓で探してたんと違うの」

「探し終えとったんやて」

葬式まで出しているのだ。

「せやけど」

「いいや、終わっとったんやて。しかもな、連れて行ったンは、丁度——多左衛門はんが亡くなったその時のことやったそうでな」

「取り込んでたってのか」

「そやないて。まあ取り込んでもいたのやろと思うけどもな。それよりも、妻子亡くして、先代から何もかも託されて、与兵衛はんは——」

少しだけ、狂っていたのだ。

「まあ——おかしくもなるンだろうがよ。でも」

「そう、その亡くしたと思うてた子ォを見つけて連れて来てくれた、ゆう話やないの」

「そうなんやけどな」

信じなかった。会うこともしなかった。

「信じひんて、ひと目会えば判ることやないの」

「でも、会えなかったんや。あの人は——」

子供が。

子供という子供が。

「どうも、苦手になってしもたらしいねん。苦手ゆうより怖れておってんな。理由は判らんけども、もう、見るのも嫌だゆう状態《ありさま》やったようでな。何度連れて行っても、嘘やと言って追い返されたそうや。顔も見ん、聞く耳持たぬ、取り付く島がない、いう奴や。門前払いで、会ってもくれんかったらしいで」

「はあ——」

「それで——」

「そらもう、子供見ると泡喰って遁《に》げるような有り様やったそうやで。ま、酒蔵に童は居らんよって、大きな支障こそなかったようやけど、こらあ」

おかしい。

「怪訝《おか》しいと、狸の親爺も思うたようでな。親爺もずっと気にして、様子を窺《うかが》っておったようやから」

「まあなあ。しかし、その物乞いも困ったろうよ」

「困ったやろうけども——そこは抜け目のない狸親爺のことや。あれはその話耳聡《みみざと》く聞き付けてな、その物乞いを捜し出して、篤《あつ》く礼を言うて、金まで渡して、必ず親許《おやもと》に戻すと約束してな、すぐに与吉ィ引き取ったようや」

「何だ、ホントに狸が育てていやがったのか」

「どうあっても親が引き取らんのやから、こら仕方がないわ。狸も後を頼むと言われたんやから責任があんねん。でな、与兵衛はんの方は、幾ら勧められても後添えも貰わん。養子も取らん。これでは——やがて新竹は絶えてまうやろ」

「そうだねえ。まあ誰かに譲るしかないやろね」

「けど与兵衛の実の子で多左衛門はんの孫の与吉が生きておんねんで。与兵衛が一切受け付けンゆうだけや。こら、何かどうしようもない傷があるのやろと——」

それで狸芝居かよと柳次はぼやく。

「俺はよ、死人呼び返すなァ朝飯前だが、狸に化けるなんてな初めてだぜ」

狸やないわい豆狸やでと林蔵は言う。

「狸は狸じゃねえか。兄貴演《や》ってるうちゃあ楽なもんだったがな、その後のありゃ何だよ。見《み》越し入道《にゅうどう》でもあるまいに、背が伸びる亡者なんか居ねェんだよ。化け物じゃねえかよ。そもそもけだもの振りてな性に合わねェや。鼬まで捕めえてよ、猿回しじゃねえてんだ。子供の方は眠らせとかなきゃいけねえし——苦労したぞ」

あれは鼬やったのとお龍が驚く。

「豆狸なんてものは見たことがねえからな。江戸じゃ聞かねェし、居るのかどうかも知らねえよ。ま、苦労の甲斐《かい》あって与吉は戻れたようだな」

戻った。与兵衛は我が子を抱いて、泣いて、そして死ぬのを止《や》めて連れ帰った。

「ところであの子は——口裏か何か合わせてたのか」

「阿呆。童にそんなことさせられんて。寸暇《ちょいと》眠って貰《もろ》てただけや」

里親に育てられていた与吉は――。

或る日目が醒《さ》めたら実の親の許に居た――ということになるのだろう。

混乱はするだろうが、不幸にはなるまい。

一文字屋は予め、いずれその日が来たら本当の親の処へ帰ることになるんだと、与吉に言い含めていたようである。

与兵衛は――もう大丈夫だろう。

林蔵はこれからも与兵衛の酒を買いに来ようと、心密《ひそ》かに決めた。

野《の》狐《ぎつね》

◎野狐

きつねの挑燈《ちやうちん》の火《ひ》をとり
蠟燭《らうそく》を食《くら》ふこと
今《いま》もまゝある事《こと》になん

繪本百物語・桃山人夜話卷第四／第卅三

壱

騙《だま》せる。

お栄《えい》はそう思った。

削掛《けずりかけ》の林蔵《りんぞう》が大坂《おおざか》に舞い戻っていると知ったのは、半月ばかり前のことである。

最初は気付かなかった。口の巧《うま》い、ちょいと佳《い》い男が居るとか居ないとか、その程度の噂《うわさ》をちらりと聞いただけだった。帳屋《ちようや》の看板を掲《あ》げているらしいと噂は謂《い》うが、商売《あきない》の話なぞ丸で聞こえて来ず、だからといって俳優《やくしや》のように綺麗《きれい》だとか銭《ぜに》の使いっぷりが豪気《ごうき》だとか女誑《おんなたら》しの銀流《ぎんなが》しだとかそういうことでもないらしく、なら何故《なにゆえ》にその程度の男の噂が流れて来るものか、世間の口は能《よ》く判らぬと、軽く思うただけだった。否、彼《あ》れ此《こ》れ思う前に右から左へ聞き流し、記憶《おぼえ》もすぐに何処《どこ》ぞに埋もれていたのであった。

その噂の男の名が林蔵であると知り、噂の立った処《ところ》では必ず何か変事が起きているということを知って、お栄は何かを思い出した。妙に引っ掛かった、というべきか。

変事といっても大事ではない。草深い田舎や泥溝《どぶ》臭い江戸と違って大坂は都市《まち》である。訳の解らぬ摩訶不思議《まかふしぎ》が大手を振って罷《まか》り通れる土地柄ではないのだ。

だから。

亡者《もうじゃ》も訳の解らない理由で化けて出たりしない。例えば幽霊も、恨《うら》めし怨《うら》めしとめそめそ泣いて出たりはしない。貸した銭を返せ、勝手に銭を遣うなと言って出て来る。だからといって取り分け吝嗇《けち》だとか金銭に執着が強いだとか、そういう訳ではない。銭勘定はどんな時でもきちんとしておかねばならぬことであり、それが出来ぬのであれば、それは出るに相応《ふさわ》しい正当な理由となるだろう。好いた惚《ほ》れた、嫌った泣いたは、余り理由にならない。

決して情が薄いという訳ではないのである。寧《むし》ろ濃い。ただ、濃《こま》やかな情を交わすのは生きた者同士であり、死したる後は無情なりという理屈を、上方者《かみがたもの》は能《よ》く知っている。だからこそ心中噺《しんじゅうばなし》が泣けるのであって、死者が生者を彼《あ》れ此《こ》れ出来るのならば死んで悲しいこともない。

世は無情であり無常である。死んで花実の咲くでなし。

そんなだから益体《やくたい》もない化け物は、噺《はなし》の種《ネタ》でしかない。

相対死《あいたいじ》には涙を誘うが、高坊主《たかぼうず》だの化け狸だのは笑い話である。

江戸者は粋《いき》を自慢するけれど、その癖江戸は、何処か湿っている気がする。慥《たし》かに理詰めの小賢《こざか》しさはあるけれど、世の中を笑い飛ばせぬいじましさもある。江戸には諸国の田舎者が吹き溜《だ》まるから、これは仕方がないのだろう。賢くない者も多いのだ。

上方は慥かに野暮《やぼ》だけれども、賢愚の差なくさばけてはいる。

怪しき巷説《こうせつ》も、西と東ではまた違う。

最初に聞いた噂は——何であったか。

廻船問屋《かいせんどんや》の一人娘と生真面目《きまじめ》な番頭が駆け落ちをした話だったか。

両替商の次男坊が惣領《そうりよう》を殺《あや》め、気が触れてお縄になった話だったか。

土佐《とさ》で大勢を殺めた刀匠が大坂に逃れ、商人宿で自害した話だったか。

浄瑠璃《じようるり》の名人上手が芸道を究めて絶望し、若くして隠遁《いんとん》した話だったか。

疫病で滅びかけた山里の庄屋が村の大立者《おおだてもの》に嫉妬《しつと》し、相打ちになった話か。

それとも川に流された酒蔵の跡取り息子が、五年の後に戻った話であったか。

どれもあるといえば能《よ》くある話だ。変事というまでもない。

ただ。

事件の起きたその周辺で、何故か林蔵という名の男の噂が立っている。

とはいうもののその男、表向き事件そのものには何の関わりもない。林蔵という能く出来た男がその前後、その辺りに居た――というだけの話である。

廻船問屋にも両替商にも酒屋にも、その林蔵は出入りしていたようだった。山里にもそれらしき男は居たらしいし、浄瑠璃小屋の裏方にも関わっていた節《ふし》がある。凶賊とは知らずに親切をした揚げ句、刀匠に殺されかけたという話まであった。

風聞である。

だが、それだけではないのだ。

林蔵の噂とはまた別に、それらの事件の周辺からは怪しげな巷説が聞こえて来るのだった。

勿論《もちろん》、噺の種としての与太話《よたばなし》である。

駆け落ち者は月の魔性に惑わされたからだ——とか。

次男坊が狂うたのは死人《ほとけ》の供養を怠ったからだ——とか。

自刃した土佐の刀匠は人ではなく狼の血筋なのだ——とか。

名人が隠遁したのは夜の楽屋で人形争いを見てしまったからだ——とか。

庄屋の凶行は弔われぬ骸《むくろ》に躍らされただけなのだ——とか。

川に流された赤児《あかご》を育てたのは豆狸《まめだ》だ——とか。

いずれも酒席の戯《ざ》れ言である。

誰も本気にはしていない。話が面白くなるから語るだけである。尾鰭《おひれ》を付けてハナシにするのである。事件を物語にするのだ。

そう。嘘《うそ》なのだ。

そしてお栄は、思い出したのである。

その昔——口の端《は》に人を乗せ、嘘と真《まこと》をくるりと入れ替え、何処《どこ》とも知れぬ処まで連れ去って、手玉に取ってしまう男が一人居たことを。

その男が、林蔵という名であったことを。

若造だった。帳屋ではなく縁起物を売り歩く削掛屋で、二つ名を靄船《もやぶね》といった。

靄船とは、亡者が乗る幽世《かくりよ》の船である。その船は琵琶湖《びわこ》から漕《こ》ぎ出し比叡山《ひえいざん》に登るのだと聞く。気付かぬうちに乗せられて、あれよあれよというちに漕ぎ出され、終《しま》いには山にまで登ってしまう——それ程巧みに騙すのだ、という意味であるらしい。

林蔵とお栄は浅からぬ縁がある。

何年前のことだろうか。十年経つか。もっと経つか。それとも五六年前なのか。記憶《おぼえ》は遠いが感情《こころ》は近い。思い出すと気持ちが揺れる。だから考えるのを止めた。考えないようにしていたから記憶が遠くなったのだ。

だからどれ程前のことか、能《よ》く判らない。

お栄には三つ齢下《としした》の妹が居た。

名を妙《たえ》という。林蔵は妹の――お妙の想い人だったのだ。

二人が何処で知り合ったのか、何度も聞かされたのにお栄はすっかり忘れてしまった。しかしお妙がのぼせていたことだけは能く覚えている。林蔵はお栄達が住む長屋にも毎日のように出入りしていたようだ。お栄はその頃、もう小間物の行商をしていたから、顔を合わせることは多くなかったが、やがて女夫《みょうと》になりたいのだと妹は何度も言っていた。

お栄は反対だった。

林蔵は半端者である。ひと目で判った。

何処から見ても林蔵は堅気《かたぎ》ではなかった。案の定、林蔵は他人を謀《たばか》ることを生業《なりわい》とするような男だった。それでも、悪い人ではないのだとお妙は言った。

為《し》ていることは良くないが、決して悪事ではないのだと。善人から毟《むし》ったり弱い者を虐《しいた》げたりはしないのだと。寧ろその逆であるのだ――と。

義賊のようなものか。

義賊とて白波《どろぼう》に違いはない。お縄になればお裁きを受ける。良い悪いは関係ない。ご定法《じょうほう》に背けば善人とて罪人である。大義があろうとなかろうと道を外せば裁かれる。法の網を掻《か》い潜《くぐ》り日に顔を背けて世を渡っているのであれば、どうであれ溢《あぶ》れ者に違いはない。世のため人のためなどという御託は一切通用しないのだ。いいや――。

そんな御託は反吐《へど》が出る。

綺麗ごとで世渡りは出来ぬ。出来ると思うているのなら、甘い。ちゃらちゃらと上辺《うわべ》を取り繕《つくろ》って世の中を渡って行けると思うているのであれば、必ず痛い目に遭う。

林蔵はそうした男だ。少なくとも昔はそうだった。

そんな男と妹を添わせる訳には行かぬ。

ただ、溢れ者ではあっても、大した悪さはしていないようだった。謂《い》わば小悪党《こあくとう》である。

そう。小悪党だ。

お栄の知る林蔵は、慥《たし》かに弁は立つけれど、情に脆《もろ》くて女に甘い、軟弱な小僧だった。縁起物の行商では日銭稼ぎにしかならぬ。しかも季節に依《よ》ってはまるで商売《あきない》が成り立たぬ浮き草渡世である。金回りが良いのも詐欺紛《まが》いの裏稼ぎがあるからこそで、所帯を持とうなどという口が利《き》けるのも良からぬ渡世故である。裏の稼ぎを止めてしまえば途端に喰《く》うに困る筈《はず》である。足を洗って真っ当な渡世に商売替えをして、それで女房子《にょうぼこ》を養える訳もない。

だから反対だった。

人柄がどうであれ、どれだけ好き合っていようとも――。

妹と添わせるに相応しい男ではない。

貧しくとも生真面目であったなら道も啓《ひら》けるだろう。そうでなくとも、仮令《たとい》道に外れた者であったとしても、度量が広い男であればお妙を任せようという気になったかもしれぬ。

そう。善なら善、悪なら悪と道は定めるべきだ。

悪党なら悪党で、外れた道を極めれば良いのだ。

悪党のくせに善人を気取るような男は、駄目だ。

何より駄目だ。お栄はそう思う。

今でもそう思っている。

お栄が特別に厳しかった訳ではないだろう。誰だって反対した筈だ。林蔵は所詮《しょせん》他人を騙して食の計《たつき》と為《な》しているような男なのだから、妹もまた騙されているのかもしれぬと疑うのは至極当然のことである。

否――。

騙されていたのだ。

お妙は、裏表のない、素直な娘だった。生まれてから死ぬまで一度も他人を疑うことなどしなかったのではあるまいか。手先が器用で、十二の頃からお針子の仕事をしていた。不平を言わず能《よ》く働き、お栄に忤《さから》うこともなかった。

初めて口答えをしたのが――。

林蔵とのことだ。

お栄とお妙は早くに親を亡くし、二人きりで生きて来た。父親が死んだのはお栄が五つの時で、その頃お妙はまだ二つになったばかりだった。母が逝ったのはその五年後である。

十と七つの姉妹が二人きり、それで暮らしの成り立つ訳もないのだが、幸いお栄には大叔父《おおおじ》が居た。幼い頃は大叔父が彼《あ》れ此《こ》れ援助をしてくれた。頼ることはなかった。

大叔父は、一代で財を生《な》した傑物である。身内も多く羽振りも良い。所謂《いわゆる》商人ではないけれど、大坂を中心にかなり手広くやっている。表向きは堅気だけれど、見えぬところであくどいこともしているだろう。否《いや》、しているのだ。そうでなくてはあの身代《しんだい》は築けまい。

だが大叔父は己《おのれ》の後ろ暗いところを隠そうとはしない。決して善人振らない。自分は堅気ではないのだと大叔父は公言して憚《はばか》らない。だから親代わりにはなれるが決して親にはなれぬのだと、お栄は幼い頃から幾度も聞かされた。

そんな大叔父を能《よ》く知っているから、お栄は林蔵の生き方が許せなかったのかもしれぬ。

繕っても隠しても、悪党は悪党なのだ。善悪どちらに転ぶとしても、人には覚悟が要る。林蔵にはその覚悟が欠けていた。お栄にはそう見えたのだ。

お栄も、母が死んだ時、覚悟しなくてはいけないと思った。だから大叔父に頼り切ることは出来なかった。後ろ盾になって貰《もら》ったことは確かだが、頼ったつもりはない。血縁者としての世話は甘んじて受けたが、それ以上の援助はして貰っていない。

姉妹二人で生きていた。お栄はそう思うている。

その、たった一人の血を分けた妹は――。

「林蔵の所為《せい》や」

そう言った。

「いや、そうやない」

そしてお栄は眉間《みけん》に力を籠《こ》める。

「林蔵が殺したようなものなんや。いや、林蔵が殺したんや」

「妹さんはお亡くなりになったのですな」

この男——。

知っているのだろうに。

殺されたのですと言った。

上方でも指折りの大版元、一文字屋《いちもんじや》の隠し部屋である。お栄の真正面、三間《けん》ばかり離れた板間に主《あるじ》の一文字屋仁蔵《にぞう》が座っている。表向きは読本《よみほん》刷り物の版元であるが、この仁蔵、陰では上方の裏渡世を束ねる程の顔役という評判である。

「その林蔵——とやらにですか」

恍惚《とぼけ》るか。

靄船の林蔵がこの一文字屋の息の掛かった小悪党だということは調べがついている。その昔も、そして——現在《いま》でも。

お栄は仁蔵の顔色を窺《うかが》った。

造作の大振りな、落ち着いた容貌《ようぼう》である。

「手を下したのは林蔵やない。でも——妹が死んだのは林蔵の所為です」

「それは惨《いたまし》いことです」

仁蔵は神妙な顔でそう言った。

流石《さすが》は顔役と謂《い》われる人物だけのことはある。おいそれと真情を表に出すような迂闊《うかつ》な男ではないようだ。だが、手下《てか》は駄目だ。後ろに控えている間抜けそうな手代《てだい》は、林蔵の名を聞いただけで冷や汗を流している。仁蔵は手下の不甲斐《ふがい》ない様子を知ってか知らずか、身じろぎもせずに問うた。

「それで——あなた様の頼みとは」

「此方様《こちら》は、どうにもならんことをどうにかしてくださる処とお聞きして参りました」

手代が身構えた。

「左様にございます」

仁蔵は厳《おごそ》かにそう答えた。

「時にご定法を曲げてでも、届かぬ想い果たせぬ願い、叶《かな》わぬ望みを叶えてくださるとか」

何と答える。

仁蔵は、微《かす》かに笑った。

「金ずくで——何でもして戴《いただ》けるとか。そう伺いました」

お栄がそう言うと、仁蔵は大きな声で笑った。

「何が可笑《おか》しいのでございますか」

「いや、何方様《どなた》にお聞きなされたのかは存じませぬが、あなた様は何か勘違いをされていらっしゃるようですな。慥《たし》かに私共は何でも致します。扱う仕事の大きさに応じて、金子《きんす》も頂戴《ちょうだい》する。即ち、金ずくで何でもすると言えないこともございません。しかし、私共は」

義賊ですかと、お栄は仁蔵の言葉を遮るように言った。

「何と——仰《おお》せですかな」

「世のため人のため——そう仰せなのやないんですか」

そうなら。

仁蔵は首を振った。

「そんな大義名分はございません。商人は儲《もう》けるために商いをする。金を取るからこそ商いになるのでございますよ。世のため人のためなどという看板を掲げてしまいますと、商いなど出来なくなります。私は、この仕事を金のためにしております」

「では——」

「商いでございますよ。お客様に喜んで戴く、その対価を戴く。それだけのこと。大義も名分もございません。しかし、だからといってご定法に背くような真似《まね》をしたのでは、それこそ商売が立ち行きません。私共は」

人殺しはせんと仰せですかとお栄は問うた。

「でも、どうにもならんことをどうにかしてくれはるのやないんですか」

「致しましょう」

「ほんなら、妾《あたし》が人を殺して欲しい――とお願いしたら」

どうする。

物騒なお話でございますなあと仁蔵は言った。

「世間話と違います」

「これはこれは失礼致しました。しかし、物騒ごとに変わりはございますまい。他ならぬ人様の命を取るというお話でございますからね。そんな――」

「世の中幸せな人ばかりと違います」

綺麗ごとは聞きたくない。

「人を殺《あや》めたいと思う、誰かに死んで欲しいと念ずる――それが悪心やいうことは解っております。人殺しは決して為《し》てはならんことやいうのも重重《じゅうじゅう》承知しております。それでも、そういう場所まで追い詰められてまう者《もん》も居《お》ります。彼奴《あやつ》さえ居なければ、彼奴の所為で、そんな風に思わなあかんこともある。たった一人の者が大勢の人生を曲げ、歪《ゆが》め、追い立ててまうこともある。でも、そこまで追い詰められても、殺したい思うたかて殺せる訳もないのです。弱い者、力のない者は屈するよりない。力があったかて、為てはならんということを承知しているからこそ、それは叶わんことやないですか。それこそ、どうにもならんことと違いますか」

そうですな、と仁蔵は言った。

「あなたも――そうなのですか」

お栄は首肯《うなず》いた。

「死んで欲しい。殺してやりたい。その願いを叶えて欲しい。そういう気持ちで参りました」

「さてどうしたものでしょうな」

お幾価《いくら》ですか、とお栄は問うた。

「人一人の命」

「人の命に値は付けられますまい」

まだ綺麗ごとを言うのか。

「しかし此方《こちら》様は金ずくで何でもしてくださるのと違いますのか。それとも――妾にそないな大金は出せんと値踏みされたのですやろか。ほなら、安くはない、いうとこやろか。百両ですやろか。二百両ですやろか」

お客様、と手代が言った。

「ですから、やね」

「放亀《はなしがめ》の辰造《たつぞう》はんやったら、百両やそうです」

手代は押し黙った。

「放亀の――」

仁蔵はしかし、顔色ひとつ変えない。

「それは四天王寺《してんのうじ》界隈《かいわい》で香具師《やし》の元締めをされている辰造さんのことですか」

お栄は首肯《うなず》く。そして仁蔵の顔色を窺う。

「ご同業――ですやろ」

「同業ではございますまい。彼方様《あちら》は香具師の元締め。私共は本屋でございます」

「聞くところに依れば放亀の辰造は――表の顔こそ香具師の元締めやそうですけど、裏の顔は別だそうやないですか。金さえ出せば何でもしてくれる稼業やと聞きましたけどな。ほなら辰造一家も此方《こちら》さんと同じご商売、ご同業いうことや。勿論《もちろん》、ご存じのことですやろけど」

仁蔵は穏やかな顔のまま、お栄を見返した。

「さあ。私は本屋でございます。本は世相を映す鏡、浮き世憂《う》き世の裏表を書き付けて売り捌《さば》くのが私の商売にございます。ですから陰日向《かげひなた》、色色と話は集まって参ります。参りまするがそれも所詮は話。物語には虚《きょ》も実《じつ》もございません。虚実のあわいこそが物語の妙。一旦《いったん》物語になってしまえば、嘘か真《まこと》か判ずることも難しゅうございます」

「それやったら――お耳には入っておるゆうことでしょうか」

仁蔵は答えなかった。

「ご存じの筈です。せやから一文字の親方はんには釈迦《しゃか》に説法いう話やと思いますけども、あくまでお恍惚《とぼけ》になられるのやったら――申し上げます。辰造一家は何でもしてくれるのやそうです。仮令《たとい》ご定法に背くことでも。脅しでも強請《ゆす》りでも盗みでも――人殺しでも」

何でも引き受けるいう話ですわ。

「辰造は――銭を出せば人かて殺める。町人は百両、侍はその倍が相場。身分に応じて更に倍なんやそうです」

「益々《ますます》物騒なお話だ」

仁蔵は笑った。

「寡聞にして人殺しの相場は存じ上げません。身分に応じて命の値を付けるなど、笑止。それでは殺し屋ではござりませぬか。そのような恐ろしい渡世が果たしてあるのかどうか——しかしもしそのお話が本当ならば、あなた様も其方《そちら》様にお頼みすれば良いことではないのですかな」

「此方さんではお引き受け戴けん、いうことでしょうか」

仁蔵は首を振った。

「それは違います」

「どう違うのですか」

「お引き受けするもしないも、それはあなた様次第」

「妾《あたし》の心持ち次第、事情次第と仰せになるのですか」

「勿論、子細《しさい》はお伺いいたします」

「では」

矢張《やは》り大義名分が要るということではないかと問うた。

「例えば私利私欲のためやったらば断ると——」

「そうではございません。最前より幾度も申し上げております通り、これは商売。それに私利と公利、私欲と公益の差は、曖昧《あいまい》なものでございます。一概には分けられぬもの。法は曲がらぬものですが、正邪善悪などというものは、立ち位置に依って簡単に入れ替わるもの」

「それでは」

「どうにかならぬことをどうにかするためには、微に入り細を穿《うが》ち頼みの筋の子細を知っておかねばなりませぬ。よいですか、これは私共の仕事。仕事は失敗《しくじ》れませぬ。大きな仕事であれば大きな仕事である程、万に一つの手抜かりも許されぬ。と——なれば」

仁蔵はやや眼を細めた。

「仕事でございますから、博打《ばくち》は出来ませぬ。一か八か、勝った負けたでは仕事にはなりませぬ。危険は少なければ少ない方が良い。渡らずに済むなら、危ない橋は渡らない方が良い」

それが商売、と仁蔵は言った。

「仰せの通り私共には、誰かに死んで戴きたい、誰かの命を取って欲しいというご依頼もございます。しかし能《よ》く能《よ》く話をお伺いしてみれば、命を取ることが即ち解決に繋《つな》がるという訳でもない——ということが判るのです。縁が切りたい、目の前から消えてくれればいい、地位を奪えば済む、恥をかかせたい、謝らせたい、仕返しをしたい、力を封じれば良い——様様でございます。ただ殺せば良いというような単純なものではない。殺すのは」

或《あ》る意味簡単ですと、仁蔵は言った。

「人殺しが簡単やて——」

「人がおいそれと人を殺さないのは、人殺しが大罪だからでございましょう。難しいからではない。殺せば罰せられるからでございましょう。それ以前に、やりたくないからでございますよ。死んで欲しいとは思うても」

殺したいとまで思うものかどうか。

「非力な者でも助力があれば、或《あ》るいは人を頼れば、人殺し自体は不可能なことではないのでございます。しかし仮令《たとい》出来たとしても――その割りに見返りが大きい。人殺しは大罪でござりまする故、その代償も大きゅうございます」

「代償――ですか」

「はい。私共にも、頼み人にも、それは大きい。罪の重さから逃れられたとしても、背負い込むものは余りにも大きい。人の命を取るということは、そういうことでございますよ。人を呪わば穴二つ掘れ、己もまた地獄に堕《お》ちるのです。ですから、殺さずに済むことであれば、殺さぬ方が良い。その道があるなら」

一文字屋はその道をお勧め致します――と仁蔵は言った。

「殺さぬ道は、殺してしまう道よりもずっと手間が掛かることがございます。いいえ、殺さぬ方が仕掛けは遥《はる》かに込み入ったものになる。その手間や仕掛けの大小に依って金額が変わるのでございます。つまり、私共は人様の命に値段を付けているのではございません。仕事の手間を値踏みするだけのこと。一殺幾価《いくら》などという相場はございません。ただ――」

そこで仁蔵はお栄の顔を接《まじ》と見た。

「怨み、憎しみ――そうした修羅の念に囚《とら》われておるお方の頼みの場合は別」

「修羅の念とは」

「この手で殺してやらねば気が済まぬという激しき想いにございます」

さて如何《いかが》——と仁蔵は言った。

「商売の邪魔なら商売が出来なくしてやれば良い。人を泣かすなら泣かせぬようにしてやれば良い。悪事を働くなら働けないようにしてやれば良い。しかし、仇《あだ》を討つ仕返しをする、そのために命を取りたい——そうしたご依頼の場合は代替えの道はございません」

「そこが——聞きたいと」

「左様にございます。私共も玄人《くろうと》ではございますが、玄人と雖《いえど》も依頼人の真情までは然《そ》う然《そ》う汲《く》めはしないもの。そこをお聞かせ戴きとうございます」

なる程——。

殺して戴きたいのですとお粂は迷わずに言った。

何故《なにゆえ》、と仁蔵は問い返した。

「妹御の仇敵討《かたきう》ち——ということでございましょうかな」

「仇敵——」

聞こえの良いことを言う。

「妾《あたし》は侍ではございません。お家も主君もない。せやから仇敵とは思うておりませぬ。これは怨みでございます。深い深い怨みでございます。妹が可哀想で可哀想で、どうにもならん。このどうにもならん気持ちを、どうにかして欲しい——」

そうしたお頼みやとお粂は言った。

「的《まと》は——」

その林蔵でございますか、と仁蔵は問うた。

そうだ——と答えればどうなるか。

林蔵はこの男の手下《てか》である。知らぬ振りはしているものの、あの一件も知らぬ訳はない。妹が死ななければならなかったのは、延《ひ》いてはこの——。

仁蔵の所為《せい》ということになるのではないか。

林蔵ではありまへん、と答えた。

「違う——のですか」

「妹が死んだのは林蔵の所為や。でも手ェを下したのは林蔵やない。林蔵はお妙を己の奸計《かんけい》に巻き込んだんです。巻き込んで、下手《へた》をうった。その結果お妙は殺されてしもたんです。せやから林蔵は憎い。憎いけれども、殺したろとは思いまへん。生きて償わせたい。お妙が死んだ後、林蔵は上方から消えてしもたけれども、生きているなら詫《わ》びて欲しい。そう思います。その一方で——どうしても許せん、この手で殺してまいたい奴もいる」

「それは」

「金ずくで女子供でも殺す外道《げどう》——そう、放亀の辰造です」

「辰造さんを殺して欲しいと」

仁蔵は初めて動揺した——ように見えた。それは、微かな頬の動きに過ぎなかったのだけれども。

「はい。辰造を殺してください」

お栄は頭を下げた。

「此方様《こちら》のお話はよう解りました。慥《たし》かに、人を殺して呉《く》れなどという大《だい》それたお願いはすぐには聞いては貰えまへんやろ。それは人として許されんことなのやろとも思います。それでもお願いしたい。辰造は悪党や。頑是《がんぜ》ないお子でも、罪のない百姓でも、百両出せば殺す。商売敵でも口煩《くちうるさ》い女房でも、簡単に殺してまう。でも、一つだけ例外がある。どれだけ大金を積んでも、辰造自身を殺して呉れいう依頼だけは受けまへんやろ。それが、妾《あたし》が辰造に殺しを依頼出来ん——理由です」

お栄はそう言った。言って仁蔵を見上げた。

「世のため人のため、そんなお題目は嫌いです。人一人死んだくらいで世の中は変わらんのやろとも思います。殺して晴れる悲しみもないことも承知しとります。せやけど、あの男は、生きて居《お》ったら居ったただけ、人を殺す。殺しだけやない、金儲けのためやったら何でもする。そら、ご同業やないのかもしらんけれども、此方様と同じく、どうにもならんことをどうにかするいう名目で、あの男は遣《や》りたい放題や。遣りたい放題やのに、決して表には出て来ん。表向きは、放生《ほうじょうえ》会で亀を逃がす善人の顔や。妾は、はっきり怨んでおるんです」

辰造は悪党や、と言った。

「お耳に入っておらんのやったら調べてください。知っておられるなら信じてください。妾にもお頼みするだけの覚悟はございます。金子《きんす》も用意してあります。足りんのやったら必ず作りますさかい——」

「どうあっても命が欲しいというご依頼なのですな」

「妾のような想いをする者を増やしてはならん思います」

「その所業を止めさせるのではお気がお済みにならない――ということですか」

「ええ」

それでは駄目なのだ。

辰造には死んで貰わなければならない。

そうでなくては――。

「あなた様のお話、嘘はございませんな」

仁蔵は言った。

「もし頼みの筋に嘘があれば――それ相応の償いをして戴くことになりますが」

嘘は一切ございませんとお栄は答えた。

弐

「頼んだのかい」と又市《またいち》は言った。

「頼んだで」

「大《てえ》した度胸だな」

そう言うと又市は大きな樹の後ろからすっと顔を出した。

白木綿の行者包《ぎょうじゃづつ》み、白帷子《しろかたびら》に胸には偈箱《げばこ》。腰に挟んだ鈴《りん》が小さく鳴った。

「見慣れんなぁ、その恰好《かっこう》は。あんた、江戸で何をして来たン」

「ヘン。ま、昔話は互いにご法度《はっと》だろうよお栄さん」

「フン。まあそうやね」

お栄はそう言ってから屈《かが》んだ。

「しかし妙な縁やね。船宿であんた見掛けた時は驚いたわ。物腰も風体もすっかり変わっておるし、それよりも、真逆《まさか》あんたが上方に舞い戻っているとは夢にも思わんかったわ。いや、もう、生きてはおらんと思うておったんよ」

又市はその昔、林蔵の相棒だった男だ。

人当たりが良く女癖が悪く、いつもちゃらちゃら浮付《うわつ》いていた林蔵の横で、又市は常に瞑《くら》い目をして立っていた。取り分け陰気という訳ではなかったし、口下手《くちべた》ということもなかったのだろうと思うのだけれど、何かに苛付《いらつ》いているような、青臭い瞳《め》の奥の暗がりだけをお栄は能《よ》く覚えている。

林蔵は、又市は兄弟分だと言っていた。

二人は組んで良からぬことをしていたのである。

妹が死んだ夜――。

林蔵と又市は共に大坂から姿を消した。

此度《こたび》は摂津《せっつ》の方で仕事がありやしてねと又市は言った。

「その前《めえ》は京に暫《しばら》く居《お》りやした。ナニ、流れ流れる乞食《こつじき》坊主、口先だけの根無し草、西へ東へ足の向くまま、一つ処《ところ》に留《とど》まるな性に合わねェ。上方に舞い戻った訳じゃァねェんですよ。そもそもこの大坂にゃ、忌忌《いまいま》しい想い出しかねェ」

「そうやろうね」

「ま、奴《やつがれ》はあの時、辰造一家に追われた林蔵とお妙さんを助けた。まあ――お妙さんはもう息がなかったんですがね。林蔵は彼方此方《あちこち》斬られてたが生きてやしたからね。お蔭《かげ》でこっちまで追われる身でさ。お栄さんの手引きがあったからどうにかこうにか生きて抜けられたが、冗談じゃねェや、本気で命からがら逃げ出したンだ。もう二度と戻れめェと思っていやしたぜ」

災難やったなとお栄は言った。

「で——一文字狸《だぬき》は何と言っていやがったね」

「恍惚《とぼけ》ておったわえ。そこンとこもあんたの読み通り、知らぬ存ぜぬや」

「ほう」

又市はお栄の横に屈んだ。

あの時——お妙が死んだ時。

林蔵は辰造一家を追い込もうとしていた。その頃、辰造一家がどれ程の悪業を重ねていたものかお栄は知らない。しかし少なくとも既に放亀の辰造の羽振りが相当に良かったことは間違いないし、後ろ暗いことをしていたことも確実だろうと思う。

林蔵はそこに目を付けたのだ——とお栄は思っていた。

辰造の暗部を暴き出し、強請《ゆす》ろうとでも考えたのか——将又《はたまた》取り入ってお溢《こぼ》れに与《あずか》ろうとしていたか——その時のお栄の理解はそうしたものだった。

しかし、それは違っていた。十六年以上も経ってお栄は真相を知った。

辰造に罠《わな》を仕掛けた張本人は一文字屋仁蔵なのであった。あれは、一種の縄張り争いであったのかもしれない。否、そうだったのだろう。

教えてくれたのは又市である。

「でも、直接会《お》うて間違いない思うた。まあ、あんたの言うことを信じひんかった訳やないけども、そんな裏の渡世が幾つもあるとは思えんかったよって」

そうあるものじゃあねェと又市は言った。

「江戸にもねェやい。いや、勿論胡散臭《うさんくせ》ェ有象無象《うぞうむぞう》は掃いて捨てる程居やがるが、束ねる野郎も束ねられる野郎も居やァしねェ。でもね、一文字狸の息が掛かった連中は諸国に散って居やがる。あの仁蔵って親爺《おやじ》は大した度量だ。今じゃかなりの大物でやすからね」

「あんたが下に居《お》った頃はどうやったん」

又市もまた、林蔵と共に仁蔵の下に居た男であるらしい。

昔は昔なりよと又市は答えた。

「十六年前《めえ》なら仁蔵の狸はもう顔役と呼ばれてやしたぜ。一方で林蔵も奴《やつがれ》も青二才よ。面《つら》ァ見るとビビってろくに口も利けねェ具合だ。あの頃の仁蔵ァギラギラしていやがってなァ——」

そこで又市は視線を遠くに飛ばした。

何もない。

荒野である。

大坂は賑《にぎ》やかだ。

雑駁《ざっぱく》としてはいるけれど、それは生命《いのち》の雑駁さである。人の営みそのものの喧騒《けんそう》だ。でもその裏側には、こんな荒涼とした虚《むな》しい場所がある。命と命の狭間《はざま》に出来る隙間のように、此処《ここ》はぽっかりと何もない。隙間のくせに、果てがない。

大坂《こっち》は江戸たァ違うなあと又市は言った。

「違うかえ」

「ああ違う。何処《どこ》が違うのか巧くは言えやせんがね」

お栄は東に下ったことがない。

「奴《やつがれ》は江戸の外れの水呑《みずの》み児《こ》だ。喰い逸《はぐ》れて堕《お》ちてやさぐれて、喰うや喰わずで西まで流れて、大津《おおつ》の辺りで林蔵と出会った。林蔵ァ、あれは公家《くげ》のご落胤《らくいん》と吹いていやがったが」

「お公家さんのかえ」

本当か嘘かは知らねェよと又市は言った。

「出会った頃ァ奴《やつがれ》同様の痩《や》せた汚《きたね》ェ餓鬼《がき》だった。妙に調子の良い野郎で、女の尻《しり》ばかり追い掛けてる考えなしの馬鹿野郎だったぜ。ま、こっちも馬鹿に変わりはなかったし、齢《とし》も同じで馬が合ったのか、二人でつるんで彼方此方《あちこち》で暴れやした。捕まっても殴られても簀《す》巻《ま》きにされても、何だかへいちゃらな気がしやしてね。河岸《かし》ィ変えては大騒ぎだ。ありゃあ、どんな目に遭っても笑っていやがって、こっちで言うなら――阿呆《あほ》てェんでしょうよ」

「何や。あんた」

仏心《ほとけごころ》でも涌《わ》いたんか、とお栄は言った。

「ええか、又市はん。あんたが大坂に居られんようになったのも、何もかも林蔵の」

「解ってやすよ。別にどうもねェ。こっちもね、泥水啜《すす》って生きて来て、今更情けも涙もねェもんでやしょうぜ。ただね、お栄さんよ。奴《やつがれ》はあんたに会って話を聞くまで、林蔵はぬかった、のじゃなく嵌《は》められたんだと思ってたんだ。だから野郎との想い出は、まあ、つい四五ン日前《ちめえ》まで――そう悪いもんでもなかったんですよ」

「一文字屋が嵌めたと思うておったんか」

「オウさ。一文字狸と放亀は裏で繋がっていやがったんだと——ずっとそう思ってた。そうでなくちゃ、ああも簡単に仕掛けがバレる訳がねェ。ただ解《げ》せねェのは、林蔵や奴《やつがれ》みてェな洟垂《はなた》れ小僧を嵌めて、連中にどんな得があったのかってことでね」

得なんざなかった訳よなと又市は呟《つぶや》いた。

「ある訳がねェやいな。考えるまでもねェやいな。あらァ林蔵がぬかったんだ」

「そうや。あら、あの林蔵の手抜かりや。失敗《しくじり》や。何処ぞからネタが漏れておったのや。その所為《せい》でお妙は——死ななならンかったんや」

「お妙坊《たえぼう》は」

無惨なことだったなあと又市は言った。

「今じゃあこんなに擦《す》れっ枯《か》らして、生き死にの修羅場もそこそこ潜って来やしたが、あの頃は青二才でやしたからね。一端《いっぱし》の悪太郎《あくたろう》気取っちゃァいたが、見知った娘が膾《なます》に斬られて死んでくのォ目の前で見て、奴《やつがれ》ァ——」

止《よ》しとくれとお栄は言った。

湿っぽいのは性に合わない。

「林蔵も斬られてた。彼奴《あいつ》ァね、手前《てめえ》も血だらけだてェのに、もう息がねェお妙坊を肩に担いでよォ、離しやしねえ。ぼろぼろぼろぼろ泣きやがってよ。あの馬鹿が」

「止しとくれ言うてるやろ。余り」

想い出したくない。

「ま、今思えば、ありゃ自分がぬかった所為でお妙坊を死なせちまったから——だからあの野郎はあんなに泣いていやがったんだ。そうでやしょう、お栄さん」

お妙——。

昔のことはもうええわとお栄は言った。

「ま、一文字屋が林蔵を嵌めた訳やないいうことは確かや。あんたの読み通り、林蔵は今もあの男の手下《てか》や。嵌められたんやったら戻らんやろ。戻ろ思ても戻してくれんのと違うか」

そうでしょうかね、と又市は言った。

又市は一月《ひとつき》ばかり前、お栄が営《や》っている船宿にふらりと現れた。

勿論《もちろん》、最初は判らなかった。名前さえ忘れていたのだから仕方がない。見覚えがあるような気はしたけれど、似た顔などは幾らでもある。そもそもうらぶれた風体の行者に知り合いなど居ない。流れ者なら一二度見掛けていたのかもしれぬと、その時は遣り過ごした。

暫くして——。

摂津で代官所が燃えるか何かする大騒ぎがあって、そのすぐ後、行者は再び訪れた。

その時、噫《ああ》、又市だ——と、お栄は突然思い出した。

林蔵のことを考えていたからだと思う。怪しげな話の蔭に見え隠れする林蔵という名の不思議な男を、あの靄船の林蔵と重ねていたのである。慥《たし》かに林蔵などという名は多くあるものではない。だが、全くないとも言えぬ。同じ男だとするなら——。

漠とした疑惑は、又市の出現に依《よ》って揺るぎのないものとなった。

相棒が目の前にいるのだから、林蔵もまた大坂界隈に舞い戻っているに違いないと、お栄は確信したのだった。

見てくれは変わっていたが、男は又市だったのだ。声を掛けると又市は大いに驚き、続けて困惑したようだった。お栄が林蔵の近況を問うたからである。

又市は林蔵のことはまるで知らないと言った。大坂から落ち延びて以降、一度も会っていないと又市は答えた。否、死んだと思うと、そう答えたのだった。

「戻るだの戻らねェだの言う前《めえ》に──じゃあ矢《や》ッ張《ぱ》り林蔵の野郎は生きていたってことになるンですかい」

「生きてる──いうことやろ。仁蔵は兎《と》も角《かく》、あの手代の慌てよういうたら、絵ェに描いたようやったで。其処此処《そここ》で悪さしとォる林蔵は、あの林蔵や。あんたの義兄弟やった靄船の林蔵に違いないわ」

「そう──なのかよ」

又市はまた地の果てを眺めた。

「死んでなかったのかよ林の字は」

「あんたら、何で──別れたんや」

「別れたンじゃねェ。居なくなったんですよ。傷もそこそこ深かったが、それより林蔵は、お妙坊が死んで相当やられていやがった。てっきり後追いでもしたものと思うてたんで。しかし生きていたのみならず、一文字屋に戻るたァ、あの野郎、どういうつもりなんだか──」

後追い心中か。

そこまで惚れていたというのか。

「そんなに――辛《つら》そうやったんか。林蔵は」

「ああ」

遠くを見たまま又市はそう答えた。

「臆病風《おくびょうかぜ》に吹かれてた所為なんでやしょうか、遁《に》げても遁げても風の噂ってな後から追い掛けて来るもんでしてね。林蔵が楡《にれ》の木にぶら下がってンのを見たとか、身ィ投げたのを見たとか、そんな話も聞こえて来る。辰造一家に見付かって殺されたてェ話も聞いた。奴《やつがれ》ァ、尻尾《おっぽ》巻いて逃げ回ってたようなもんで、確かめに戻るも、況《まし》て弔うもねェやい。だから、まあ」

林蔵は西向いたもンと思うていたぜ――と又市は言った。

お栄はそうは思っていなかった。

林蔵は斬られていたが、致命傷ではなかった。

お妙の後を追って自害するような男とも思えなかった。

そこまで真剣だったとは思えない――思いたくない、そう考えていたからか。

必ず何処《どこ》かで生きていると思っていた。だからこそ、怪しげな噂の背後に林蔵の姿を幻視してしまったのである。

お栄が己の抱いていた疑心を告げると、又市は思案の末に自分達と一文字屋仁蔵との関係のことを語ってくれたのだった。

お栄の疑念が中《あた》っているならば――。

縦《よ》しんば林蔵が生きていたとして。それで今も上方で裏働きをしているというのであれば、背後には必ずや一文字屋が居る筈だと――又市は言った。

お栄も、他人様に自慢出来るような生き方をして来た訳ではなかったけれど、一文字屋の裏の稼業のことはまるで知らなかった。大きな版元だということだけは知っていたのだが、真逆《まさか》放亀の辰造の同業だとは夢にも思っていなかった。

「お栄さん。あの仁蔵ってのはね、大した男ですぜ。奴《やつがれ》は風に吹かれるまま北から南、諸国を流れて暮らしていやすがね、何処に行ったって野郎の影ァ差す。山の者やら水の者やら、そうした身分のねェ連中と通じていやがるンでさあ。だから表に出ねェ。流石《さすが》にお江戸の闇は深《ふけ》ェから、思いのままにゃ出来ねェようですがね、江戸の外、特に上方じゃあ、仁蔵は強《つえ》ェ」

又市はお栄に顔を向ける。

「いいんですかい」

「何がや」

「お前さん、その仁蔵に喧嘩《けんか》吹っ掛けたんでやしょう」

「喧嘩なんぞ一文の得にもならんて。吹っ掛ける訳がないやろ」

「だが――知らねェ振りして頼んだのじゃあねェのかい。林蔵の――始末を。林蔵が彼奴《あいつ》の手の者だと知ってい乍《なが》ら」

「違うよ」

お栄は笑った。

「違うって——じゃあ、あんたァ仁蔵に何を頼んだ」

「別のことや」

そう。

折角《せっかく》生きているというのに。

何故殺さねばならない。林蔵に死なれては——。

「林蔵は捜し出して償わせて欲しいて頼んだったわ」

「捜し——出すかい」

「捜さずとも居所は知っておる筈やしなあ」

絶対に知っている。手代の狼狽《ろうばい》振りからもそこは明らかだろうと思う。あんなに判り易い男も珍しいだろう。仁蔵は慥《たし》かに大物なのかもしれないが、あんな小物を脇に侍《はべ》らせているようでは高が知れている。

「あんたのいう通り、その昔林蔵を放亀に差し向けたンも仁蔵なんやろ。せやから、あの男は全部知っておって、知らん振りして妾《あたし》の話を聞いたんやろな。お互い様やないか。狐と狸の化かし合いやで」

「フン」

又市は立ち上がる。

「あの狸親爺を手玉に取ろうたァ、大《てえ》した牝狐《めぎつね》だぜ」

「ええやないの。妾《あたし》は狐や。大化けしたるわ」

負けるものか。

「あんたの話聞いてると、何や仁蔵も恐ろしげな男のように聞こえるけどな。まあ、一筋縄では行かんのやろし、そこそこの大物やいうのは確かやろ。せやけど、そこまで畏《おそ》れなあかん相手やないと——妾は思うで」

「そうですかい」

「あんた、仁蔵と関わっておった頃はまだ青二才やったやない。駆け出しの小僧にとってはどんな相手もでかいで。貫禄《かんろく》負けしとっただけやないのんか。そこで酷《ひど》い目ェに遭って、それで遁げてしもたんやから——その頃の想いが残っておるだけやないのんか」

「一文字屋仁蔵、それ程の男じゃねェ——ってことですかい」

ない。

お栄は見切っている。

証拠は辰造やとお栄は言った。

「大体や。あン時だって仁蔵は辰造一家を潰《つぶ》そうとして林蔵を差し向けたいう話なのやろ。その結果がどうや。林蔵は下手うって斬られよって、妾の妹は巻き添えで死んで、助《す》けたあんたかて上方追われたんやろ。仕掛けて、手下やられて、失敗して、それで仁蔵はどないした。何もせんかったのと違うか」

「そうよ」

又市は更に遠くに目を遣った。

何処《どこ》までも続く、果ても先もない荒野だというのに。

「だからこそ奴《やつがれ》ァ、あの狸親爺と辰造が裏で通じてたんじゃねェか、と勘繰ったんだ。手下の仇敵《かたき》ィ取れたァ言わねェが、意趣返しも何もしねェで、一度こっきりで諦《あきら》めちまうてなァ解せねェや。ま、そりゃなかった訳ですがね。それこそ敵と通じる意味がねェ」

「通じるも何も、ビビっておったのと違うか。あれからもう十六年から経っておるんやで。なのに辰造は益々栄えておるで。悪事の限りを尽くして豪勢に暮らしておるわ。ま、あんたの言う通り一文字屋も大層に大きゅうなったんやろが、そうは言うてもお膝元《ひざもと》の大坂で、あくどい商売敵の好き放題を見逃しておるのやで。たった一度、下《した》っ端《ぱ》の小僧が下手ァうったくらいで手ェ引いてしもたんや。腰砕けもええとこやないの」

言うじゃねエかと又市は言った。

「あの親爺と直《じか》に会ってそこまで見切る玉ァ、中中《なかなか》居ねェでしょうよ」

「妾《あたし》も——色色あったんや」

互《たけ》ェにな、と又市は笑った。

「奴《やつがれ》も見ての通りの御行《おんぎょう》だ。腰抜けの破落戸《ごろつき》が腰抜け序《つい》でに頭ァ丸めて仏弟子《ぶつでし》ですぜ。零落《おちぶ》れたもんだと嗤《わら》うでしょうがね、これが処世でやすよ。だからあんたも——あの頃のお栄さんじゃァねェんだろうたァ思うがね」

「妾も——」

一度は大坂を捨てた。

妹の死が堪えられなかったのだ。妹が死んだ町で暮らすことが堪えられなかったのだ。逃げたというのならその通りだろう。どうせ天涯孤独になってしまったのだ。一人なら何処でだって生きて行ける、未練も執着もなにもないと、そう考えた。しかし世間はそう甘いものではなかった。

生きるためには何でもした。良からぬことに手も染めた。歩き巫女《みこ》にまで身を窶《やつ》した。その所為《せい》で、野干《やかん》のお栄と謂《い》う二つ名まで頂戴《ちょうだい》した。野干とは狐のことであるらしい。

三年前、大叔父の目に留まり情けを掛けられて戻るまで、お栄は泥水を啜《すす》って生き抜いたのだ。汚れたというなら汚れただろう。強くなったというなら強くなっただろう。悪くなったというのなら、悪くもなったに違いない。

覚悟の上のことである。

「野干かい」

又市はお栄に背を向け、藪《やぶ》の横にぽつんと立っている朽ちた五輪塔の前に立った。

「そりゃ――お栄さん、あんたも随分と悪さを重ねて来たてェこったな」

「どういう意味だい」

「そうじゃなきゃ、そんな二つ名ァ付かねェさ」

野干は狐じゃあねェだろよゥと又市は言った。

「そやろか。妾は狐や聞いたし、狐や思うとったけどな」

「狐に似ちゃあいるが、別のけもののようですぜ。野狐《やこ》と謂《い》う処もあるらしいが、この洲《くに》には居ねェ、韃靼《だったん》だか天竺《てんじく》だかに住む獰猛《どうもう》な獣のこったそうでね。狐よりも狗《いぬ》や狼に近く、木登りが得意で、虎だの豹《ひょう》だのまで喰っちまう、そりゃ恐ろしい獣だと聞きやすぜ。荼吉尼天《だきにてん》の乗り物《もん》で、それが転じて稲荷《いなり》大神のお使《つけ》ェになったとか。お稲荷さんてェのは、だから元元はその野干だったらしいですがね」

豪《えろ》う詳しいやないかと言うと、受け売りだよと言われた。

「なァに、江戸で知り合った好事家《こうずか》が、そうした要らねェことを能《よ》ッく知っている変わり者でやしてね。ゆんべ、難波《なんば》で偶偶《たまたま》ばったり会ったもんだから、一寸尋《ちょいとき》いてみたって寸法で。何でも野干ってな蠟《ろう》やら油やら漆《うるし》やら、女の気血《きけつ》なんぞを好むけだもので、そりゃあ——」

疑ぐり深《ぶけ》ェらしいですぜと又市は言った。

「疑い深いかえ」

「そのようですぜ。野干ってなァ、一旦信を得りゃ忠実《まめ》に尽くすが、飽きりゃ容易《たやす》く裏切るんだそうですぜ。その上に祟《たた》るし取ッ憑《つ》く。土地に依っちゃ、一度取ッ憑くと末代まで離れねェそうだ。性質《たち》の悪《わり》ィ畜生だそうでね」

「そりゃ性悪やなあ」

「あんたも——そうなのかい」

そうかもしれない。いったい誰がそんな名を付けたものか。いつの頃からそう呼ばれているものか。

「まあ、今は船宿の雇われ女将《おかみ》や。祟る相手もおらんよって——」

「居るじゃあねェか」

又市は振り向いた。そして苔生《こけむ》した五輪塔に右手を掛ける。

「林蔵でやすよ。お妙坊の仇敵だ。あの野郎がぬかった所為で何もかもが目茶苦茶《めちゃくちゃ》になったんだ。そうなんでやしょう。奴《やつがれ》もあんたも、林蔵のお蔭で大きく道を踏み外したぜ。憎いだろうよ。憎くはねェのかい」

「憎いよ」

お栄は短く答えた。

「その憎い林蔵が生きていやがるとして——だ。どうして殺してくれと頼まなかったんで」

「だから償わそうというのさ」

解らねェなと又市は首を捻《ひね》る。

「償いってな、どうさせる気だ、あんた」

さァね、とお栄は誤魔化《ごまか》す。

「兎《と》に角《かく》捜して連れて来いと言うたんや。先《ま》ずはこの目ェで面《つら》拝んでみんことには始まらんやろが。あんたの言う通り、万が一にも別人やったらどもならん。それに、身内のことやから身代わり立てられるかもしれん。しらばくれて居《お》らんかった言われるかもしらん。でも、先方も林蔵が身内やいうこと隠しとる訳やから、捜してくれいう頼みは断れんやろ。受けた以上は連れて来るやろ。捜すまでもなく——すぐに見付かる筈やしな」

そうでやすかねえ、と又市は言った。

「何や。この期に及んで誤魔化すいうんか。一文字屋仁蔵、高が雑魚《ざこ》一匹を、そこまでして守るか。十六年前は簡単に切り捨てたやないか。それとも何か、林蔵の口から己の隠しごとが漏れるのを恐れとるとでもいうんか」

「それはあるかもしれねェ。辰造に手ェ出した一件は、林蔵の手抜かりたァいうものの、出元は一文字屋なんですぜ。そうなるとあんたの真の仇敵は自分達てェことになる。そりゃ具合が良くねェよ。それに、そこンとこが明るみに出ちまえば——何処《どこ》で辰造の耳に入《へえ》るか知れたものじゃねェ。知りゃ辰造も黙っちゃいるめェよ」

そこは心配ないわとお栄は答えた。

「一文字屋に妾《あたし》が頼んだ別のことというンは——辰造の首や。辰造の命取ることと林蔵の身柄渡すことは——抱き合わせや」

「辰造殺しを頼んだのかい」

又市は一瞬黙った。

「抜け目のねェ人でやすねェ。あんた」

「女一人で顔役相手に立ち回ろ思たらはったりの一つ二つかまさなやってられんやろ。野干のお栄、狸と亀を手玉に取ったるわ——」

そして。

林蔵を——。

怖《こえ》ェ怖《こえ》ェと又市は首を竦《すく》めた。それから五輪塔越しに遠くを見る。

「あの――遠くできらきらしていやがるな、海かい。川かい」

「海やないやろ。此処《ここ》からは何も見えンわ。此処は――閑寂野《さびしの》いうてる。本当は何と謂《い》うンか知らん。何もない、何処にも行けん、何の役にも立たん地ィの果てみたいな処《とこ》やから、通り掛かった旅人が迷い込むと、何故か絶望してしまうんや。そのうち人も馬も行き倒れて、其方此方《そちこち》に骨があるンやそうや」

「じゃあ――」

ありゃその死骸《むくろ》から滲《し》み出る無念が燃えてるンですかいと、又市は指を差した。

夕焼けも何も見えていないけれど、もう荒野は暝《くら》くなっている。

果てなく見える荒れ地の境界を示すかのように。

点点と、無数の青白い陰火が燃えていた。

「なんやあれは――」

「鬼火《おにび》でないなら」

狐の火ですぜと又市は言った。

参

一昨日《おととい》の晩――男はそう切り出した。

き津祢《つね》――お栄が営《や》っている船宿の裏口で、お栄はこの妙な男に捕まった。

「晩といいますか、夕方ですかね。や、五つ過ぎぐらいかもしれないのですが」

「そやから何なんですか。あんた、舟のお客と違いますの」

「いや、客じゃないんです。私はその、狐《きつね》火《び》をですね」

「狐――火て」

「聞いたんですよ。この先辺りだと思うんですがねえ。その、怪しい火が」

――あの火か。

「それやったら――閑寂野《さびしの》や」

「さ、閑寂野。其処《そこ》は、その」

「川沿いに少し下って、建物が途切れた辺りから右手の丘を目指して半町《はんちょう》ばかり行って、まあ丘を越すともう何もない野っ原やから。其処や。何もない」

果てもない。

「荒れた土地ですわ」

「そ、そうですか。矢張《やは》り噂をお聞きになったのですか」

「噂て――まあ、奇妙な火ィは燈《とも》っておったけども」

ご覧になったのですかとその男は妙に興奮して言った。

身形《みなり》こそこざっぱりとしているが、侍ではなく、町人と見てもやや妙で、年齢《とし》も若いのか老《ふ》けているのかも判らない。上方の言葉ではないし、どうやら江戸者のようなのだが、その割りには垢抜《あかぬ》けてもおらず、旅装束でもない。

どうにも引っ掛かりのない、するりとした男であった。

「いや、何でも一昨晩、物凄《ものすご》い数の狐火が燈ったという話を耳にしたものですから。何でもかなり遠くからも確認出来る程の大掛かりな狐火だったそうでしてね。もう居ても立ってもいられなくなり、すわ一大事と宿を飛び出し尋き回っている訳ですが、見たとか聞いたとかいう者は多いものの、じゃあ何処《どこ》に燈ったのかという話になると一向に埒《らち》が明かない。天王寺《てんのうじ》辺りからも見えたというが、嘘臭いですし、方角さえも定かでない。そこで地図を睨《にら》んで此方《こちら》の方角じゃないかと山を張り、軒並み当たって、此処で二十軒目です」

そこまで捲《まく》し立《た》てて、男はふうと息を吐《つ》いた。

「で、それは何処で」

待っておくれとお栄は言った。

「あんさん、誰だんねん」

男は余程《よほど》草臥《くたび》れていたのか、体を立て直す序《つい》でに少し蹌踉《よろ》けた。

「わ、私は京橋《きようばし》の——あ、京橋といっても江戸の京橋です。江戸から来たのです。私は江戸の京橋に住まう山岡百介《やまおかももすけ》という者でして」

「お江戸から」

「はい。江戸から」

「江戸から大坂まで狐火を見に来たんでっか。そないな遠くまであの火ィの噂が届くもんですやろか。いやいや、妾《あたし》が見たんは一昨日のことでっせ。幾ら何でも速過ぎと違いますか」

「い、いや、そうではなくて」

百介は手拭《てぬぐ》いで額を拭った。

別に汗など出ていない。

暑くも寒くもない。

「わ、私は戯作《げさく》書きと申しますか、物書きと申しますか——まだ開板《かいはん》して貰ったことはない訳ですが、まあ、その、そうした類《たぐ》いの者で、諸国を渡り歩いては怪談奇談珍談巷談を聴き集めて書き記している訳です。先《せん》だってまでは京に居《お》りまして、帷子《かたびらがつじ》辻に忽然《こつぜん》と現れては消える腐乱死体の噂をですね」

「何ですのん、それは」

百介は頬をやや上気させてお栄の顔を覗《のぞ》き込んだ。

「ああ」

「見たんですよ。私。それを」

「はあ」

女将さんお客さんでっかという番頭の声がした。

「客は客やけど。けったいな客やよって、ええわ」

そう言った。

「で、何を見たって言わはるの」

「ですから、こう目の前に突然、女の屍《しかばね》が現れたんですよ」

「阿呆《あほ》くさ」

本当ですよと百介は切願するような声で言って、横を向いたお栄の前に回り込んだ。

「ついこの間は、ほら、摂津の大禍。代官所が燃えた」

それなら聞いている。

「私は現場に居たんです。彼処《あそこ》で、天火《てんか》を見ました」

「てんか——て何です」

「怪火と申しましょうかね。こう、丸い火球の中に人の顔がありましてですね」

「顔やて」

相当にいかれている。相手にしない方が良いかもしれぬ。

「いや、女将さんは私を怪訝《おか》しいと思っていらっしゃるのでしょうが——実際、多少変わっておりましょうし役立たずではありますが、その、気が触れている訳ではありません」

化け物が好きなのですねと百介は言った。

「でも、まあ見越し入道《みこしにゅうどう》だのろくろッ首だの、そういうのは実際には居りません。そんなものにお目に掛かれるとも思っていない。諸国を廻《まわ》って遭遇するのは、先《ま》ず音です。変な音がする声が聞こえる、そういうものですよ。誰も居ない河辺で小豆《あずき》を洗う音がするとか。この間も泉州《せんしゅう》の方でそういう話を聞きました。これは二三日前に聞いた話なのですが、疫病で亡くなった方方《かたがた》がきちんと葬られなかったから溝出《みぞいだし》になって恨み言を——」

「疫病やて」

それはあの、林蔵が関わっている事件の一つではないか。

「そら、その庄屋が死んだいう話と違いますの」

そうですそうですと百介は嬉《うれ》しそうに言った。

「いやあ、人死にが出ているのにこのような態度を執るのは不謹慎ですね。正に、お庄屋さんと、それから村の実力者がお一人、計お二人が亡くなっているようなのですが、能《よ》く能《よ》く聞いてみますとね、何か恐ろしい祟りがあったとか、化け物が出たとかいう話ではないのです。謡《うた》うような恨み言が聞こえて来たというだけのことらしい。実際に亡者《もうじゃ》のようなものを見たという者は、一人しか居らんのですよ」

「なら何故そのお庄屋さんは——」

それは別の理由です多分、と百介は答えた。

「人の世のことは人の世の事情に左右されるんです。あの世のことは関係ないです」

「関係ないて」

大体そういうものですと百介は言う。

「別に、不思議なことなんか何も起きてませんよ。世に不思議なし、です。ほら、ついこの間評判になった、浄瑠璃芝居の夜の楽屋の変事。私はその話にも興味があったので、太夫《たゆう》やら裏方さんやらに詳しく話を聴き回ってみたのですが、楽屋が荒らされていて人形が壊れていたとか、それだけの話ですよ。お化けが出て来て何かしてる訳じゃあない。一方で、そうした諸諸《もろもろ》が結果的に人に仇《あだ》なすことも多い。巧く出来ているんですよ。そういう意味では、世、全て不思議なり、です」

でも――と百介は続けた。

「音がするだけならまあ、勘違いかもしれないし、音も声も所詮は人が出せるものではありますから、悪戯《いたずら》や何かかもしれない。でも、火となると話は別です」

「別て――」

その浄瑠璃の話も林蔵がらみの事件ではなかったか。

「音の怪の次に多いのが、怪火、怪光の類いなのですよ。私が集めた限りでは、という話ですが。音と違って火や光というのは人の手で作り出せるものではないでしょう。まあ火は起こせますから絶対に出来ないことはありませんが、熟練の技や特殊な仕掛けが要る。ですから火の怪の多くは、これ天然自然の生《な》せるものだと、私は考えています。諸国には実に奇怪な火がある。呼ぶと飛んでくるケチ火だとか、刃物で斬り付けると数が増える小右衛門《こえもん》火だとか」

この近くには姥《うば》ヶ火というのも飛びますと百介は言った。

「これは炎の中に顔がある。否《いや》、顔に見えると言うべきですかね。この間の摂州の代官所に出た天行坊《てんぎょうぼう》の火は、本当に顔が見えました。この目を疑いましたよ。でも、そんなことは出来ないでしょう、普通の人には」

眼が円くなっている。

少なくとも真実《ほんとう》に娯《たの》しそうな顔だ。嘘は吐《つ》いていないのだ。ならば何か魂胆があって訪れた訳でもないのだろう。愚にもつかぬ話しかしていないし、それで喜んでいるのだから、童《こども》のようなものである。

「狐火というのはですね、こう並んで燈《とも》るんですよ。鬼火なんかと違って、不規則な動きはしません。道に沿《そ》って、点点と、そう、提燈行列《ちょうちん》のような出方をする。だから狐の提燈などと謂《い》う訳ですね。狐は、まあ油を好むでしょう。鼠を揚げたものなんかで釣りますよね。だから猫なんかと一緒で、行燈《あんどう》の油なんかも好むだろう、なら提燈の蠟燭《ろうそく》なんかも好きなんじゃないかという連想がですね」

「待ち」

お栄は止めた。

「いつになったら止まるんやあんたの話は。で、一体何が言いたいのやろ」

珍しいのですと百介は言った。

「珍しいて、何が」

「一昨日の晩の狐火です。あなたが見たという――」

あの火。

閑寂野の、あの果てしのない荒野に、点点と燈った陰火。

十や二十ではなかった。ちらちらと滲《にじ》んでいたから数など数えられなかったが、いや、それ以前にお栄は数える気さえなかったのだけれど、無数というよりない数の青白い炎が一斉に燃えたのだ。閑寂野に果てはないのだから、正に無数である。

いや。

無限の荒野などない。必ず果てはある。果てがないように見えるだけである。その昔は兎《と》も角《かく》、今は荒れ地を越せば村もある筈だ。迂《う》回《かい》するようにして道も出来ている。ただ、荒野の入り口からは、道も何も見えはしない。遠くに山並みが望めるだけで、境界は判然としないように――見える。

実際には、ただの荒れ地に過ぎないのだろう。

それでも閑寂野は広い。ならば、慥《たし》かにあれは人に出来ることではないだろう。誰か人が燈したのだとするならば、火の数だけ人が荒れ野に潜んでいたことになる。

そんなことは不可能だ。

「不思議な火ィやったで」

「本当にご覧になった」

「知りもせんあんたに嘘吐いたかて始まらんやろ。騙したかて何の得もあらへんわ」

いやあ良かったあと言って、百介は破顔した。

「そうですかあ。ご覧になった。い、いや、私はその、場所が特定出来れば良いくらいに思っていたのですよ。ただ、誰に聞いても、どうにもはっきりしない。まあ、此方《こちら》はき津祢《つね》という屋号だそうなので、狐繋がりでもしやとは思ったのですが――真逆《まさか》実際にご覧になった方がいらっしゃったとは」

実についていると百介は言った。本気で喜んでいる。

「そ、それで――」

「それで何ですの」

「も、もっと詳しくですね、その」

「詳しくて」

「で、ですから、どうやって現れたのか、どんな色でどんな燃え方でどんな大きさで、それが幾つくらいあったのか、動いたかどうか、消えたならどうやって消えたか、そういうことをですね」

百介は帳面を開き、矢立《やたて》から不器用な手付きで筆を出し、先を嘗《な》めた。

「例えばそう、煙だとか、音なんかは」

「あのな、そんな捲《まく》し立《た》てられたかて」

「こ、これは失礼」

つい興奮してしまいまして、と言って百介は頭を掻《か》いた。

「どうもこの手の話になると見境がなくなるのです。大坂に来てからもずっと呆《あき》れられてばかりなのですよ。戯作の開板《かいはん》より化け物話の方が好きなのかと、版元さんにも笑われた。あ、失礼失礼、その――ご商売もおありでしょうから、ご迷惑でしたら日を改めて参ります。いやどうあってもお話は伺わせて戴きたいのです。ですから、その、ご都合の宜《よろ》しい日などございましたら、出直して参ります。まあ、大したお礼は出来ませんけれども――」

「礼なんぞいらんけども――」

「私は現場を見聞して、それからもう少し近辺を当たってみます」

立ち去ろうとする百介をお栄は止めた。

「あんた、百介さんやったか。あんたそないな話ばかり聴き集めてるんやったらもしかして。

「ええと、その――疫病のあった村やら、後はその、浄瑠璃の楽屋やら、あんたわざわざ其処《そこ》まで行って話聞いたんか」

「はあ」

そうですが、と百介は恥ずかしそうに答えた。

「そやったら――其処で、林蔵いう名の男の噂ァ聞かんかったか」

「林蔵――さんですか」

百介は反応し、体を返してお栄を接《まじ》と見た。

「林蔵さんというと――その、帳屋をなさっている林蔵さんのことでしょうか」

「あんた、知っておるのかえ」

当たりだ。

「はあ。まあ、良くして戴いてます。林蔵さん、京で燻《くすぶ》っておりました私を、彼方此方《あちこち》案内してくださいましてね。先先で彼《あ》れ此《こ》れと講釈を垂れてくださいました。それで、まあこの大坂にも一緒に」

「一緒て――」

「林蔵さんに何か」

騙しているようには見えなかった。

なら――騙すまでだ。

「その昔、一寸《ちょいと》ご縁のあったお方やないかと思うたものですから」

それは嘘ではない。

はは、と百介は首肯《うなず》く。

「いや、実はですね、私は駆け出しと申しますかヘボと申しますか、物書きとして江戸ではまるで芽が出なかったのです。余りの為体《ていたらく》を江戸のある版元さんが見兼ねたらしく、自分の処《ところ》では出せぬが上方ならばと、大坂《こちら》の版元さんに周旋してくださったんですよ。そんな訳で上方にのこのこやって来たのですが――」

版元。

「その版元いうのは、もしや一文字屋さんと違いますか」

「ご存じですか」

百介はまた眼を円くした。

能《よ》く驚く男である。だがこの場合、驚いたのは寧《むし》ろお栄の方だった。

「いや――直接は知らんのやけども、一文字屋いうたら有名やからね。大坂では一番大《おお》けな版元なのと違いますか」

「そうなんですよ。いやあ、立派なお店《たな》でしたねえ。江戸の版元の倍はある。ところが驚いたことに、その一文字屋さんがですよ、私の書いたものを預かってくださるという。直ぐには開板することはしないけれども、開板を前提に引き取ろうと仰《おつしや》る訳です。前金もくださった。それでまあ、私は浮かれましてね、折角《せつかく》だからと上洛《じようらく》しまして、都で愚図愚図《ぐずぐず》していたという次第で。不可思議な話には目がないもんで、怪談奇談を求めてふらふらしているうちに、林蔵さんと出会いまして」

「その、不可思議な話とやらを追い掛けているうちに、出会ったいうことでっか」

まあそうですすと百介は言った。

「その、帷子辻の一件に関わる人を介して知り合ったのですよ」

同じだ。

大坂界隈で起きている怪しい事件と同じなのだ。事件の背後に――林蔵が居る。

「そやったら――」

「で、まあ聞けば林蔵さんも一文字屋さんとも浅からぬ縁があるということでして」

「ほなら、その一文字屋さんと林蔵いう人は知り合いや、いうことですか」

「知り合い――だったんですよ。帳屋というのは紙物を扱いますでしょう。その所為《せい》なんだと思いますが、もう何年もの付き合いだそうで。偶然というのは奇妙なものですよ。それで京見物なんぞをしているうちに、急に不安になりまして」

「不安て何ですの」

「いやいや、何とも情けない話ですが、自信がなくなってしまいましてね。お情けで買ってくれただけで実際は捨てられているのじゃないかと――まあ江戸の版元では丸めて塵芥《ごみ》扱いでしたから、買い上げて戴いたというのに気になってしまいましてねえ。一度気になると、もうそうに違いないという気になって来るもんで――そう言ったらば、ならもう一度大坂に行って尋ねてみれば良いと、まあ林蔵さんが口を利《き》いてくれた訳ですよ」

間違いない。

林蔵は生きている。そして一文字屋と繋がっている。お栄の読みは当たっていた。又市の話も真実だったということだ。

そうなれば――。

「いや、ですから私が今回大坂に舞い戻ったのは、一文字屋さんの忌憚《きたん》のない感想などを詳しく聞かせて戴きたかったからなのですよ」

そうでっかとお栄は心なく答えた。

百介は照れるような仕草で、今度は額を搔いた。

「やあ、ま、思い過ごしでした。何もかも杞憂《きゆう》でして、一文字屋さんからはきちんとしたご批評やご助言も戴きまして、手を入れて、良くなれば開板、という運びになりました」

百介は満面に笑みを浮かべた。

まだ若いのだろう。

「ああ、また無駄話を。こんな話はどうでも良いことでした。では、その、いつ頃でしたらご都合が宜しいでしょうか」

「今でええです」

そう答えた。

「丁度客も途絶えておるし、これから閑寂野までご一緒しまひょ。其処《そこ》でお話しした方が判り易いのと違いますか」

それは願ったり叶ったりですがと百介は言った。お栄は奥に向けて、少し出て来るよって後を頼むでと声を掛け、やや戸惑い気味の百介を通り越して竹藪に挟まれた横道に分け入った。

「この道の方が川沿い行くより僅《わず》かばかり近《ちこ》うおますねん。ただ、少ォし歩き難《にく》いんや」

「はあ」

「それで」

聞いておきたい。

「その林蔵さんに聞かれたんやないんでっか」

「何をです」

「せやから、その怪しい話ですわ。他にも言うてはったのと違いますか」

ああ、と背後で百介が答える。

「世事に通じておられるというか、何でも能《よ》く知っている人でしてね。顔も広い。川に流された赤ん坊を狸が拾って育てた話だとか、桂男《かつらおとこ》に惑わされて死人と話をしてしまったご老人だとか、まあ私好みの話を色色と聴かせてくださいましたよ。ああ、桂男というのは月に住むという仙人のことです」

そう。

矢張り間違いない。

噂は本当だったのだ。

でもそれは与太《よた》と違いますのん、とお栄はわざと問うた。鎌を掛けたのだ。

「そんな、狸の子育てやなんて」

「いやいや、それが──まあ、強《あなが》ち嘘でもないのですよ。私はその子にも会いました。狸かどうかは別としても、その子は生まれて間もなく水難に遭って、五年も経ってから無事に戻った訳で。ええと、豆狸《まめだ》というのですか、酒屋さんに出る。それが育てたと──」

「豆狸やて。笑《わろ》てまうわ」

靄船の林蔵の仕業である。誑《たぶら》かしたのだ。

可笑《おか》しいですかねえと百介は言った。

「まあ、可笑しいのかもしれません。私も頭から信用している訳ではありませんから。ただ何かはあったのですよ。それを、狸の仕業として諒解《りようかい》しているのでしょうな。ですから滑稽《こつけい》といえば滑稽ですが、当事者にしてみれば嘘でもまやかしでもない、事実なのです」

「そうかもしらんけど」

お栄は手で笹《ささ》を除《よ》ける。

道はいっそうに悪くなる。

「ないもんはないのと違うか。狸が化かすやなんて、あれは酔漢《よつぱらい》やら好色《おんなずき》やらの言い訳なのと違いますか。ま、妾《あたし》も船宿き津祢《つね》の女将やから、同類や。狸公《たぬこう》のことは笑えんのやけど」

「そうそう、何故《なぜ》きつね、なのですか。何か由来でも」

何でも聞きたがる男だ。

「大した由来はないのやけどね。妾は雇われ女将や。妾が任される前は木津屋《きづや》いうとった。妾は彼処《あそこ》に落ち着くまではやさぐれておって、まあ余り嬉しゅうない二つ名まで頂戴しとったんや。それが野干《やかん》いうの。野干いうたら狐のことやと教わったので、まあそう付けたんや。せやけど狐やないいうようなことも聞いたし、ま、どうでもええのやけど」

又市は違うと言っていた。

野干ですかあ、と百介は言う。

「それはですね、射干《じやつかる》という、狐と狗《いぬ》の中間のような異国の獣なんだと聞きます。かなり獰猛なけだものらしいですが、この洲《くに》には居ません」

そうらしいなあとお栄は答えた。

竹藪を抜けると既に丘の途中である。もう町でも村でもない。山道のようなもので、何もない。丘を下ればもうそこは、枯れたような草と低木が疎《まば》らに生えた、荒れた土地が広がるばかりである。

「まあ、どうでもええの。ただの名前やし」

「そうですか。いや――この辺には狐が沢山《たくさん》棲《す》む処があるのだとか、そういうことではない訳ですねえ。どうにも居そうな場所ですけどね」

「狐は居《お》るかもしらんけど、見たことないわ」

「でも、狐火は見られた」

「狐火――なのかいなあ」

骸《むくろ》から出る無念が燃えている――又市はそんなことも言っていたか。

「慥《たし》かに火ィは燃えとったけども、狐が火ィなんぞ燈すもんかいなあ」

「狸が子育てするよりはあることだと思いますよ」

「そやけども」

「狐というのは、牛馬の骨を得て化けると謂《い》われます。まあ、骨には燐《りん》などが含まれていますからね、これが陰火を発することはあるのかもしれない。墓場で燃えれば鬼火となり、道に燈れば狐火となる――そういうことじゃないのかと思っていたんですが」

「彼処《あそこ》は」

閑寂野は――。

墓場みたいなものかもしらんとお栄は言った。

「行き倒れの馬やら人やらの骸が幾らでもあるいう話やし」

「行き倒れですか」

「彼処はな、何処《どこ》にも通じてへんし、何処までも終わりがないような――そんな気ィになる場所なんや。勿論《もちろん》、気の所為なんやけどもな。せやから迷い込んでしまうと、出られんような気ィになる。無間《むげん》地獄に堕ちたような、そんな恐ろしい、儚《はかな》い心持ちンなって、そして希望を失《うしの》うて、行き倒れてまうと聞くわ」

そういう場所だ。

なる程ねえという百介の声が聞こえる。

「それが燃えた――ということも、まあ考えられないことはないのですがね。湿り気やら温かさやら寒さやら、そうした様様な条件が合致した時に、天然は偶《たまさ》か人知を超えた相《そう》を見せることがあるのですよ。雷なんぞは良い例ですね。私は狐火もそうしたものだと考えています。ただ、そうした、ただの現象とは思えないような相を見てしまった時、人はそれを都合の良いように捉《とら》え直す。捉え直さなければ不安でいられないからですよ。そこに面白さがある」

「面白さ」

「いや、面白いと私は思うということですよ。智慧《ちえ》やしきたりや道徳や信心や、そうした生きるための諸諸《もろもろ》こそが、人の気持ちや暮らしそのものがですね」

妖怪《ばけもの》なんですと百介は言った。

「だから、こういう巷《ちまた》で不可思議と謂《い》われる怪しい事柄を与太と切り捨てず、採集して吟味することこそが、人を知る世を知ることになるのだと——まあ私はこの狭い了見の中でそう思う訳ですよ。生意気な言い分ですがね」

「化け物がそないなええもんかいな」

化け物は——。

居ないことにしておかなければ立ち行かぬものだ。

居るというなら。

自分自身が化け物だ——とお栄は思う。己を化け物と思うてしまったならば、もう歯止めは利かなくなってしまう。そんな気がする。汚らしく穢《けが》らわしく悍《おぞ》ましい化け物は、己の中に確かに居る。居るけれど、見て見ぬ振りをする。そうしなければ生きては行けぬ。

化け物は悪いもんやろと、お栄は百介を見ずに言った。

「ええ。悪いもの、悲しいもの、辛いもの、虚《むな》しいもの、醜いもの、理不尽なもの——なんでしょうよ。だからこそ、くだらない、馬鹿馬鹿しい、ありそうもない、滑稽なものに仮託して自分の中から追い出すんですよ」

「追い出すて」

「妖怪《ばけもの》は鏡のようなものですよ。疾《やま》しい気持ちがあれば枯れ尾花も幽霊に見える。怯《おび》えていれば古傘も舌を出す。ですからね」

笑えるくらいが丁度良いのだと私は思うと百介は言った。

「狐が化かす狸が化ける――そのくらいが丁度良いように私は思うんです。悲し過ぎると遣《や》り切れませんよ。それでなくとも」

人の世は悲しいですから。

それは。

お栄もそう思う。

それでもまだ丘の上は樹が生い茂っている。丘を下ると、土は乾き、草の緑も色褪《いろあ》せる。

昼間見ても境界が曖昧である。何故《なぜ》に際《きわ》が見えないのか。

「此処《ここ》が閑寂野ですわ」

ほう、と声を発し、百介はお栄を追い越して前に出た。

「広い――のでしょうね」

矢張り判らないか。

「いや、それ程広くはないと思うんやァ。でも、どうも善く判らんやろ。妾《あたし》もな、此処から眺めるだけで、彼処《あそこ》に降りたことは一度しかない。分け入ると、ほんまに果てがないような気ィになるんや」

「はあ。傾斜があるのでしょうかねえ。慥《たし》かに向こうの際は判然としないですし、両側も何処《どこ》までが原なのか――」

百介は額に手を当てて荒れ地を一望した。

「まあ、それでもかなり広いですよ。一反二反じゃあないでしょう。一町以上はあるのじゃないですか」

一町といえば相当広い。お栄が思っていたよりも広いかもしれない。

だが、想念の中の無限の荒野に比するなら、それは限りなく狭い。否《いや》、限りが生まれた途端にそれは比べることが無意味になる程に卑小なものとなる。矢張り――何もかもお栄の思い込みなのかもしれない。果てのない荒野などある筈もないのだ。

この野原全体に火が燈っていたのですかと百介は問うた。

「そうやね――まあ、点点と、全体なのかいなあ。間隔は、概《おおむ》ね同じくらい開いておったと思うけども、三四間《けん》くらいか、もっと近かったかもしらん」

「それが――一斉に燈ったのですか」

「それが、いつの間に燃えておったのか覚えておらんのや。ただ、ぽつぽつと点《つ》いたことはない思うわ」

それは狐火じゃないかもなあ、と百介は言った。

「矢張り死人《しびと》の火なのかもしれませんねえ。それを、女将さんは此処《ここ》で」

「そうや。丁度、此処で妾《あたし》は――」

何をしていたと尋《き》かれるか。

お栄は、又市と――。

「その林蔵さんやけどな」

どんな人やと、尋かれる前に問うた。

「林蔵さんですか。いや、物知りで、話し上手で、親切で――まだまだお元気ですよ。健脚ですし、矍鑠《かくしゃく》としておられますからね」

「矍鑠て――どういうことや。林蔵は」

お栄と同じ齢《とし》の筈だ。なら。

「林蔵さんはお年寄りですよ」

「と、年寄りて――」

「もう七十近くに見えましたけどねえ。まあ、私の倍以上ではあるでしょう。あ、女将さんの旧知の方は、もしかしたらそんなお齢じゃないのですか」

「し、七十やて」

嘘だ。

「そんなこと――」

別人なのでしょうかねと、百介は言った。

がさがさと、枯れ草が鳴った。

肆

雨が降った所為《せい》か客足も途絶え、取り立てですることもなく、もう戸締まりでもしようかと思ってお栄が立ち上がったところに、一文字屋のあの腰抜けの手代がやって来た。

山岡百介がき津祢に現れた二日後、お栄が一文字屋を訪ねてから五日が過ぎていた。手代は名乗りも何もしなかったが、態度と体形で一目でそうと知れた。

笠《かさ》を目深《まぶか》に被《かぶ》り簑《みの》を纏《まと》って、手代は戸口に立った。

体中に付いた水滴がきらきらと光った。

油紙に包んだ書状を無言で差し出す。何も言わぬのだから答える必要もない。お栄は無言でそれを受け取り、そのまま戸を閉めて心張《しんば》り棒《ぼう》を支《か》った。

店の者はもう皆帰してしまっている。お栄の他は誰も居ない。と、いうよりもその頃合いを見計らってやって来たのだろう。

括《くく》った紐《ひも》を解き、油紙を剥《は》がして、文を広げた。

——御依頼のことみな整ひて候《そうろう》。

——今宵子《こよいね》の刻閑寂野にて証《あか》しご覧《ろう》じ戴きたく候。

最後に丸囲みで一、と記してある。

済んだ——というのか。本当だろうか。俄《にわか》には信じられない。あの放亀の辰造が、簡単にやられる訳もない。辰造の子分は五十人から居る。息の掛かった連中となると、百や二百は下るまい。用心棒も幾人も雇っている。身辺警護は万全の筈だ。奉行所や代官所でさえ手を拱《こまぬ》いて見過ごしているのだ。

殺すのは或る意味簡単です——。

仁蔵はそう言っていた。

いや、一文字屋がどれだけの男かは判らないが、少なくともこの大坂で、放亀の辰造の命をそう簡単に取れる訳がない。取れないとは言わない。手は幾らでもあるだろう。だからこそ頼んだのである。しかし、どう考えても四五日で成る仕事ではない筈だ。

はったりか。

それとも嘘か。

真逆《まさか》、辰造と結んだ訳ではあるまい。

一文字狸と放亀は裏で繋がっていやがったんだと——。

又市は一時疑っていたらしい。そうなら、お栄は拙《まず》い立場に立たされる。殺しを依頼したのがお栄だということが辰造に漏れていたりしたなら——多分、殺される。このままではお栄自身の身が危ないことになる。だが。

それはなかったのだ。

と、思う。

十六年前、一文字屋は林蔵を使い辰造に罠《わな》を仕掛けようとした。その段階で仁蔵が辰造を敵視していたことは間違いあるまい。仕掛けは失敗し、それ以降現在まで、仁蔵側が辰造に手を出した様子はない。

しかしお栄が大坂を離れている十年の間に双方が和睦《わぼく》したということはないか。

否《いや》――それはない。

辰造が仁蔵の仕掛けに気付いた様子はない。お栄も、又市に聞かされるまでは考えてもみなかったことである。あれは林蔵の独り働きだと思い込んでいた。辰造も同様だろう。仁蔵にしても、気付いてもいない相手にわざわざ詫びるような真似をするとは思えない。藪から蛇を出すようなものである。

事件後、仁蔵の思惑を知る林蔵も、そして又市も姿を消してしまっているのだ。本当のことを知っている者は、仁蔵の手下《てか》以外は誰も居ない。

ならば事実を知る者が居なくなったのを良いことに、何もかも隠したまま仁蔵が辰造に歩み寄り、手を結んだということはないか。

それも――ないだろう。

それならお栄は一文字屋の裏の稼業を知っていて然《しか》るべきである。思うに、辰造も仁蔵の裏の顔をいまだに知らないのだろうと思う。そう考えるよりない。お栄は、何も聞かされていないし、隠される理由もないと思う。

そこのところを勘案するに、慥《たし》かに一文字屋仁蔵は大物なのかもしれない。この十六年、あれだけの力を持った辰造一家に一切気取《けど》られることなく、勢力を拡大し、暗躍を続けていたことになるからである。

ならば。

この手紙に書かれていることは真実なのだろうか。

辰造は——死んだのか。

罠ではないのか。

雨音と川音を聞き乍《なが》ら、お栄は考えを巡らせた。引っ掛かってなるものか。騙しても騙されてなるものか。誰であれ、謀《たばか》られるのはご免だ。痩せても枯れても野干《やかん》のお栄である。又市の言葉通りなら、野干は熊でも狼でも喰いに掛かるような獰猛な獣だと謂《い》うではないか。

雨足が弱まり、ざざという音色が川音だけになった。

聞き慣れた音だから判る。

雨が止んだのだ。

顔を上げると土間はもう暗くなっていた。箱行燈《あんどう》に火を入れようと腰を上げると、戸板を激しく打つ音が響いた。

「女将さん、いや、姐《あね》さん」

わざと抑えた声だが、上擦《うわず》っている。

先に帰した番頭の弥太《やた》である。何や忘れ物《もん》かいと言い乍らお栄は心張り棒を外す。

外すや否や戸は勢い良く開けられた。

「あ、姐《あね》さん」

弥太は泥だらけだった。肩で息をしている。雨を抜けて走って来たのだろう。

外は既に微暗《うすぐら》い。弥太は影法師のように黒かった。

「何やの慌てて」

「ここで慌てずに何処《どこ》で慌てていうんでっか。ええか、姐《あね》さん能《よ》く聞いてお呉れ。元締めが居のうなってしまいましたんや」

「元締めがか。居のうなったて、何やの」

そのままですわと言って弥太は土間に入り、崩れ落ちるように座った。

「消えて――しもた」

「そんな、おかしいやないの。あの人、いつだって周りに大勢侍《はべ》らせておるやろが」

「せやから、不思議でんねん」

「不思議などあろうかえ」

「姐さんが信じひんお気持ちは解りま。わてかて信じられへんですわ。せやけど先刻、わての家に大鳥《おおとり》の兄貴が血相変えて飛び込んで来よってな、元締めが居《お》らん、われは知らんか、本日き津祢に行ってはおらんかゆうて」

「来てへんやろ」

「わてもそう言いましたわ。ここ暫く此処《ここ》にはお出《い》でンなってへんし」

「居なくなったんは——いつや」

今日の午過《ひる》ぎらしいですわと弥太は答えた。

「昼間かい。何ともトロいこっちゃないか。何があったんや」

「判りまへんわ。まるで狐に抓《つま》まれたみたいでっせ」

「狐か」

狐やないで。

抓んだのは妾《あたし》や。

「慌てたかて仕方ないやろ。大叔父貴《おじき》のことや。何処ぞに雲隠れしたって白《しら》ッ首《くび》相手に乱痴気《らんちき》騒《さわ》ぎでもしとるんやないのんか。そんな、泥だらけンなって闇雲に走り回ったかてどもならんやないか」

「せやけど、元締めに何かあったら」

「大鳥の寅《とら》も居るし櫓《やぐら》の伍兵衛《ごへえ》かて居るやないか。それに——」

「そうや。せやから姐さんが大事《おおごと》なんやないか。姐さんまで」

「妾は平気や。ええか、お前はその小汚い顔を拭《ふ》いて、すぐに行き。そして大鳥と櫓に言うんや。妾は心配ない。くれぐれも余計なことはすンなてな」

「余計なことて」

「余計いうたら余計や。見張り立てたりうろちょろしたり、間違ってもごつい用心棒寄越《よこ》したりせんとけいうことや。却《かえ》って目立つわ。放っといてくれいうことや」

「ええんでっか。お一人で」

「ええわ。何やねんこれッばかりのことで狼狽《うろた》えてからに。情けないわ。大の男が雁首《がんくび》揃えて阿呆と違うか。兎《と》に角《かく》、元締めの安否が知れるまで、此処には誰も近寄ったらあかんで。お前も来んでええ。暫くは閉めるよって」

「閉めまんのか」

客なんぞ来んやないかとお栄は毒突いた。

「仕事もないやろが。元締めも居《お》らんのやったら当面ないわ。こんな処《とこ》、あったかてあらへんかて関係ないんや。元締めが生きてるか死んでるか判ったら報《しら》せにおいで」

早《はよ》う去《い》ねと言って、お栄は手拭いを突き出した。弥太は手拭いを受け取り、泣きそうな顔をしてから顔の泥を拭い、ほたら戻りますと言って立ち上がった。

「ええんですな」

「ええと言うとるやろ。みっともない真似せんといてや」

お栄は弥太を押し出し、そのまま戸を閉めて再び心張り棒を支った。

「誰が何と言っても来るンやないで。こら野干のお栄の言葉やで」

戸の内からそう怒鳴り付け、それからお栄は框《かまち》に座った。

土間はもう真っ暗だった。

燈《あかり》を入れる気は失《う》せた。

暗くてもいい。燈《とも》るなら——狐火でいい。

「勝ったわ」

お栄は、笑った。

「妾《あたし》が――勝ったんや」

ただの微笑みが徐徐に大きくなって、お栄は声を立てて笑った。己《おのれ》の声が己を掻き立て、お栄は更に大声で笑った。框を叩《たた》いて笑った。お妙が死んでからこっち、こんなに笑ったことはない。ならば、十六年振りの大笑《たいしょう》である。

ひとくさり笑って、お栄は我に返った。

まだ安心は出来ない。

この状況は、偏《ひとえ》に一文字屋仁蔵が徒者《ただもの》ではないということを示しているに過ぎない。油断は禁物である。確たる証しを目にするまでは、気を抜く訳には行くまい。否、その後も。

ずっと。

そして。

林蔵――。

百介の知る林蔵は、あの林蔵ではない。

つまり、現在一文字屋の手先として働いている林蔵という名の男は、お栄の知る靄船の林蔵とは別人だ――別人である可能性があるということになる。そうなら。

林蔵は。

死んでいるのか。

死んでしまったのか。

それなら。

それならそれで仕方がない。未練たらしい振る舞いは、野干のお栄の名に相応《ふさわ》しいものではない。そもそも、もう二度と会えぬと思うていたのだ。

この十六年。

諦《あきら》めて生きて来たのだから、今更どうということはない。

死んでいるなら死んでいるで、いい。もういい。

生きているのなら——。

連れて来る——のか。

お栄は懐《ふところ》から文を出し、再度眺めた。暗いのでもう文字は読めない。

御依頼のことみな整ひて候——。

そう書いてあった。否、書いてあるのだ。読めないけれど書いてあるのだ。

みな整ったというのだから。

整ったのだろう。つまり、林蔵の身柄も確保したということになるのではないのか。

ならば林蔵は生きているのだ。大坂を中心にここ数年の間に起きた奇妙な出来ごとの背後にいるのが、縦《よ》んば別の林蔵だったとしても。

あの林蔵も何処《どこ》かで生きて居たということだろう。

それなら。

お栄は手紙をくしゃくしゃに丸めた。

それから箱行燈に火を入れて、序《つい》でに土間で文を燃やした。文はめらめらとまるで狐火のような色の焔《ほのお》になって、あっという間に燃え尽きた。僅かばかりの灰が土間に積もった。

夢のような光景だった。

暗闇に浮かび上がる焔は、滲んで、蠢《うごめ》いて、見たこともない程に妖《あや》しく、綺麗だった。うねうねと白い煙が立ち昇り、捩《よじ》れて裏返って掠《かす》れて消えた。お栄は残った灰を土間に擦り込むように踏み躙《にじ》って、それから一度奥に行き、着替えた。

意味はない。

客が来ない船宿の雇われ女将でいたくなかったのだ。

妾《あたし》は――。

野干のお栄だ。

何か食べようかと思ったが、どうしてもそんな気になれなかった。漫《そぞ》ろな心持ちなのか肝が据わっているのか、自分自身でも判らなくなった。のったりと夜が流れて行く中、お栄は只管《ひたすら》にその夜を遣り過ごし、時が満ちるのを待った。

多分四つ半を過ぎた辺りで、お栄は立ち上がった。

遅れてはなるまい。閑寂野への近道は足場が悪い。多少遠回りでも川沿いの道を行った方が良い。お栄は行燈を落とし、提燈《ちょうちん》に火を入れて、き津祢を出た。

川音を聞き乍《なが》ら進んだ。

閑寂野——。

何故閑寂野なのだろう。

どうして一文字屋はあんな場所を繋ぎの場所に指定して来たのか。お栄は漸《ようや》くそこのところに気を向けた。それまでは全く疑問を持たずに受け入れてしまっていたのだ。何か閑寂野である意味、閑寂野でなくてはならぬ理由というものが——あるのか。

そういえば。

又市も閑寂野で待っていた。

つまり、き津祢から然程《さほど》遠くなく、人目もない場所というだけのことか。

そうだろう。彼処《あそこ》には何もない。樹木もない。生き物もいない。果てさえない。だから誰も行かない。誰も行かないからこそ彼処なのだろう。陽に顔を向けられぬ者どもが集《つど》うには、お誂《あつら》え向きの場所なのだ。それだけのことだろう。

昏《くら》い。

ただ瞑《くら》い。

只管《ひたすら》に曚《くら》い。

夜天《やてん》には幾多の星が瞬《また》いている。ただ、どういう訳か月は見えない。移動した雨雲が覆い隠しているのかもしれぬ。雲のない空は澄んでいるけれど、星星の放つ光は弱弱しく、地上を照らすには及ばない。だから暗い。このしたたかな闇の中に燈るのは狐火くらいのものだ。狐火ならば、如何《いか》にもお栄に相応しいではないか。

違う。

死人《しびと》の火――。

この間の男、百介はそう言っていたか。

それならそれで構うものか。狐火だろうが鬼火だろうが同じことである。

お栄は提燈を翳《かざ》し、丘を迂回して、
閑寂野に至った。

漆黒の海である。

提燈の明かりは星明かりよりも更に力ない。手許《てもと》にあるというのに恐ろしく心許ない。夜が大き過ぎるのである。呑《の》まれてはいけない。夜なんかに呑まれてなるものか。お栄の心の闇はもっともっと深いのだ。

負けてなるものか。

雨上がりの水をたっぷりと含んだ地べたは、やけに柔らかい。地面を覆う死んだ草木が水を吸って生き返ったかのようである。

まだ早いのか。

人影はなかった。否、見えないだけか。

お栄は提燈を高く掲げ、一度ぐるりと大きく回してみた。

もう、と暗闇の一部が歪《ゆが》んで、其処《そこ》に何か不可解な形が浮かび上がった。最初は何だか判らなかった。目が慣れていない。

それは、松明《たいまつ》を掲げた人のようだった。

影は三つあった。遠近感が全く損なわれているので、距離が攫《つか》めない。おまけに地面も見えはしないから、まるで宙に浮いているかのように思える。

迚《とて》も大きな影。中くらいの影。そして、迚も小さな影。

「お待ちしておりました」

小さな影が言った。柔らかい声音だ。

「お手数やけど、こちらまでお出《い》で戴けまへんか」

招き寄せられるようにお栄は荒野へと下る。滑る。提燈の明かりが揺れてぐしゃぐしゃとした判らない何かを照らす。足許が悪ぅなってるよって気ィ付けておくれと同じ声が言う。

かさかさと何かが脛《すね》を掠める。

枯れ草だろう。お栄は荒野に降り立ったのだ。

一度、風が渡った。

三つの影が立っている場所が、荒れ地のどの辺りに位置しているのか、お栄にはまるで判らない。矢張《やは》り果てはないのだろうと、そんな風に思う。際《きわ》がなければ、中心《まんなか》も周辺《はじ》もない。ならば何処《どこ》に位置していても同じことである。

漸《よう》く影は人になった。

提燈で更に照らす。

小さな影は老人だった。

「わては一文字屋はんの使いで、帳屋の林蔵と申します」

「り――」

林蔵。年寄りだ。皺《しわ》だらけの小さな小さな老人だ。あの林蔵ではない。ならば、この老人が百介の言っていた林蔵なのだろう。

「お頼みの件やけども――果たしましてございます。通常《いつも》やったらこないな危ないことはせんのやけども、お栄はんの怨み、さぞや深いもんやろとお察ししましてな。こら直接見て貰わなあかんやろと考えましたんや。せやから、こないな寂《さび》しい処《とこ》に、こないな刻限に、わざわざお出まし戴いた、ゆうことですわ」

お宅に運ぶ訳にも行きまへんよってと、その林蔵と名乗る老人は言った。

「何を――見せようというんや」

「へえ。これだす」

林蔵と名乗った老人は、松明を自分の横に立っている大男に向けた。

下から照らされた大男は、比べるものが何もない所為《せい》か、途轍《とてつ》もなく巨《おお》きく見えた。

男は異相の僧侶《そうりょ》であった。大きく引き伸ばした大津絵の鬼のようである。咄《はなし》に聞く武蔵坊弁慶《むさしぼうべんけい》とやらが生きていたとするなら、きっとこんな男なのだろう。大男は、右手に錫杖《しやくじよう》のようなものを持っており、畚《もつこ》のような大きな荷物を背負っている。樽《たる》のように見える。

「これは鬼と違いますねん。玉泉坊《ぎよくせんぼう》ゆいましてな、まあ、こんな図体《ずうたい》やからね、主に力仕事させております」

これが重いねん、と老人は言って、大男に何やら指示をした。大男は一言も声を発さずに背中の荷物を地べたに下ろした。矢張《やは》り酒樽か何かのようである。

「これが、まあお約束のものだんねん。改めて貰えまっか」

「約束の——ものて」

違う。

これは酒樽ではない。棺桶《かんおけ》だ。

玉泉坊は、太い指で棺桶の蓋《ふた》を留めた鎹《かすがい》を抓《つま》むと、いとも簡単に引き抜いた。蓋を開ける。

お栄は濡《ぬ》れた枯れ草を踏み、棺桶に近付いた。

提燈を翳し、覗き込む。

「はッ」

いけない。たじろいではならない。

お栄は呑んだ息を吐き出さず、ゆっくりと、棺の中に目を投じた。

「た——辰造」

棺に納まっていたのは放亀の辰造であった。否、放亀の辰造だった、、、ものであった。

頸《くび》が折れ、捩《ねじ》れ曲がって顔が明後日《あさって》の方を向いている。息が絶えていることは確実だ。死んだ振りではない。作り物でもない。これは、紛《まが》う方なき辰造の屍体《したい》だ。無惨に殺害された放亀の辰造の——骸《むくろ》であった。

殺しましたでと老爺《ろうや》は言った。

「お望み通りに殺しましたで。どうしなはった。お栄はん、あんたが願《ねご》うたことでっせ。願うた通り、放亀の辰造を殺しましたんや。よう見なはれ。憎い憎い辰造や。あんたの妹殺した辰造でっせ。死んでまんねんで。いや、これでも飽き足らんいうのやったら、どうとでもしなはれ。罵《ののし》ろうが殴ろうが切り刻もうが、勝手や、気ィの済むようにしたらええ。もう」

手向かいも何にもせえへんでえと老爺は言った。

「死んでまっさかいな」

「ほんまに殺して呉《く》れたんか」

「あれ、いかんかったのか。もう生き返すことは出来ンけども」

「い——いかんことはない。う」

嬉しいわえと言った。

「さよか。それにしては顔色が冴《さ》えんように思うんやけど、暗い所為《せい》かいね」

「そ、そら、こんな場所でいきなり屍《しかばね》ェ晒《さら》されたりしたら誰やって——」

「別に怖いことあらへんで。こら、ただの死骸やからな」

「こ、怖いことはないけどな、せやけども——そや、一文字屋さんの裁量を疑《うたご》うてた訳やないのやけれど、真逆《まさか》こないに早《はよ》う片付けらるるとは思うておらなんだ——だけですて」

「これで」

ひとォつ、と老人は言った。

「あんたのどうにもならんことを叶えましたで」

大したものだ。

あの辰造が、こんなに呆気《あつけ》なく仕留められるとは、流石《さすが》のお栄も考えていなかった。何らかの抗争が起きるか、然《さ》もなくば或る程度の時が掛かるか、そうでなければ――。

また失敗《しくじ》るか。

「そ、それで――」

お栄は骸から目を逸《そ》らした。

「この殺しは幾価《いくら》なんですやろ」

「殺しの値段ゆうのはおまへんで。仕事の値段でっからなァ。あんたはんが頼まれたんは、これだけと違いますやろ」

「そうやけども」

もうひとつの依頼。それは――。

「靄船の林蔵を連れて来い――ゆう依頼やったけども」

「あ、あんたとは違うで。同じ林蔵いう名のようやけども、妾《あたし》が頼んだのは」

承知してまと老人は言った。

「わては林蔵やけども、あんたのゆう林蔵は別人ですやろ。それは、わてが誰より承知してることですわ。わては老《お》い耄《ぼ》れやし、あんたの妹さんのことも知らん。この辰造とも関わりはあらしまへん。妹はんの許嫁《いいなずけ》やった林蔵は」

死んでおりますわと、もう一人の林蔵は言った。

「さよか」

予想していたことである。

「しかも、十六年前にもう亡《の》うなっておった。自ら命を絶ったようやね。あんたの妹はんの跡を追ったか、それともこの辰造の追手から逃《のが》れられんと思うたか、丹後《たんご》の方まで遁《に》げて、海に身を投げたそうですわ」

身投げか。

首《くび》吊《つ》りよりはいい。

後が綺麗だから。何も残らないから。その方があの男らしいから。

「もう――解りました。妾は、あんたの噂を聞いて、その死んだ林蔵が生きてるのやないかと勘違いしたのや。人違いした本人の口から死んだと聞かされたら、もう」

もういい。

これでいい。それでも辰造が死んでくれたのなら――。

「なんぼお払いすればええのですか。安くないことは諒解しとります。為《し》遂《と》げてくれた以上は幾価であってもお払いしますわ。払えん額でも値切ったりは致しませんよって」

「せやから」

まだ済んでない言うとりますがなと老人は言った。

「済んでないて」

「あんた頼んだやないでっか。林蔵を連れて来いて」

「頼みましたわ。だから――あんたが来たのやろ、林蔵さん。ほんで、妾《あたし》が連れて来いいうた林蔵は、もう死んでもうとるいう話なのやないの」

「そうやねえ」

「なら終わりやろ。其処《そこ》に辰造は死んどりますがな」

「終わりやないて、お栄はん」

「どうするいうの。死んでおるのやろ。どうも出来ンやないの。どうにもならんて」

「どうにもならんことを」

どうにかするのが仕事だんねんと老人は言った。

「え――」

どういうことだ。

小柄な老人はもう一人の男に松明を向けた。

筋張った、顔色の悪い男だった。長い数珠《じゆず》を二重に回して首から下げている。

「これは、六道屋《ろくどうや》の柳次《りゆうじ》ゆう男ですわ。聞いたこと――おまへんか」

知らない。お栄は首を横に振った。

「六道の辻の念仏踊りですわ。此奴《こいつ》が一声念じ誦《とな》えれば、六道の辻で迷うておる亡者《もうじや》共も浮かれ浮かれて現世に踊り出すゆうてな。要は口寄せ、魂呼《たまよば》いの類《たぐ》いや。せやけども」

腕はええでと老人は言った。

「そんなもん――誰が信じますかいな」

「信じませぬか」

柳次は北叟笑《ほくそえ》む。

「皆様――初めはそう言いましょう」

「あ、阿呆か。妾《あたし》はそこまでお人好《ひとよ》しやない。口寄せやて、そないなもん、どうせ死人の振りして好き勝手喋《しゃべ》るだけやないか。そんな譫言《うわごと》聞いて安心すんのはよぼよぼの年寄りか田舎者《いなかもん》だけや。今の今まで、一文字屋ァ流石《さすが》やと感心しとったけれども――見損のうたわ。こんなんは茶番やないの」

そやろかなあと老人は言う。

「どうもこうもないわ。大体、妾は死んだ林蔵に、償わせたい言うてんのやで。口寄せでどないして償わすいうねん。謝って終いやったら償いにはならんで」

「口寄せではございません」

柳次は言った。

「六道念仏踊りにございます。亡者――踊らせてご覧に入れます」

「せ、せやから」

どう致しまひょ――と老人が問う。

「お受けした以上は何とかせなならん。これでは一文字屋の名折れやさかい――仕事途中ではお代も戴けまへんわ。亡者踊らせて宜しいか」

「やれるもんなら」

やってみい、とお栄は言った。

「承りました。踊らせましょう」

柳次はそう言うと首から下げた数珠を手に取り、珠《たま》を一つずつ弾《はじ》き始めた。同時に帳屋の林蔵を名乗る老人と玉泉坊は体を屈《かが》めた。お栄は眉《まゆ》を顰《ひそ》めて後ろに下がった。途端に。

ぼう、と青白い火がお栄の背後に吹き上がった。

「何や」

避《よ》ける。

ぼう。ぼう。ぼう。

火が。次次に火が。日が燈《とも》る。狐火だ。あの夜と同じ、無数の狐火だ。いや、これは。

「死人《しびと》の燈す無念の焔《ほのお》にございます」

「し――死人の火ィやて」

火や光というのは――。

人の手で作り出せるものではないでしょう――。

そうだろう。こんな芸当は人に出来るものではない。陰火はみるみるうちに増え、閑寂野は死人の焔で満たされた。まるで――。

昼間のように明るい。

否、暗いというならまだ暗いのだ。闇は払拭《ふっしょく》された訳ではない。寧《むし》ろ益々《ますます》深くなっている。

青い。其処彼処《そこかしこ》が青い。こんなのは――。

現実じゃない。

「お栄姐《ねえ》さん」

「だ、誰や——」

何処《どこ》からともなく声が聞こえた。

お栄はぐるりと回転する。いつの間にか老人も大男も、妖しげな祈禱師《きとうし》の姿さえも見えなくなっている。辺りは妖しい火と、忌まわしい闇で覆われている。

「お栄姐さん。わっしや。靄船や。削掛の——林蔵や」

「何やて。騙そとしたかてそうはいかんで。妾《あたし》は——」

野干《やかん》のお栄や。

「騙す——騙すて何ですのん」

真後ろだ。

振り向くと。

其処に。

提燈を掲げる。死人の焔では見えるものも視《み》えない。

「り——林蔵」

林蔵が居た。どうやら濡れている。水を被ったように濡れている。

「い、生きておったんやないの」

お栄はそう言って。

提燈を放り出し、林蔵にしがみ付いた。

「何や、阿呆臭。大勢して騙しよって。ちゃんと生きておるんやないの。何が後追いや。何が身投げや。あんたがそんなことする男やないと、妾《あたし》が誰より知っておるわ。水臭いわ。戻っておるなら何で顔出さんの。生きておるなら何故《なぜ》」

「生きてはおりまへん」

「まだそんなとろ臭いこと言うてんの。死んだ者《もん》が何で此処《ここ》に立ってんねん。妾が触っておるんは誰やいうねん」

つるりとした細面の顔。切れ長の眼。薄い唇。昔と変わらぬ。何一つ変わらぬ。

「そら変わりまへんて」

死んでますさかい。

「ええ加減にしい。あんた、あの、十六年前のこと気にしてるンやったら、ほら、もう心配ないで。辰造は死んだで。ほれ、その棺桶ェ覗いてみ。あの辰造が、鶏《にわとり》みたいに首捻《ひね》られてくたばっておるがな。もう追手は居らんのやで。安心やで」

「ああ。それは存じてますわ」

辰造はんもこっち側に来たよって。

「姐《ねえ》さんが殺さはったんですか」

「殺したのは一文字屋や。妾でもあんたでもない。もう安心や」

大叔父は死んだんや。

「妾には書き付けがあんねん。ええか。林蔵。放亀の辰造の血を分けた身内は妾だけや。兄の孫娘である妾だけが、其処《そこ》で死んどる男の親族なんや。あの辰造いう男は、手下は誰一人信用してないのんや。いや、肉親も信じてはおらなんだ。でもな、妾だけは別や」

「別——でっか」

「そや。自分の身ィに何かあった時は、身代《しんだい》丸ごと妾に譲るて、辰造はそう約束して念書書き残してんのやで。見てみ。死んでおるやろ。これでもう辰造の財産も屋敷も、放亀一家の縄張りも、何もかも妾のものなんやで。子分連中かて口は出せん。これからは野干のお栄が元締めなんや。せやから——妾と」

妾と一緒に。

「一緒に一家束ねて行こうやないか。なあ、林蔵」

妾はずっと。

ずっとお前を。

お前のために。お前が。

お前が欲しかったから。

「お栄姐さん」

「何や。何やの」

「慥《たし》かに辰造はんは厳しい人や。肉親も信用せん。その辰造はんが、何でお栄姐さんだけを信用しますねん。辰造はんは、あんたと同じ血を分けた肉親のお妙を殺さはった方でっせ」

「何や林蔵。まだ信じんのかいな。安心してもええて。妾《あたし》は信用されたのや。信用されるだけのことをしたんやて。それに、もうどうでもええことやないか。辰造は死んだんやで」

「そうは行きまへん」

　わっしも死んでますのや。

「何やの。人ォ虚仮《こけ》にすんのも大概にしてんか。あんた、そこまで腰抜けなんか。死骸《しがい》見てもまだ怖いいうのんか。それとも、妾のこと疑うんか」

「姐《ねえ》さん」

　いったい何をしはったん。

「あの辰造に書き付け残さす程に信用されるて、そら信じられまへん。あんた、ただの小間物売りやった。堅気《かたぎ》の小娘やった。辰造は悪党やで。己《おのれ》の兄の孫娘であるお妙を、虫螻蛄《むしけら》みたいに斬り殺させた男なんやで」

「ふん。あんた十六年も経ってまだお妙に未練があるのかえ」

　憎い。

　憎い憎い。

「聞きたいいうなら教えたろ。あんな、林蔵。十六年前、あんたの仕掛け辰造に指《さ》したンは」

　妾や。

「あんたがお妙遣《つこ》うて辰造に近付き、裏の仕事を暴き立てようとしとったことは――お妙から聞いて知っていたんや。あの、お妙は」

阿呆や。

「お妙はな、大叔父の辰造が悪事働いとるンは許せんと吐《ぬ》かした。その辰造の施してくれた銭でそれまで生き延びて来たいうのに、辰造が蔭から支えてくれてたからこそどうにか暮らして来られたいうのに、どの口が言うんや。そんな、世の中綺麗ごとで生きて行ける訳がないやんか。飯喰《まま》うには銭が要る。着物着《べべ》るにも銭が要る。弱い者《もん》が生き抜くためには、泥水でも何でも啜《すす》らならんのや。大義名分だけで綺麗に暮らしては行けんわ。せやから——」

「せやから報せたんか」

別な方角から声が聞こえた。

体を返す。

「せやから吾《わたし》を」

辰造に指したんか。

「姉ちゃん」

「お——」

お妙。

死人の焰の中にお妙が浮かび上がった。

「お、お妙。う、嘘や。嘘やろ。お前は死んだんやで。十六年も前に死んだんやで」

「そや。こないになあ、斬られてしもた。痛かったんやで姉ちゃん」

お妙は。

袈裟懸《けさが》けに斬られていた。

「真逆《まさか》、行くなりに斬られるとは思わなかったで。奥に通されて、大叔父さんの前に林蔵さんと並んで出て、口を開く前に斬られてしもたん」

大叔父さんの目ェの前で。

「もう、どうなっとるンか解らん。解らんから」

迷うていたんや姉ちゃん。

「ま、迷うたやて」

「そうや。六道の辻で、何処《どこ》へ行ったらええのんか解らんで」

ずっと迷うておったんよう。

「わっしの所為《せい》やと思うたんやでお栄姐《ねえ》さん。お妙が死んだのも、迷ったのも、わっしの所為やと思うとった。わっしは、慥《たし》かに放亀の辰造に罠ァ仕掛けるつもりやった。辰造は、金ずくで人を殺《あや》める悪党や、決して許してはおけんのやと、そういう依頼があったんや」

「一文字屋に——やな」

「そうや。でもな、何の証しもなかったんや。一文字屋ァ、証しもなしに喧嘩仕掛けたりはせん。確かな証しがなければ手ェも打てん。辰造殺したかて、一味が収まる保証もないわ。せやから証しが欲しかった。そこで、仁蔵の旦那《だんな》は一計を案じた。自分の殺しを依頼したらええのと違うかと、仁蔵の旦那はそう考えたんや。わっしは辰造に一文字屋仁蔵の殺しを依頼する役目を言い遣ったんや」

「自分の殺しを——」

「相手が仕掛けてくれれば、そら何よりの証拠になる。せやけど、わっしはそこで考えた。的は他ならぬお妙の、先を誓った娘の大叔父や。黙ってことを進めンのも——どうかと思うた。悩んだ揚げ句に、わっしはお妙に言うてしもたんや」

玄人《くろと》のやることやなかったと林蔵は言った。

「瞖《けつ》の青い、ヒヨっ子やったんや。裏の仕事は親兄弟にも口外法度《こうがいはっと》や。それでもわっしは、お妙には、お妙にだけは隠しごとすんのが厭《いや》やったんや。せやから、話してしもた。阿呆や。救い難《がた》い阿呆やった。でもな」

お妙は——解ってくれた。

「吾《わたし》は許せんかったんや。林蔵はんを信じたゆうのもあるけども、大叔父がそんな、人殺しィ商売にしとるなんて、どうしても許せなかったんや。その金で育った、その銭で暮らしてたて姉ちゃんは言うけど、だからこそ厭やった。そんな、人の血ィでこさえた汚い銭でお飯《まんま》喰うて生きて来たのか思うたら、居《い》た堪《たま》れんようになってしもたんやァ」

だから。

「お妙は自分が行く言うた。辰造は疑《うたぐ》り深い。慎重や。然《そ》う然《そ》う騙されはせん。けど、自分は身内やから、頭から信用せんゆうことはないて——」

間違いやったと林蔵は言った。

「他になんぼでも手ェはあった筈や。それを許したわっしが悪い」

そう思うてた。

いいや、それはそうなんや。

危ない橋に変わりはない。そんなもんにお妙巻き込んでええ訳がない。

でもな。でも真逆《まさか》。真逆、血の繋がったお妙坊をな。

いきなり斬るとは思うてなかったで。

痛かったで姉ちゃん。

吾《わたし》、死んでしもたん。

「あ、当たり前や。そら、斬るわ。予《あらかじ》め報せておいたんやから。人殺し商売にしとる大叔父にとって、稼業の秘密を嗅《か》ぎ回るような者《もん》は、身内と雖《いえど》も殺さなあかんやろ。親兄弟かて始末する、それが玄人《くろうと》と違うのか」

何で。

何で報せたんや姉ちゃん。

吾より大叔父さんが大事やったんか。

「そうや大事や。決まっておるわ。お妙。お前はな、お荷物や。辰造は金蔓《かねづる》や。天秤《てんびん》に掛けるまでもないわ。妾《あたし》がお前育てンのにどれだけ苦労したと思てんねん。そして、大叔父がどんだけ支えてくれたと思てんねん」

でも。

なら。

止《と》めてくれれば良かったやないの。

そんな阿呆なことせんとけと、言うてくれたら良かったやないの。

「何を都合のええこと言うてんねん。止めたかて止《や》めはせんかったやろ。お前は林蔵にのぼせておったやないか。思い直すとは思えんわ。苦労して苦労して育てた、血を分けた姉の妾の言葉より、林蔵の方を取ったやろ。違うか」

そやなあ。

吾は林蔵はんが好きやった。ほんまに好きやった。

わっしもや。わっしもお妙を好いておった。せやから辛《つら》かった。辛くて辛くて。

跡を追ったんや。

「り――林蔵、あんた」

ほんまに死んでおるのかえ。

「跡を追う程、お妙を好いておったんか」

そや。

そやから。

こうして迷っておるんや。

「ならいつまでも迷っておればええ。あんたは――」

妾の気持ちを。

お前も。お前も。

「妾《あたし》はな、お妙。お前の命と引き換えに辰造の信用を買《こ》うたんや。お前を差し出して跡目の書き付け貰《もろ》たんや。どうしてか解るか。姉ちゃんはな、お妙。お前が憎かったんや。妾も」

あたしも。

「林蔵を好いておったんや。惚れて、焦がれておったのや。知らんかったやろ林蔵。あんたはいつだってお妙の方ばかり見ておった。数える程しか会わんかったし、会っても話もせえへんかったけども、それやって妾は――」

ほんまにあんたが好きやった。

「だから」

「だから妹を殺させた――ってことかい」

「誰や。誰かまだ居るんか」

亡者か。死人の焔に囲まれて。この荒野は。

死人だらけだ。

「御行《おんぎょう》　奉為《したてまつる》――」

一斉に。

狐火が消えた。

田舎芝居の緞帳《どんちょう》が落ちたかのように、無間《むげん》の地獄は無限の暗闇となった。

「死人を消しやしたぜ、お栄さん」

「お、お前は」

りん、と三鈷《さんこ》鈴《れい》を振る音が聞こえた。

「ま——又市か」

これは——罠か。

「いけねェなあ。実の妹が恋敵かい。あんた、邪魔なお妙坊を殺させようてェ算段だったか」

「何処《どこ》に居るんや」

出て来ォとお栄は叫んだ。

此処《ここ》に居りやすぜと又市は言った。見えない。

「しかし、そいつァぬかったなあ。お栄さんよ」

何処に居る。まるで見えない。放り出した提燈はもう消えている。

「ぬかったなァ林蔵じゃねえ、あんただった——って訳だ」

「妾はぬかったりしてへん。お妙は死んだやないかッ」

目論見《もくろみ》通りに死んだのだ。お栄の思惑通りに、あの憎い妹は。

「でも——」

又市の声は闇の中から響く。

「肝心の林蔵もお妙坊の跡追って死んじまったんだぜ。そこんとこはあんたの描いた図面たァ違《ちご》うていたのじゃあねェのかい。それに、あんたは、もう一つ計り違いをしていたな」

悲しかったンじゃねェのかいと、又市の声は言った。

「何やて」

「悲しいて」

「お妙坊が死んで、悲しんだのは林蔵だけじゃねェ。あんたも悲しかったんだろ。違うのかお栄さんよ。手を下しちゃいねェとはいうものの、実の妹の命ィ取ったんはあんた自身だ。あんたはそれが堪《た》えられなかったから、だから大坂を捨てたんじゃねェのかい」

どうなんだ。

「悲しかったんだろう。辛かったのだろう。後悔したのだろう」

「そんな訳――」

ふ、と。

闇の中に林蔵の姿が浮かんだ。

どっちなんや、お栄姐《ねえ》さん。

ここが思案のしどころやで。

妹殺さして少しでも悔いる気持ちはあったんか。それとも。

それともあんた、心まで野干になってもうたんか。

どうなんやお栄はん。

悲しかったんか。

そやなかったんか。

そんなもの。

「巫山戯《ふざけ》たらあかん。林蔵、お前ももう死んでおるのやな。せやったらもう、口ィ出すな。亡者のくせに生者に関わるな。死んだら終《しま》いや。死んだら死んだ方が負けなんや。死人《しびと》なんかどうでもええわ。妾《あたし》は後悔なんぞしてないで。お妙も阿呆や。林蔵、お前も阿呆や。妾はな、もう放亀一家の跡目を取ったんや。もう怖いもんなんかないわ。後は、一文字屋を始末すればええんや。手ェ下したんが一文字屋やと妾は知っておるのやから、今度はこっちから」

「そうかい」

そうゆう了見かいと、林蔵は言った。

「何やて」

そこで。

再び火が燈った。

しかし燈ったのは狐火でも死人の火でもなかった。

数本の松明《たいまつ》で浮かび上がったのは——林蔵と名乗る小さな老人。そして玉泉坊という大男の僧。祈禱師の柳次。辰造の死骸が入った棺桶。

それから。

白装束《しろしょうぞく》の又市。

死んでいるお妙。

死んでいる林蔵。

「困りましたねえ。お栄さん」

低い、落ち着いた声だった。

「お、お前等ァ、何やねんな」

「嘘は困ると申し上げた筈です」

丸に一の字の提燈。現れたのは一文字屋仁蔵であった。

「もしも頼みの筋に嘘があれば、それ相応の償いをして戴くことになると――そう申し上げた筈でございますが」

「は、嵌《は》めたんか」

「嵌めたのは其方《そちら》でございましょう」

闇の彼方《かなた》からゆっくりと現れた仁蔵は棺桶の横で止まった。

「私はあなたの言葉を信じ、こうして――辰造さんの命を取ってしまった」

仁蔵は提燈を棺桶の縁《へり》に差した。

それから中を覗く。

「殺してしまったものはもう生かして戻せない。取り返しはつきませんな。私共は信用商売でございますから、口が裂けても間違ったとは申せません。これは――あなたに引き取って戴かねばなりますまいなあ」

「引き取るって何をや」

「罪を」

老人が消えた。

大男が、そして祈禱師が消えた。

又市が消え、死んだお妙が消え、いつの間にか仁蔵の姿も消えていた。

提燈に照らされた棺桶。辰造の死骸。その横に。

林蔵だけが立っていた。

「ま、まやかしか。あんた矢《や》ッ張《ぱ》り生きておったんやろ。なあ、林蔵――」

「ああ。わっしは生きておる。せやけど」

あんたは。

「妾《あたし》は――」

「本当にこれでええのやな」

そう言って。

すう、と林蔵も消えた。

関寂野の真ん中に――棺桶とお栄だけが残った。

棺桶に差された提燈の中の蠟燭だけが、ちろちろと燃えている。

見上げると星が瞬《また》いている。こんなもの、何も照らしやしない。

何もかも夢だ。

錯乱している。そうに違いない。

お栄はまだ濡れている草を踏み、棺桶の中を覗き込んだ。

辰造は。

死んでいる。

「夢やないのか」

いいや。夢だ。お妙はもう十六年前に死んでいる。夢でないというのなら。

どうして一言、ご免なさいと言えなかったのか。

ほんとうは。

「お妙——」

お栄は声を上げた。誰も居ない荒野で、一人声を上げた。

「お妙。姉ちゃんがあんたを殺さしたんや。あんたが憎らしかったんや。今更謝ったかて、何を言うたかて始まらんのやけども、せやから謝りはせんけども」

淋しいから。

「もう一度、もう一度」

顔を見せてや。

お栄の声は無限の夜に呑まれて消えた。淋しいやないか。みんな居のうなって。

もう一度、捻《ね》じ曲がった首の辰造を見る。

「大叔父貴《おじき》——」

死んだら負けや。

負けてなるものか。後戻りは出来ない。

お栄は満身の力を籠めて棺桶を押し倒した。辰造の骸は、半分ばかり荒れ地にごろりと転げ出た。提燈は落ちて潰れて、燃えた。

「見いや。妾《あたし》が辰造を殺したってん。この男は大叔父で恩人やけども、お前殺したんは、手ェ下したのはこの男や。どうであってもお前の、お妙の仇敵《かたき》には違いないわ。だから殺してやったんや。もう怖いもんなんぞない。妾が殺させたんやで。妾はな、これで――」

聞き捨てならんなあ姐《あね》さんという声が聞こえた。

閑寂野の際。ざくざくという跫《あしおと》。背中に人の気配がした。大勢である。

「姐《あね》さん。こら、どういうことでっか」

「お、お前、大鳥の――」

「あんた、お栄はん。今言うてたことはほんまかい」

「なんぼ元締めの身内やいうても、こら見逃せまへんな」

「な、何を言うてんのやお前等。跡目は妾やで。それより何でこないな処《とこ》に――」

これで終《しま》いの金毘羅《こんぴら》さんや――。

遠くで林蔵の声が聞こえた。

「つまらん仕事に大掛かりやったな――」

林蔵は朝靄《あさもや》に烟《けぶ》る閑寂野《さびしの》を眺めている。

「また――貸しィ作ったようなこと言いくさるんやろが。又よ」

「手前《てめえ》も懲りねェな。林《りん》の字。何年経ってもそんなこと言ってやがるな。借りも貸しもねェだろよ。こら――仕事だ」

御行《おんぎょう》の又市はそう言って、提燈の燃え滓《かす》を蹴《け》った。

「この野ッ原に、あの後お妙坊は捨てられたんだな」

「そうや。お栄が捨てたんや。もう、骨も何も残ってないわ」

「残ってたってどれがどれだか判りやしねェよ。馬も人もねえや。骨散《こっさん》の相《そう》も遥《はる》か昔だ。もう十六年だぞ。それにしても――」

馴染《なじ》みが逝《い》くな厭なものだぜと又市は言った。

「小股潜《こまたくぐ》りが殊勝《しゅしょう》なこと語るンやないわい。そっちこそ何も変わってへんやないか、又。身形《なり》は変わっても、人が死ぬる度わあわあ泣いておった昔のオノレのまンまやないか――」

まあ——此度《このたび》はわっしも遣り切れんのやけどな。

林蔵は心中でそう言って、
お栄の骸《むくろ》に背を向けた。

野干のお栄は、辰造の手下《てか》共に膾《なます》に斬られて死んだ。

骸は辰造と入れ替えに棺桶に放り込まれた。お栄は多分、このままこの荒れ地で朽ちて行くのだろう。自分が妹の骸を打ち捨てたこの閑寂野で。

「又。お前、十六年前からお栄を疑《うたご》うておったんか」

「ああ。どう考えたってありゃ怪訝《おか》しい。どんだけ手前《てめえ》がどんくさくても、内通者が居なきゃあんな不始末にはならねェよ。大体な、あの追手ァ手厳しかったぞ。遁《に》げても遁げても執拗《しつこ》く追い掛けて来やがっただろ。なのに一文字狸に手が伸びたてェ話はなかったんだぜ」

実際に一文字屋が仕掛けの元だということが露顕《ろけん》した様子はなかった。

「まあ、だからこそ狸の親爺は俺達を切ったんだ。十六年前の仕掛けはな、辰造にとっちゃ俺達だけがやったことだったのよ。つまり、狸と無関係に俺達二人だけを知っている誰かが」

又市は少しばかりひしゃげた棺桶に目を遣った。

「裏切《かんげ》ったと考えるよりねェだろが」

「そうよな」

林蔵も。

考えなかった訳ではない。

だが。

罪な男だぜと又市は言う。

「止《よ》せや」

「止さねェよ。あのな、それでも矢ッ張《やっぱ》り――お妙坊が死んだのは手前《てめえ》の所為《せい》だぞ林蔵」

「解っとるわい」

「そうはゆうけどなあ、又さん。このお栄はんの方は――こら、矢張り自業自得やで」

林蔵を名乗っていた老人――祭文語《さいもんがた》りの文作《ぶんさく》である。

「このお栄はん、大した女やで。真逆《まさか》一文字屋に乗り込んで来るとも思わんし、その上辰造殺しまで依頼するとは、流石《さすが》のわても思わなかったわ」

「悪い女やないんやて」

そう。

本当は。

御行の又市は、林蔵の相棒だった男だ。小股潜りの異名を取る小悪党で、諸国を巡り口先だけで世を渡る、林蔵の同類である。一文字屋仁蔵の信頼も篤《あつ》い。

先だって帷子辻の怪事に纏《まつわ》る依頼を受けた一文字屋が、その又市をわざわざ遠方から呼び寄せたのであった。同じ時期、林蔵は別の仕事で長崎に行かねばならなかったのだ。その後、又市は泉州の面倒ごとの始末を仁蔵から請《う》け負い、仕込みのために大坂にやって来た。

其処《そこ》で。

お栄を見掛けたのだった。

しかも——見掛けた場所が悪かった。お栄は放亀の辰造の拠点のひとつである船宿き津祢《つね》の女将になっていた。又市は全てを察した。

「ソンでも暫く大坂を離れていやはったんは、妹さんのことがあったからなんやろね」

お妙の扮装《ふんそう》を解いた横川《よかわ》のお龍《りよう》が呟《つぶや》いた。

「強がっていはったけども」

情け掛けるもんじゃねェよと六道屋の柳次が接《つ》いだ。

「後味が悪くなるだけけよ。どんだけ悔いていたってな、この女《あま》ァ結局、辰造に擦り寄って一家の中に入《へえ》り込んでるじゃねえか。遁《ふ》ける前《めえ》に、ご丁寧に書き付けまで貰ってた訳だしな。単にほとぼりィ冷ましてただけかもしれねェぞ」

人の気持ちは解らねェよと又市が言った。

林蔵もそう思う。

「だが、お栄があの狸親爺を喰いに掛かろうとしたこたァ間違いねェこったし、しかも恩人で大叔父の辰造を邪魔に思っていやがったことも紛れもねえ事実だ。自分が跡目取るために殺してくれてエんだから、こらあ欲得ずくよ。仕方がねェや。いいか、林蔵」

又市は余計なことを言う。

「文作の爺《じじ》ィの言う通り、この女が命落としたなァ手前《てめえ》の所為じゃァねェぞ。このお栄は奸計《かんけい》巡らせて己《てめえ》で自分《てめえ》の首絞めたんだよ。十六年前《めえ》のこたァ、関係ねェ」

寸暇会《ちょいと》わねェうちに優しくなったな又市よゥと柳次が茶化す。

「林の字が生きてると知ったからこそ、そんなことをする気になったのじゃねェのかよ。これまでずっと黙《だん》り決《ま》め込んでいやがって、いきなり動きやがったんだぜ。ならよ、この色男の噂が立った所為ってことじゃあねェか」

止しなよ柳さんとお龍が言う。

止さずともいい。その通りだからだ。

「おい。林の字。お前、少しばかり名前《なめえ》が売れ過ぎたのじゃあねェのか」

「ああ」

大坂に長く居過ぎた。

文作が宥《なだ》めるように言う。

「まあ、此度《こたび》は丁度、辰造を始末して欲しいゆう依頼があったのやから。これも何かの縁、天の思《おぼ》し召しや思うた方がええのと違うか」

「天の思し召して何やの」

「伴天連《ばてれん》はそんなこと謂《い》いよるのんやで。それにな、悪さが過ぎたのは辰造やろて。この十六年の間、依頼がなかったのが不思議なくらいやもの。ねえ、林さん」

そう。

一文字屋が辰造に手を出さなかったのは、頼む者が居なかったというだけのことである。手を拱いていた訳でも、負けて引いた訳でもないのだ。

一文字屋仁蔵は世のため人のために裏働きをしている訳ではない。商売でしているだけなのである。頼む者が居なければ、手は出さぬ。どれだけ悪辣《あくらつ》非道な者が居ても、それは商売とは関係ない。但《ただ》しどんなに強大な相手であっても依頼さえあれば動く。それだけのことである。

十六年前は――。

十六年前はどうやったのとお龍が尋《き》いた。

「林さんが失敗《しくじ》らはって、それでどないしてん」

「狸親爺はちゃんと仕事を済ませてるよ。なあ六道の」

オウと柳次は答える。

「この俺が、どうにかこうにか丸く収めたぜ」

「そうなん。でも、よう判らんわ」

「ありゃ殺してくれなんて物騒な依頼じゃなかったんだよ。辰造に強請《ゆす》られてた大店《おおだな》が、その強請りの種を取り返してくれてェ依頼だった。そのためにこの林蔵は辰造を調べて、そして余計な悪事まで暴いちまった。暴いただけならまだしも、それをお妙坊に言っちまった」

馬鹿だ手前《てめえ》はと又市は言った。

その通りだと林蔵は思う。

「惚れた女ァ次次に持って行かせやがってよ。懲りろ」

「懲りてるよ」

もう十分だ。

「一方、今回は怨みを晴らしてくれゆう依頼なんや。幼い子供三人も殺された、哀れな親御さんの依頼ですねん。こら、もう見過ごせんわなァ。親方が引き受けはった以上は商売やさかいな。このわてと、玉泉坊が先《せん》から動いておったのよ。そこに——このお栄はんがやって来たァゆう案配や。せやからね、一文字の親方はんは、お栄はんの依頼を受けて辰造を始末したのと違《ちゃ》うねんで。このお栄はんのことは、又さんからきっちり聞かされておったようやからな」

「一文字狸はな、今回は手前《てめえ》を外《はず》そうと思ってたようだぜ。林蔵」

「余計なお世話じゃ」

自分の尻《けつ》は自分で拭《ぬぐ》う——そう言いかけて林蔵は黙った。

「任せて貰《もろ》た方がさッと終わっとった思うで。わっしを外そうなんて考えよるから、こないに手間ァ掛けることになるのんや。これやったら勢揃いやないかい」

強がるなと柳次が言った。

「死人《しびと》化粧のお前の面《つら》ァは忘れねェよ。それから——お龍が化けた娘の姿見た時の顔もな」

何や悪ゥてなァとお龍は言う。

「妾《うち》は言われたら何にでも化けるけども——化けたんが林さんの亡《の》うなった許嫁《いいなずけ》はんやったとは、夢にも思わなんだから」

ご免な林さんとお龍は顔を背ける。

「厭やったろ」

「構わねェよ。それこそ」

仕事だ。

仕事でも――嘘でもまた会えたような気がした。

だから、いい。

「それより又はん、わてが林蔵を名乗ったの、能《よ》くまあ素直に信じたもんやね、あのお栄はんが。彼方此方《あちこち》で噂ンなっておった林蔵は、ほれ、この通り若《わこ》うて男前なんやで」

「へん。此奴《こいつ》に死んで貰わなきゃお栄は真実《ほんとう》のこと吐《は》きゃしなかったからな。どうあっても噂の林蔵はこの野郎とは別人にしときたかったんだよ。皺《しわ》くちゃの汚ェ爺《じじ》イはお誂《あつら》え向きだぜ」

「そやけども、お栄はんは用心深い女やったで」

まあ仕込んでおいたのよと又市は言った。

「ああ。そりゃ」

もしや百介はんやねと文作は言った。

「百介って、あの山岡はんか。あの人も使《つこ》うたんか又」

山岡百介は駆け出しの戯作者である。長崎から戻った林蔵は、京で百介と出会い、洛中を案内し、乞《こ》われて大坂まで連れて来た。文作とも旧知の仲であるらしい。

「あの人はおもろい人やなあ。また騙して使うたんか」

「騙してねェよ。ちゃんと事情は話したぜ。あの人は嘘は吐《つ》けねェ人だからな。ただ一つ、林蔵のことォ尋かれたら、くたばり損ないの糞爺《くそじじ》ィだと言ってくれと頼んだのよ」

「ふん。口の減らんとこと人遣《ひとづか》いの荒いとこだけは相変わらずやねえ、又さん」

「一言多いぞ爺ィ。それにしても——柳次の六道踊りも派手になったもんだな。こりゃあの」

小右衛門《こえもん》の趣向かよと言って、又市は丘の方に顔を向けた。

丘の麓《ふもと》、五輪塔の横に火事装束《しょうぞく》の偉丈夫《いじょうぶ》な男が立っている。

御燈《みあかし》の小右衛門である。

小右衛門は、一文字屋の客分である。腕の良い人形師であるが火薬扱いにも長《た》けている。この原野を覆い尽くした狐火は、全て小右衛門の仕込んだ火薬仕掛けなのである。

小右衛門の隣には玉泉坊と、仁蔵が居た。

「しかし高が牝狐一匹に総掛かりかい」

「そうだぜ。総掛かりで」

生かしたかったのよと又市は言った。

「何度も言うが、辰造の始末とお栄の一件は別口だ。慥《たし》かにお栄の奴は隠しごとをしていやがった。だがよ、それは昔の話だぜ、林蔵。それにな、白状する機会は何度もあったんだ。最初に奴《やつがれ》が話した段階で口を割っていたならよ、こっちも仕掛ける気はなかったよ。放っておいてもなるようになる。一文字屋にだって嘘を吐《つ》くこたァなかった筈だ。林蔵が生きているなら会って一言詫びたいと、妹が死んだのは自分の所為《せい》だと正直に言っていたなら、それで済んでいたんだよ。でもお栄は正反対のことを言った。そして辰造殺しまで頼んで来やがった」

「そや。わての皺面《しわづら》見てな、あの林蔵が死んでいると一瞬でも思うたのであれば、そこで言うことかて出来た筈やからね。それでも言わなんだやろ」

「そうよ。六道踊りで亡者《もうじゃ》ンなったお前を見せて、それで真情を洩《も》らすかと思えば、それでもあの女は突っ張りやがったからな。詫びるどころか悪びれもせず、開き直りやがっただろ」

「妾《うち》の——妹はんの姿を見ても——や」

そうやな。

そういう女や。

「最後の最後まで——野干のお栄を貫いたんだ。あのお栄は。気丈な女だよ。でも、見切った後に何か言っていやがったじゃねェか。大声でよ」

「そやな」

悲しい女やな。

淋しかったのやろな。

「野干なんて二つ名は捨てるべきだったんだよ。野干ってなァ、野狐《やこ》とも謂《い》うらしいがな。野狐てなァ狐の中でも一番位の低い、卑《いや》しい狐なんだそうだぜ。そんな名前《なめえ》は誇りにも何にもなりゃしねエ。そんな有り難くねェ名前翳《かざ》して意地ィ張るから、こんなになっちまうんだよ」

弔《とむら》うかいねえと文作が問うた。

「このままじゃ可哀想やろ。何処《どこ》ぞに葬るんやったら、玉泉坊に持って行かせるで」

「いや」

このままでいいと林蔵は言った。

「ええのんか」

「此処《ここ》がええのや。此処にはな」
お妙も居る。
一緒がええのやろ。
その方が淋しくないやろ。
あの世でゆっくり詫びたらええわ。
お妙は許してくれるやろう。優しい娘やったから。
此処で朽ちるとええ。わっしも一緒に朽ちるから。此処で一緒に朽ちるから。
朝日が差した。
みるみる明るくなる。
何てことはない。
陽光に照らしてみれば忌まわしき閑寂野も——。
ただの野っ原だ。
棺桶があるだけ他の骸《むくろ》よりマシだぜ、お栄。
わっしに惚れるなんて、お前は阿呆や。こんな屑《くず》の何処《どこ》がええのや。
「じゃあ」
行くぜと又市は言った。
「いつまでもこんな処《とこ》にゃ居られねえよ。おい。林蔵。手前《てめえ》——」
大丈夫だなと又市は言う。

嘗《な》めるンやないで。

「ま、そろそろ潮時かもしれん。一つ処で遣り過ぎたわ。わっしは」

大坂を出よう。

陽が昇るから化け物は退散だぜ。

林蔵は差し込む朝日を見詰めて。

眼を細めた。

朝の光は、少ォし眩《まぶ》し過ぎるで。

わっしは一人で向こうに行くわと言い残して、靄船の林蔵は踵《きびす》を返し、果ての知れぬ荒野の果てのその先に向けて、一目散に駆け去った。これで終いの。

金毘羅さんやで。

ほな、さいなら。

西巷説百物語　了

解説

島本理生

数年前、九州のとある温泉旅館の廊下で、私はこの世のものか分からない物を見た。

始めは絵かと思って眺めたものの、時を経て劣化した白黒の感じと、そのわりには繊細な陰影と質感から古い写真のようにも思えてきて、そのことに困惑した。

なぜなら、そこに映っていたのは、暗い雲の間を飛ぶ龍《りゅう》と、その龍を操るかのようにまたがった白装束姿の女性だったからである。

額縁の下には、なんとかという神様の名が書かれていただけで、それ以上の説明は無かった。それだけなら、よくできた絵だと納得して、その土地に伝わる神話かなにかがモチーフなのだろうと解釈すれば済む。

そう割り切れなかったのは、その神様らしき女性の持つ、異様な雰囲気である。

おそろしいほどの美女だった。

そして、おそろしい目をしていた。

見ているうちに、体が強張《こわば》り、嫌な汗をかいた。

縁起が良いものにも見えないし、のんきに温泉に浸《つ》かりに来たお客向きではない。そもそも写真風なのが胡散臭《うさんくさ》い。それが、どうして立派な温泉旅館の廊下に飾ってあるのか。現実的な読者の方には笑われるかもしれないが、それ以上関わってはいけない気がして、結結局、宿の人に尋ねることすらしなかった。それくらいに異様な気配の潜んだ一枚だった。

とはいえ、時間が経って、そんな記憶も遠のいていたが、『西巷説百物語』での、「桂男」の
「（前略）月をば凝乎《じっ》と見ておると、見られてるのに気付くんでっしゃろか。此方《こっち》向いて、招く謂いますねん」

というくだりを読んだ瞬間、いっぺんに思い出して、鳥肌が立った。

必要以上の色気や欲を出さずにまっとうに生活していれば、人はそうそう招かれることはない。おそろしいものには近付かず、死者を粗末にしたりはせず、恨みの感情は堪《こら》えて時の流れと共に薄れるのを待つ。

けれど、ひとたび欲望や愛憎や悲しみに取りつかれ、闇に足を踏みいれたとき。いっぺんに視界が悪くなる。

ネタバレになってしまうので、具体的な作品名は伏せるが、京極夏彦さんの作品は、たびたび「見る」ことが重要な鍵《かぎ》となる。

人は見たいものしか見ない。視覚からも、意識からも、排除してしまう。ところが、それほど目をそらしたいものが簡単に消えたりはしない。

正しい形を失った真実や感情は、どんどん変質して、異形のものになる。

ああ、人の心はこんなにもあらゆるものに姿形を変えるものだと気付く。

不思議な出来事に具体的な因果を見出《みいだ》すのは、その人自身の心である。

だから、私が旅館で見たのが、得体のしれぬものか否かは問題ではなく、そのとき自分の中に薄暗いところさえあれば
「迷った者《もん》はな、何でも見えるし何でも聞こえるんじゃ。見とる者聞いとる者には、こら現実のこっちゃないか。恐ろしのや。怖いのや」

のである（そのとき、心にやましいところがなくて、本当に良かったです……）。

京極夏彦さんといえば、やはり妖怪《ようかい》だが、彼らは本書でも大活躍している。前作の『前巷説百物語』では仕掛け物として、どこかユーモラスな登場の仕方だったが、今回は足を踏み外したまま戻れない人間たちの哀しくもまがまがしい業を映している。趣は異なれど、その造詣《ぞうけい》の深さから、異形のものに対する愛情がしみじみと伝わってくる。それは同時に、人間という愚かな生き物に対する愛情ではないかと思う。

京極夏彦さんの小説の大きな魅力は、そのバラエティに富んだ登場人物だ。

どんなに優れていても、超越しているように見えても、妙に人間臭いところがある。また、どんな悪人にも、その人なりの道理がある。むしろ道理があるからこそ、その異様さが際立つ。闇に惑う者たちを簡単に成敗するのではなく、もう一度惑わせてぐらぐら揺さぶるやり方は、デビュー作『姑獲鳥《うぶめ》の夏』以来、ずっと読者をひきつけてやまない京極作品の偉大な発明だ。

個人的に、最高の創作物とは悪者が魅力的な作品だと思う。それはいかに作者が人間の奥行きを理解して、公平かつ愛情深い目で見ているかという証《あかし》でもある。けっして悪に対して寛容

ということではない。むしろ罪を犯した登場人物たちは、皆、命を落としていく（普通は、最初に人が死んで、そして事件が解決されてめでたしめでたしになるが、京極さんの小説は事件が解決するほど、死人が激増する傾向にある）。

視界を覆っていた霞《かすみ》が取り払われ、現実と対峙《たいじ》したとき、そこにいるのはもうかつての自分ではなく、一匹のものののけだ。そのことに気付いてしまったら最後、もう人としては生きられない。

だから、巧みに相手を引き戻し、その責任を白日の下にさらして本人に負わせるという方法は、ある意味、すごく残酷で、やるせない。

一方でその潔さがあるからこそ、『西巷説百物語』は、人間の業をここまで描きながらも清々《すがすが》しさを失わないのだと思う。

あらすじだけを追うと、血なまぐさいモチーフがてんこ盛りなのに、それを一目で分からせない品の良さが全体を包んでいる。だからこちらもすっと物語に入っていける。それはどんな登場人物よりも、まず書き手自身が真っ当だからできることだと感じる。

また、つねに読者を楽しませてくれる仕掛けがあるところにも、京極さんの体温を感じる。

思い起こせば、『嗤《わら》う伊右衛門』（この作品も本当に素晴らしいので、未読の方はぜひ読んでほしい）で涼やかに登場し、「巷説百物語」シリーズを通して読者に愛され続けてきた又市が、最後の「野狐」に出てくるのは嬉《うれ》しい。この『西巷説百物語』ではメインの立場でするっと事件を解決してきた林蔵にも過去があり、むしろ又市に揶揄《やゆ》されっぱなしのお調子者だったことを思い出し、物語が親しみを伴ってぐっと近付いてくる。

だからこそ、「野狐」は特別に悲しい。元来、女の嘘は、男の嘘とはちょっと性質が違うものだ。それが色恋絡みとなればよけいに。権力や金銭、地位や名誉を欲してつく嘘とは性質が異なり、女の場合は嘘を嘘とも思っていなかったりする。矛盾に満ちた感情こそが、女にとっては真の心であり、嘘偽りのないものであるから。

お栄はむしろ、けっして妖怪になりきれない、半妖怪だった。彼女は戻って来られたのではないか、という思いをひときわ強く抱き、その割り切れなさ、淋《さみ》しさに思いをはせながら本を閉じたときには、またしてもどっぷり京極作品の虜《とりこ》になっていた。

この『西巷説百物語』はいったん

「これで終《しま》いの金比羅さんや――」

でも、人間の業が果てぬかぎり、またいつかどこかで彼らに会えるのではないか。

そんな気がしている。

中扉裏

『繪本百物語』桃山人（金花堂　天保十二年）より

主な参考文献

繪本百物語　桃山人　金花堂／天保十二年
旅と伝説　岩崎美術社／昭和五十一～五十三年
日本庶民生活史料集成　三一書房／昭和四十三～五十九年
叢書江戸文庫　高田衛・原道生責任編集　国書刊行会／昭和六十二～平成十四年
燕石十種　岩本活東子編　森銑三・野間光辰・朝倉治彦監修　中央公論社／昭和五十五～五十七年
未刊随筆百種　三田村鳶魚編　中央公論社／昭和五十一～五十三年
日本随筆大成　日本随筆大成編輯部編　吉川弘文館／昭和五十～五十四年
耳嚢　根岸鎮衛著・長谷川強校注　岩波文庫／平成三年
国史大辞典　国史大辞典編集委員会編　吉川弘文館／昭和五十四～平成九年
新日本古典文学大系　岩波書店／平成元～十五年
新潮日本古典集成　新潮社／昭和五十一～六十三年
浄瑠璃作品要説（一～八）　国立劇場芸能調査室／昭和五十六～平成十一年
桃山人夜話　絵本百物語　竹原春泉著　角川文庫／平成十八年

本書は平成二十二年七月、小社より刊行された
単行本を、加筆修正の上、文庫化したものです。

西《にしの》巷《こう》説《せつ》百《ひやく》物《もの》語《がたり》

京《きよう》極《ごく》夏《なつ》彦《ひこ》

平成25年 3月25日 初版発行
令和6年 4月5日 3版発行

発行者●山下直久

発行●株式会社KADOKAWA
〒102-8177 東京都千代田区富士見2-13-3
電話 0570-002-301（ナビダイヤル）

角川文庫 17870

印刷所●株式会社暁印刷
製本所●本間製本株式会社

表紙画●和田三造

●お問い合わせ
https://www.kadokawa.co.jp/（「お問い合わせ」へお進みください）
※内容によっては、お答えできない場合があります。
※サポートは日本国内のみとさせていただきます。
※Japanese text only

ISBN 978-4-04-100749-5 C0193

◇◇◇

角川文庫発刊に際して

角川源義

第二次世界大戦の敗北は、軍事力の敗北であった以上に、私たちの若い文化力の敗退であった。私たちの文化が戦争に対して如何に無力であり、単なるあだ花に過ぎなかったかを、私たちは身を以て体験し痛感した。西洋近代文化の摂取にとって、明治以後八十年の歳月は決して短かすぎたとは言えない。にもかかわらず、近代文化の伝統を確立し、自由な批判と柔軟な良識に富む文化層として自らを形成することに私たちは失敗して来た。そしてこれは、各層への文化の普及滲透を任務とする出版人の責任でもあった。

一九四五年以来、私たちは再び振出しに戻り、第一歩から踏み出すことを余儀なくされた。これは大きな不幸ではあるが、反面、これまでの混沌・未熟・歪曲の中にあった我が国の文化に秩序と確たる基礎を齎らすためには絶好の機会でもある。角川書店は、このような祖国の文化的危機にあたり、微力をも顧みず再建の礎石たるべき抱負と決意とをもって出発したが、ここに創立以来の念願を果すべく角川文庫を発刊する。これまで刊行されたあらゆる全集叢書文庫類の長所と短所とを検討し、古今東西の不朽の典籍を、良心的編集のもとに、廉価に、そして書架にふさわしい美本として、多くのひとびとに提供しようとする。しかし私たちは徒らに百科全書的な知識のジレッタントを作ることを目的とせず、あくまで祖国の文化に秩序と再建への道を示し、この文庫を角川書店の栄ある事業として、今後永久に継続発展せしめ、学芸と教養との殿堂として大成せんことを期したい。多くの読書子の愛情ある忠言と支持とによって、この希望と抱負とを完遂せしめられんことを願う。

一九四九年五月三日

角川文庫ベストセラー

巷説百物語　京極夏彦

江戸時代。曲者ぞろいの悪党一味が、公に裁けぬ事件を金で請け負う。そこここに滲む闇の中に立ち上るあやかしの姿を使い、毎度仕掛ける幻術、目眩、からくりの数々。幻惑に彩られた、巧緻な傑作妖怪時代小説。

続巷説百物語　京極夏彦

不思議話好きの山岡百介は、処刑されるたびによみがえるという極悪人の噂を聞く。殺しても殺しても死なない魔物を相手に、又市はどんな仕掛けを繰り出すのか……奇想と哀切のあやかし絵巻。

後巷説百物語　京極夏彦

文明開化の音がする明治十年。一等巡査の矢作らは、ある伝説の真偽を確かめるべく隠居老人・一白翁を訪ねた。翁は静かに、今は亡き者どもの話を語り始める。第130回直木賞受賞作。妖怪時代小説の金字塔！

前巷説百物語　京極夏彦

江戸末期。双六売りの又市は損料屋「ゑんま屋」にひょんな事から流れ着く。この店、表はれっきとした物貸業、だが「損を埋める」裏の仕事も請け負っていた。若き又市が江戸に仕掛ける、百物語はじまりの物語。

今昔百鬼拾遺　河童　京極夏彦

昭和29年、夏。複雑に蛇行する夷隅川水系に次々と奇妙な水死体が浮かんだ。「稀譚月報」記者・中禅寺敦子は、薔薇十字探偵社が調査中の案件との関わりを探るべく現地に向かう。怪事件の裏にある悲劇とは？